新潮文庫

きのね

上巻

宮尾登美子著

新潮社版

6277

目次

きのね 上巻

貝寄風(かいよせ)

上野不忍池(しのばずのいけ)の蓮(はす)はまだいちめんの浮き葉で、その葉を揺らせながら吹く西風は、水面にやさしい小波(さざなみ)を立てる。それでいて突然、水際(みずぎわ)の草を濡(ぬ)らすほど強く打ち寄せる波もあり、そのしぶきをよけて後退(あとずさ)りしながら、光乃(みつの)は、春さきのこんな風のことを何つったっけな、と思った。

幼いころのおぼろげな記憶に、海に向かって立っている自分があり、その耳もとに少ししゃがれた声で、

「貝を岸辺に運んでくる風だべ」

と教えてくれたのは、確かもう顔もおぼえてはいない祖母かと思われ、ゆっくりと言葉がよみがえってきて、

「ああ、貝寄風」

と呟(つぶや)いた。

この風が吹きはじめると、着物の裾(すそ)をじんじんばしょりして毎日のように貝掘りもで

きるし、それに何より、家の内がぱあっと明るくなって、家業の塩焚きも、夏に向かってようやく段取りがととのいはじめる。

いわば貝寄風は恵みの先ぶれだけれど、ことしの春は、光乃にとって恵みどころか、出口も見えぬ暗いトンネルのなかに、膝を抱えてじっとうずくまっているような気がする。考えてみれば何もことしの春に限らず、塩焚きの家業をやめ、一家を挙げて故郷の行徳を出て以来、昭和八年の今日まで、もうずい分と長いあいだ、家のうちに明るい笑い声を聞いたおぼえもないと思った。

今朝、柱鏡に向かって長い髪を三つ編みに結っている光乃の背後で、大叔母に当たるまつが癇性に高い音を立てて煙管をはたきながら、

「あーあ」

といつものようにためいきを吐き、

「いったいいつまで居候をきめこむつもりなのかねえ」

と口ぐせの科白がはじまり、

「いい年してさ、五体満足の娘がさ、その気になりゃ、桂庵へでもとび込めば、すぐに思案は付くってもんさね」

と聞こえよがしにいった。

この言葉は、去年の十月、光乃がこの家に厄介になりに来て以来、耳にたこが出来る

ほど聞かされたものだけれど、ここ五、六日前の、光乃の実科女学校の卒業式を終えたあたりからいっそうひんぱんになりつつある。

言葉の打擲とはしたたかに手痛いもので、まつの口から一ふり打ちおろされるたび、光乃は自分の背丈が一寸ずつ縮んで行くような感じがあり、もうこれ以上は耐えられない痛さだと思った今朝、はじめて、

「叔母さん、その桂庵てのは何ですか？　どこにあるの？」

とたずねた。

まつは俄かにえびす顔になり、

「おや、ま」

と煙管を置いて、

「やっと了簡おしかい？　そりゃよかった。あたしも詳しくはないけどね。なあに省線に乗って上野に行けばすぐ判るよ。松坂屋の百貨店の横町あたりだよ。口入れ屋のことさ。さっそく行ってごらんな」

とやさしい声になってすすめた。

光乃は口入れ屋、と聞いただけですうーっと寒気がし、一瞬目の前が塞がってしまう感じだったが、こんな言葉のやりとりのあとで、まさか心細いなどと弱音は吐けなかった。

それに、この家に移って来たときから、いずれは自分で自分の身を立ててゆかねばならぬ運命だとは十分知っていたから、この日の早いと遅いとの違いだけであった。どんなに気が進まなくても帰る家はなし、叔母の家の居候も学校卒業までが限界だとすれば、自ら気持ちを励まして、その桂庵という店をたずねて行くより他はない。

幅の狭い柱鏡のなかをもう一度のぞくと、そこには幼いころ、下の弟の幾也と喧嘩になれば必ず互いに「黒蠅！」「白豚！」と大声でけなしあった、やや赤毛のふっくらした色白の瓜実顔があり、まつも機嫌のよい日は、

「番茶も出花だからね。光乃もどっか玉の輿ってのはないもんかねえ。あたしも左団扇で暮らさせてもらいたいもんだよ」

などといい、あてのない望みを抱いたこともあったらしい。

十八という年ならまさに嫁入りざかりだけれど、世間並みの縁組をするなら、まず後ろ楯となる両親がいて、それなりの支度も調えねばならず、嫁いだあとの親戚付き合いまで考えると、いまの光乃にはとうてい手の届かぬ話であった。幸いにしてもし、身ひとつでもらってくれるというひとがあったとしても、いま四散している家族の様子を考えれば、さきざき相手に迷惑がかからぬとはいえず、第一いつ現れるとも知れぬ夢のような話を待つなど、そんな悠長なことはしていられなかった。

この阿佐ヶ谷に預けられる前は、大久保百人町の家に家族揃って住んでいたが、父親

の仕事が傾きはじめたころ、まずまっ先に、光乃よりは七つ年上の姉たき子が奉公に出、それを皮切りに、追いかけてすぐ下の弟勝年（かつとし）も大工の見習いに住み込み、次が光乃の順番で、そして最後に父親と幾也が家を畳み、遠い親戚を頼って行った。

一人欠け二人欠け、ぽろぽろと頭数の減ってゆく家のさびしさを光乃は決して忘れはしないが、しかし誰ひとり泣きもせず嘆きもせず、「ではね」「元気でね」のあっさりした言葉を交わして別れて行ったのを覚えている。

着古した絣（かすり）の着物に、これももういく度も水をくぐった秩父（ちちぶ）銘仙の羽織を着、色別珍（いろべっちん）の足袋をはいた光乃は、上野駅界隈（かいわい）をゆきつ戻りつ捜した挙げ句、ようやく屋根の上に掲げた「御口入屋」の大看板を見つけ、その家のガラス戸にそっと手をかけた。

まつの話では、桂庵は染め抜きのれんの軒をずらりと並べ、どの店も女中奉公から小僧丁稚（でっち）の口、貸家売り家まで何でもござれだ。お前ちょいと中をのぞいてさ、なるべく正直そうな爺（じい）さんの店をみつけて

「そりゃあ豪勢なもんだよ。どの店も女中奉公から小僧丁稚の口、貸家売り家まで何でもござれだ。お前ちょいと中をのぞいてさ、なるべく正直そうな爺さんの店をみつけてお入りな。婆（ばあ）さんはいけないよ。婆さんは得てして胴欲だからね」

と教えてくれたが、どうもそれは明治末年ごろの記憶であるらしく、昭和のいま、桂庵の口入れ屋というのはこの大看板だけであった。しかも染め抜きのれんなどではなく、入り口のガラス戸には、半紙に墨書きの「かしや、渋谷駅へ三分、高台見晴日当良、二階建六室」「譲店、浅草仲店目抜場所、盛業中」「左官住込数人雇入、高田馬場」などぺ

タペタと貼りつけてあり、女子の仕事はいちばん端にまとめてある。

ひとつひとつ目で追うと、女給、髪結い内弟子、仕立屋内弟子などの募集に混じって、やはり女中の求人が断然多く、仔細に読めば「奥向下働、年不問」「お屋敷、お勤人」「田舎出二十歳まで」「料理心得ある方」「商店の家事」など、わりあい具さに内容を示してある。

光乃はしかし、一枚一枚しっかりと読んでゆきながら、次第に体中の力が抜け落ちてゆくような感じがあった。一人で身過ぎしてゆくという確たる目的は持っていても、未だ世間の風にじきじき当たったことのない身にはいったいどんな仕事があるものやら、全く見当もついておらず、いまここで、はじめて女子の職種の少なさを知らされた思いであった。

在学中、級友の一人が卒業後、銀行に勤めるという噂を聞き、大そう珍しく感じたものだったけれど、いまの光乃にとって先ず叔母の家を出るためには住み込みでなくてはならず、手っ取り早い住み込みといえば、この貼り紙の示すとおり、女中以外の仕事はほとんどないようであった。

光乃はガラス戸の貼り紙から目を離し、何となく空を仰いだ。旬日ののちには上野の森の花のざわめきを伝えてくる春の空は今日どんよりと雲厚く、吹く風もまだどこやら冷たい。

実科ではあっても女学校を出、もう子供ではない自分がいまさら他家へ女中奉公、と思うと、空を眺めている目の底にじわじわと熱いものが溜(た)まってくる。いつごろからか、人前で涙を見せぬ、とひそかに心に決めたのを光乃は思い出し、強く目をしばたたいて、もう一度、ガラス戸の貼り紙に近づいた。

叔母は内心きっと、厄介者の光乃もとうとう今日限りでお払い箱、せいせいするねえ、などと考えながら自分の帰りを待っているに違いないと思うと、いまさら手ぶらでおめおめと帰ることはできなかった。

唯一(ゆいいつ)の慰めは、姉のたき子も同じように他家に奉公しており、女でも帰る家のない者はこうして生きてゆくより他ないんだよ、と道を示してくれているように思えることで、いまこんなふうにいよいよ追い詰められてみると、たき子の口にしていた言葉があざやかによみがえってくる。

たき子の奉公先は堀之内の軍人、上山家で、光乃の記憶ではたった一度だけ、暇をもらって百人町の家に帰って来たことがある。家主からは毎日のように追い立てを食っていたころで、父親と幾也の行き先は決まったものの、もうあと少しで女学校を卒業する光乃の身柄をどうするか、考えあぐねていたときであった。

たき子は、自分も堀越高女を中退している経験から、

「阿佐ヶ谷の叔母さんちで卒業まで預かってもらおうよ。あたしが行って頼み込んでや

っからね」

　とひとりででかけてゆき、

「いいってさ」

　と指折って、

「これから卒業まで六カ月分の学校の月謝と食い扶持ね。それをみいちゃん、卒業したらあんた自分で払うんだよ。いいかい。それが約束だからね」

　と念を押し、光乃は返済方法も判らないまま、うなずいた。

　何しろこの叔母は照り降りのはげしいひと、そうと決まれば御意の変わらぬうち、と上山家へ帰るたき子と新宿まで一緒の電車で乗ってゆくことになり、光乃は大急ぎで学校の道具と着がえを風呂敷包みにまとめた。

　これで一家五人ちりぢりの暮らしになるわけだけれど、誰ひとり愁嘆はなく、かんじんの父親でさえも、

「おいたき子、煙草銭おいてけよ」

　などといい、たき子からは、

「何いってんのさ、こうなったのはみんな親父のせいだってこと、判っちゃいねえんだから」

　と反撃をくらい、照れかくしににやりとしただけであった。

まだ十月とはいいながら、路次から路次へ吹きまわしてくる風はやや冷たく、肩を並べつつ歩く姉妹は、

「ねえみいちゃん、よその飯にはとげがある、っていうけど、あたしは上山さんちのほうがずっと暮らしやすいね。みいちゃんも叔母さんちを出ればいずれ働かなきゃならないだろうけど、他人の家にいるのが楽だよ。

この世のなかで、頼るものは自分だけ、といつも自分にいい聞かせてれば、腹の立つこともない。あたしたちは、知ってのとおりの親だから、これから先だって摑まる先はどこにも無いんだよ」

とたき子は光乃に教え、そして別れぎわにも、

「あたしもね。あたしもいま一所懸命だからね。姉のなんのって頼ってこられるのも困るからね。いいかい」

と念を押し、新宿駅のなかで右と左へ遠ざかって行った。

このとき、二十四歳のたき子の分別というものを光乃はすぐには理解できなかったが、頼るものは自分だけ、という言葉は胸の奥深く沈み、ことある際には必ず浮き上がってくるようになった。

叔母は、正確にいえば亡き母の叔母に当たるひとだが、母は継母だから叔母とも全く血の繫がりはない故に、阿佐ヶ谷への寄寓を、他人のなさけと思うべきか、それとも身

内だからこそ、と考えるべきかについて、光乃は迷ってしまう。が、そんな建前を定めるまえに、叔母の家の居づらさはしたたかに身に沁み、やっぱりここはたき子のいう、飯のなかにとげを隠し持つよその家だと思うのであった。

光乃は桂庵の前に立って一瞬目をつむり、深い淵に身を投げるような思いでパッと瞼をひらくと同時にガラス戸を開け、小さな声で訪った。

土間の向こうの上がり框には、漫画のノンキな父サンにそっくりの親爺が煙管をくわえて坐っており、眼鏡ごしの上目遣いで、

「らっしゃい」

と愛想もなく呟き、煙管の先で腰かけるようにすすめた。

「間借りや縁談の頼みじゃあるまいね。奉公先の相談かい」

と一目で見破り、

「あんたいくつ？　どこの在だね？」

と聞いて、

「十八じゃあ手職の見習いには不向きだねえ。それにこっちは仕上がるまで給金は無しだから、都合も悪かろう。ま、このせつ、景気も少しはいい按配しきだが、女の仕事ってのはなかなかおいそれとは行かないもんだ」

と口入れ屋のくせに望みの薄いことをいう。

光乃はすがりつく思いで、

「あの、女中で結構です。表の貼り紙のいちばん上に、『お屋敷奥向女中、良家庭』というのがありましたけど、それはどんなものでしょうか」

と伺うと、親爺は笑って、

「ありゃあ客引きさね。いや騙すわけじゃあない。昔、そんな話もあって、すぐに決まっちまったのをそのままにしてあるだけさ」

親爺は落胆のいろを浮かべた光乃の顔を見て、

「あんた、いっそカフェーはどうだね。女給の口なら一つや二つはある。女中よりはずっと収入はいいよ。なあに、どんな娘でも磨きゃきれいになるもんさ」

と誘ったが、これには光乃は激しく首を振って拒否の意を示した。

「そうかい。夜のご商売はご法度かい。するってえと」

と親爺は思案していたが、膝を叩いて、

「ちょいと待ちな」

と立ち上がり、帳場格子の中へ入って帳面を繰っていたが、

「ずっと以前に申し込みのが一件、下女中てえのが残ってる」

と帖面を片手に再び火鉢の前に坐った。

「場所は、ちょっと遠いね、鎌倉だ。家業はてえと、役者さんだね。歌舞伎役者と書いてあらあ。なになに、主、結核にて病気療養中、衣類洗濯のための下働き雇い入れたし。判ったかね？　病人の寝巻きやなんか洗うひとが欲しいってわけさ。行ってみるかい」

といわれて光乃は思わず顔を伏せた。

結核患者の汚れ物を洗う仕事、と聞いたとたん、さあーっと顔から血の気の引いていったのが、自分でもありありとよく判っている。洗濯は決して嫌でなく、叔母の下の物まで一切引き受けているけれど、伝染る病気を持つひとの肌着に手を触れるのは、やはりとても恐ろしく思える。

青ざめている光乃を見て、親爺は気の毒に思ったのか、

「こういう仕事は、ま、もっと年喰ったひと向きかも知れないねえ。

ただ、いまどき女中の口ってのはそうざらにあるもんじゃねえ。ここが思案のしどころだ。仕事が仕事だから給金はかなりふんぎってくれてるからね」

ととりなしてくれたが、光乃はまだ顔は上げられなかった。

親爺が刻みを煙管に詰め、すぱすぱと紫煙を上げて一服するあいだ、光乃はじっと考えていてようやく、

「おじさん、このお話もうちょっと猶予させてもらっていいですか」

と聞くと、

「ああいいとも。相談したいひとがあればして来るがいい。ただし今日にでも次の手があらわれて合点すれば、もうふさがっちまうからね」

とは当然の話で、光乃は深くうなずき、おじぎをして店を出た。こんなとき、相談できるひとでもいればどんなにか力強いだろうに、姉は頼ってくるなといい、父は奉公中の娘に煙草銭までねだるおちぶれようでは、しょせん自分の決心次第でしかなかった。

光乃は桂庵を出て電車道を横切り、衿にあごを埋めてふらふらと歩きながら、気がつくといつのまにやら不忍池の岸に立っていた。

叔母は、ずらり軒を並べた桂庵のなかから仕事は選り取り見取りといったけれど、女中奉公の口はたった一件、それも下働きの洗濯女だという。

髪結いや仕立物など、腕に職をつけるのは将来たのみにはなるものの、いますぐ、といって間に合わず、なら親爺のすすめるカフェーの女給については、光乃は頭から自分に不向きだと思い込んでいる。亡き母が皮肉もこめて、

「光乃の気質は、ほんとに気ぶっせいだねえ」

とよくいっていたとおり、極めて無口、人あしらいが苦手だし、第一、まわりから器量よしなどとほめられたおぼえもない。

芸妓や女給になれるのは、生まれつき人目を引きつけるものが備わっている特別なひ

と、と考えており、どう間違っても自分がその世界に足を踏み込むなどありようもなく、最初からこれは思案の外にある。

他になければその鎌倉とやらへ行くよりないか、と思うとやっぱり悲しく、いささかの腹癒せを込めて光乃は足もとの小石を下駄の先でぽん、と蹴ってみる。小石は思いの外遠くへ飛び、池のまんなか近くで拡がった波紋が、こちらに向かってゆるやかに押し寄せてくるのを見て、この貝寄風の吹く行徳の浜辺で遊んだころが、自分はいちばんしあわせだったのではないかと思った。

光乃の父、塚谷清太郎は猪太郎、さよの長男として千葉県東葛飾郡行徳町原木に生まれ、大正九年に東京府豊多摩郡中野町へ移るまで表稼業は塩焚きであった。他には、少しばかりの土地の耕作と砂利などの採取、また土木工事の手伝いなどもし、それで生計を立てていたらしい。

行徳の製塩は、徳川幕府の時代に村民が干潟を干拓して開発したもので、行徳七浜のほとんどはこれに従事していたという。ただ、一年中仕事があるわけではなく、製塩に適した七、八月が最盛期で、その他の季節は清太郎と同じように、何にでも手を出さなければ暮らしは成り立たなかった。

つまり冬から春にかけては塩の出来が至って悪く、梅雨期は雨のため不可能で、秋にはおのおの稲の刈り入れ、となると一年一度の一発勝負で、この時期に台風や津波に見舞われると塩田は破壊され、儲けは全部フイになってしまう。

たき子をはじめ、塚谷家の子供たちは、父親を「いい間のふりして」といつも怨んできたが、こんな博打稼業にたずさわっていれば、それも無理のないところかも知れなかった。

清太郎のふところのあたたかいときには誰彼なしに大盤振る舞いし、塩焚きの出稼ぎ人夫らをひきつれてときには江戸川を越えて深川、吉原まで賑やかに繰り出してゆく。その代わり、文無しのときの清太郎は青菜に塩で、親戚うちを借金して廻り、貸主から罵声を浴びつつ小さくなっているのであった。

子供たちにとっての最大の迷惑は、清太郎がひんぱんに女房を取り換えることで、判っているだけで都合五人、当然そのたびに子供が生まれるため、現在四人の兄弟は光乃と勝年とを除けばそれぞれに母親が違う。

幼いうちは姉弟誰もせんぎ立てはせず、そのときどき家にいるひとを誰も皆おっ母さん、と思って暮らして来たが、光乃は女学校入学のとき、原籍から取り寄せた戸籍謄本をはじめて見、そのあまりのいい加減さ、複雑さにびっくりした。

清太郎は最初、二十四歳のとき千葉郡二宮村の興山おり、十九歳をめとり、足かけ九年ののち協議離婚、翌年千葉町の丸井としと結婚、これは一年で別れ、次は江添けいで、けいとは戸籍上三年の生活で、最後が亡きさだだったが、さだとはいちばん長く続き、十二年間一緒であった。

子供の出生は、先ず長女のたき子の母親がとしと記載されているものの、真実はおりとしのあいだ、一時同棲していた福世というひとだという。たき子はすぐ母親と離され、しばらくは船橋に移った祖父母のもとで育てられたが、乳離れしてのち原木の家へ引き取られたという。

福世を数に入れると、けいは四番目になり、このひとは二歳で夭折した長男永太郎、そして光乃、光乃と年子の勝年の三人を続けざまに産み、大正七年に塚谷家から去っている。

最後のさだはひとりだけ東京に本籍のあるひとで、結婚して三年目、四十二歳の高齢で幾也を産んだ。

清太郎というひとはよくよくものぐさな性癖であるとみえ、戸籍記載の内容は悉くといっていいほど正確でなく、また子の母親の名もそのときの思いつきで届け出たらしい。たき子の母親が違うひとであったように、幾也も真実のさだをさしおいて戸籍上は、別れたはずのけいが母親と書かれてある。

婚姻、離婚、出生の年月日となるといっそうあいまいで、どの項目も多少のズレがあるが、光乃が謄本を見てとくに衝撃を受けたのは自分の生年月日であった。

そういえば中野町で東京の生活がはじまり、大正十二年の四月、桃園第一小学校へ入学するとき、継母のさだが、

「光乃は、ほんとうは九つ行きなんだよ。お父っさんの届け出が一年遅れたんだねえ」

といったのをはっきりと思い出す。

原本より写す、と朱書されてある戸籍謄本には、父清太郎、母けいの二女、光乃の記述の部分には、大正五年十一月十日生、同年、十一月二十一日受付、とあり、一見すれば何の不思議もないが、続く弟の勝年は大正六年一月十四日生、届け出は大正九年九月二十四日と記されている。

姉弟はずっと年子だといわれて育ったが、姉が十一月に生まれたあと、弟が翌年一月では辻褄(つじつま)の合わぬ話であって、その上、勝年の出生届が三年以上も遅れていても、さかのぼって記載されるほどなら、光乃の生まれも何を信じてよいか判らなくなる。

さだに九つ行きといわれたあと、一年ほど経(た)ってから、光乃が全甲の通信簿を父親に見せたことがあった。そのとき少し酒気を帯びていた清太郎はげっぷをしながら、

「そりゃおめえ、光乃はご同輩の皆さまがたより年がひとつ上だもの。出来るのはあったりまえてんだ」

と威張るのへ、さだがわきから、

「そんなら何かえ、届けが遅れたってわけかえ」

と聞くと、

「ま、早くいえばそういうことにならあ」

といったあと俄かに機嫌が悪くなり、

「そんなこと、つべこべいうんじゃねえ。光乃は一つ若返ったあやかりものだ。戸籍大明神さまのご託宣どおりで不都合はあるまいが」

とその話を打ち切ってしまった。

出生は先取りの届け出は不可能だから、この場合、勝年のほうに信憑性があると考えねばならず、とすれば光乃はたしかにもう一年早く生まれていなければならなくなる。二た月ちがいで同じ親から次々と子が生まれても、村役場の戸籍係も何の不審も抱かず届けどおりを記入したらしく、それというのも一家の戸主というものの申請を何よりも重視したものらしかった。

清太郎のいうように、一つ若返ったあやかりもの、と思えばいいようなものの、しかし真実の生年月日を知りたい思いは、生涯にわたって光乃につきまとって離れなかった。戸籍上の大正五年なら光乃は辰年だけれど、もし前年ならば卯年になる。干支は人の一生を占うのに重要な資料となるだけに、後年光乃は、病気がちになった日々、神仏を偽って平癒祈願をしているように思えてならず、そのためにひそかに苦しんだこともある。

一家が東京に出た大正九年は光乃五歳のときとされているが、実にふしぎなほどそれまでの行徳の家のことをよく記憶しており、これも実は六歳だった、と思えば、べつだんおかしくはない。

行徳原木での日々は、あとから思えばまことにおおらかなもので、村中は皆一家うちのように心やすく、浜は近くて子供たちは群れつどい、はだしで走りまわっていたものであった。

光乃が何故に一入行徳の暮らしをなつかしむかといえば、三つの年までは生みの母けいがいたからでもあり、勝年とともにのびのびと振る舞っていられた日のことを思い出す。しかし家族中でたき子だけは行徳も決して楽ではなかったはずで、それというのも、けいはたき子の二番目の継母に当たり、幼い光乃の目にさえふしぎに思えるほど、一日中水汲み、洗濯、飯の支度、と休むまもなくけいに追い廻されていたたき子の姿がある。

けいはひどく陰気なひとで、ふだんからあまり口もきかず、まして白い歯などめったと見せたことはないが、ただ、たき子を叱りつけるときだけは気を立て大声で、

「この子は性根が悪い。ずべらもんだ」

と折檻することもあった。

まだ十になるやならずの子に、大人の力まかせの折檻はあまりにむごいが、けいにしても年がら年中、夫の清太郎に怒鳴り散らされていたから、その腹癒せでもあったらしい。たき子こそいい迷惑だけれど、真実の母の顔も素姓も知らず、祖父母から継母たち

のあいだをたらい廻しされて育てば、素直で明るい子を望むほうが無理というものだったろう。

光乃は母の面差しをしかとは覚えていないが、いつも家のなかの暗い隅に坐り、黙って縫い物ばかりしていたように思う。近所の家の母親たちは大きな前垂れをして外で働いており、清太郎はけいに向かって、

「百姓の女房のくせに」

「塩焚きの女房のくせに」

と罵声を浴びせていたから、要するに家の中に坐っていてはこの家の女房の役は勤まるまい、という意味にちがいなかった。

ひょっとして体が弱かったかも知れず、或いは二つで死んだ永太郎を思って気分が陥ち込んだままだったとも考えられ、また三人続けて子を産んだあと、何か持病が出たのかもわからなかった。

行徳でのこんな事情のなかでは、姉妹とはいっても光乃はたき子とむつみ合ったという思い出は全く無い。むしろ、母の目の届かないところでたき子につねられたり、持ち物を取り上げられたり、意地悪されて泣いた記憶ばかりで、まるで他人同士のようによそよそしかった。

たき子にすれば、母に甘えられる光乃、勝年は嫉ましさ限りなかったろうが、実際に

は光乃もこの母親にたっぷり可愛がってもらったというあたたかな感じは、いくら思い返しても出ては来ないのであった。

行徳七浜の塩田にとっての天敵は津波と洪水で、これは徳川幕府の頃以来、毎年、壊滅、修復という歴史の繰り返しだったが、大正六年の秋の大津波にはもはや修復のめども立たないまでに破壊され、このとき、行徳の製塩業は事実上、消滅した。

光乃のかすかな記憶では、高潮の轟音をうしろに聞きながら風呂敷包みを背負って遠い寺の本堂へ避難したことがあり、潮が引いたあと家へ戻ってみれば、塩田のために築いてあった砂の堤防があとかたもなく消えており、浜はいちめんのっぺらぼう、波打ち際ではうそのように静かな波が寄せては返しているばかりであった。

このあと、家のうちでは夫婦喧嘩が絶えず、その挙げ句、けいがわずかな荷物をさげて千葉町の実家に帰ってしまったのは、光乃三歳の秋、とおぼえている。夕方、光乃が家に帰るとけいの姿がどこにも見えず、不安に駆られた光乃は土間にぼんやり立っていた勝年の手を引いて往還に走り出た。

真向かいの鎮守の森には、ほおずきを大きくしたような太陽が落ちかかっており、その陽に全身赤く染まりながら、狂ったように、

「おっ母は？　おっ母は？」

とあちこち走りまわったことを思い出す。

歩き疲れて田の畦に勝年と並んで腰をおろすと、頭上をからすの群れが低く通りすぎてゆき、それを聞いたとたん涙が噴きこぼれ、姉弟とも大声あげていつまでも泣き続けた。あのときたき子は、たしか裏の柿の木に登って柿を食べており、泣きながら戻って来た二人に、

「おっ母がいなくなって、いい按配だと思って柿さ食うていたんだ」

とゆうゆう告げたことを、光乃は何故かはっきり覚えている。

考えてみれば、このとき以来、光乃は人前でめったと涙をこぼさなくなり、鼻の頭が熱くなるとすぐその場を外すくせがついてしまったように思う。心の底に、如何なる事情であれ、自分たち姉弟を捨てた母に対し、決して以後、恋いはすまい、と歯を噛みしめたものでもあったろうか。

このあと、東京府豊多摩郡中野町に一家が落ち着くまでの一年半ほど、父親は居所定まらず、船橋の祖父母が行徳にやって来たり、子供たちが船橋へ移ったりの、流浪の日々であった。わずかな田畑はとうに手離し、ときどきあらわれる父親から渡される金がいのちの綱という心細い暮らしだったけれど、思い返して光乃は決してさびしいとは感じていなかった。

祖母は親身でやさしく、清太郎の顔さえ見ればいつもきつく意見をしていたから、子

供ごころにも祖母は正しいひとだという信頼感があったためかとも思われる。

この祖母は、全部で二男五女を産んでいるが、育ったのは清太郎と娘二人だけだったから、常日頃、子は宝、の思いが一入強かったらしく、

「子は粗末にしねえもんだ。清太郎はうっちゃらかしすぎる」

といいいいし、母親のない三人の子をいつもいとしがってくれた。

光乃は、この祖母の腰について貝掘りにも出れば畑の豆を千切りにも行き、また小さな手で浜の流れ木を拾い集めて炭俵にも詰めたり、たにしを獲っておかずにもし、家のことをよく手伝った。祖母は大きな松かさのような手で、たびたび光乃の頭を撫でてくれ、

「この子は親に似げない賢い子だ。いい子だ、いい子だ」

とほめ、光乃はそれが何より嬉しかったことをおぼえている。

このあと子供たち三人は父親に伴われ、中野の家で継母さだと初めて会ったのはたしか大正九年、光乃の記憶では春ではなかったろうか。何故なら、東京とはいっても中野町のまわりはほとんど畠で、潮の香りこそないものの、よめなも土筆もよもぎも道のかたえに茂っており、なあんだ、行徳とおんなしだあ、と勝年ははね廻ったものであった。

ただし家のうちの暮らしぶりは行徳と打ってかわり、雪隠も流しも井戸も、雨に濡れずに用が足せるよう便利に出来ており、さだは長火鉢の前を動かず、いつも煙草をふか

している。

光乃が見た謄本では、さだはこのとき四十歳で、前年すでに入籍をすませており、もう一年余り同棲していたものとみえて、もはやこの家の主婦として押しも押されもせぬ貫禄があった。さだが清太郎とめぐり合うまで、いかなる道を経めぐって来たのか、これだけはついぞ子供たちには語らずじまいだったけれど、小垢の抜けた風体からみれば或いはひょっとして、赤提灯のもとにいたこともあったのではなかろうか。

塩焚き業から離れた清太郎は、職を求めて転々としたがいずれもうまくいかず、結局この頃は、土木建築の仲介業で生計を立てていたらしい。もともとお調子者だから、弾みがつけばあちこちから口がかかり、ようやく見通しも立ってのち、子供たちを呼び寄せたのではなかろうか。

ずっとのちに祖母のしみじみと語ったところでは、

「清太郎の五人の女房のうちでは、何といってもさだが一だった。何でもきりきりしてるし、因業でねえ。一家うちへの料簡も立派なもんだ。ひとつ難くせつけりゃあ、ちょいとばかし可愛げがないとこだ。つんと澄ましてばかりじゃとりなしようもねえ」

祖母のその言葉は、光乃の脳裏にさだとの初対面の場をいつも思い起こさせ、そのたび改めて自分の気持ちをひきしめたものであった。

その日、子供たちは見馴れない家のうちをうろうろし、咽喉のかわいた勝年が、

「おばちゃん、水が飲みたい」

といったところ、さだの濃い眉尻がきりりと吊り上がって、

「勝坊、といったね。光乃もたき子もちょいとそこへお坐り」

と呼ばれ、長火鉢の前に三人は膝小僧を揃えた。

「いいかい。あたしは根っからの江戸の土地っ子でね。こう見えても一家縁辺の端っくれにゃ、なにがしの宮様にご奉公したひともいるんだよ。お前たちのいままでのおっ母さんとはおっ母さんが違いまさあね。これからはそのつもりでいておくれ」

と先ずいい渡され、ぽかんとしている三人に、さらに、

「在かたの子はまあ、居ざんまいが悪いね。いまからはこの東京で暮らすんだから、まず折りかがみに気をつけて、人さまにいけぞんざいな口をきいちゃあいけないよ。自分のことは自分で一切始末して、かりにもおっ母さんを使い立てするようなバチ当たりな真似はおやめな。水なんざ、飲みたくなりゃひとりでいい加減飲めばいいんだよ。判ったね？」

と威勢のいい東京弁で心得をさとされ、四歳、五歳、十二歳の三人は度胆を抜かれてしまった。

このとき、たき子はどう感じたのか、少なくとも光乃はふるえ上がり、今後このひとに逆らってはおそろしいことになる、としたたかにそう思った。恐る恐る下からその顔

をうかがうと、きつい言葉ほど目に険はないが、どこか情の薄そうな狐顔で、こわい感じがつきまとう。

それに、いままでの家のなかでは、父親をも含めてこうもはっきりものをいうひとはいなかっただけに、幼い目には、今日からおっ母さんと呼ばねばならぬ東京生まれのこのひとが、とほうもなく賢くて、在かたの子を見くだすほどえらい人に映ったのも無理からぬことであったろう。

光乃の印象どおり、さだは子供たちに口やかましかったけれど、それはちゃんと理非が通っており、してはならぬこととしてもよいことのはっきりした区分けがあった。あまり体が丈夫でなかったので、天気の悪い日など頭痛薬に、梅干しを紙にのばしてこめかみに貼ったり、口ぐせのように、

「ちょいと肩揉んでおくれ」

と子供たちに頼んだりし、また家のうちの仕事はほとんど三人に分担させていたが、親としてするべきことはちゃんとするひとでもあった。

さだはまず、清太郎に話して、小学校へ行くや行かずだったたき子を近くの桃園第一小学校へ入れ、まだ幼い光乃勝年は手許において用を足させた。

毎日大きな鞄を抱えてでかける父親の留守の長い時間、さだのそばにひきつけられ、やれお茶沸かし、やれ拭き掃除、やれお使い、と命じられるのは、浜をはだしのままで

走り廻っていた子供たちにとっては窮屈この上なかったが、さだはいつも、

「これがまっとうな暮らしってもんだよ」

と教え、それを光乃はいわれたとおりいつも守るために、

「しらきちょうめんで、思いの外役に立つ子だねえ」

と気に入られ、男の子はやはり、

「それっ放しだから仕様がない子だ」

と叱言（こごと）を浴びせられ、そしてたき子は三人もの継母の手にかかって来た子だけに、

「ものの言っぷしからして小しゃくにさわるじゃないか。することもしだらがない」

と、ほん気になって怒鳴りつけるときもある。

それでも、家に大黒柱の父親がいて、きつい継母ではあっても主婦というものが控えていれば、子供三人、気持ちの安定はでき、ようやく一家のかたちが固まりつつあるとき、さだの妊娠出産があった。四十二歳という年配で子をもうけるのはいたく体にこたえるらしく、悪阻（つわり）のあいださだは床をあげる日はなく、しきりに気を立て、子供たちをやたら叱りつけたものであった。

このひとが早口でまくし立てはじめると、子供たちの聞いたこともない東京の方言がぽんぽん飛び出し、ぽかんとしていると、いら立っていっそうそれがひどくなる。たとえば、いつの間にか、というところをさだは必ずいつのかまに、といい、それをたき子

が五つの釜に、と取り違えて頬をつねられたこともあるし、よまんどしかかんどし、は読まん同士書かん同士で文盲のこと、むいかどしこしは六日年越しで一月の六日を指し、ふだんでもよく使うみじんまくは身じまいで、しょざわいがないは所在がないの訛りか、退屈でしようがないときよく呟く。

さだは下町の大工の家の三女に生まれ、身内も多くてたびたび訪れて来、そのひとたちが、

「さだちゃん、これほどべったり寝込んだんじゃホーガイシがつかないじゃないか」

「悪阻は病じゃないんだから、こんなホーズの知れないことはしちゃいけないよ」

などと話し合っているのを聞くと、光乃はよく大人の話はむずかしい、と思ったりした。

さだは大正十一年の二月、幾也を出産したが、案外にこの年にしては医者を呼ぶほどの難産でもなかった。ひょっとすると、幾也以前に一人か二人、子供を産んだ経験を持っていたのかも知れなかった。

たき子はのちに、おっ母さんは幾也が生まれてから輪をかけてあたしたちをいじめるようになった、と明かしたことがあったが、光乃自身は振り返って、格別そんな扱いを受けたおぼえはないように思った。むしろ幾也が加わってからさだはぐっと母親らしくなり、この家のなかの居心地もよくなったという感じがあった。

もっともさだは、最初から何故かたき子には用ばかりいいつけ、光乃には比較的当たりが柔らかかったから、姉妹それぞれ受ける思いには大きな差があるのかも知れなかった。

幾也に乳を呑ませたあと、

「さあ、しとっきりこの子の守りでもしておくれ」

と渡されても、たき子が背負うとふしぎに幾也は泣き、光乃の背中ならおとなしくすやすやとよく眠る。

子を泣かせるたき子をさだはいつも叱りつけ、叱られるとたき子も口を尖らせて、つい口ごたえのひとつもしたくなり、そうなるとさだは居丈高になって挙げ句には「親に向かって、なにようこの子は」と手を挙げる羽目にもなってくる。姉妹成長してのち、なお怨みをこめてたき子のいう、

「おっ母さんは光乃ばかり可愛がってさ」

とのいい分に、光乃は笑って、

「あたしはあのひとがとっても恐ろしかったからね。叱られないよう、叱られないよう顔色を窺って一所懸命で工夫していたのよ」

とは、あとになってこそ明かすことのできる本音であった。

さだはしかし、おおふうな子、といい続けたたき子が小学校を出ると、子供の教育な

どまるで頭にない清太郎に説いて、堀越の和洋裁科を受けさせ、合格すると人並みの支度をととのえて通わせた。この辺りから清太郎の仕事も少しずつ上り坂になっていたし、東京の生活にもようやく馴れて家族全体、心にもゆとりが生じたこともあったろう。

続いて光乃が「八つ行き」で桃園第一小に入学した年、この家で九月一日の関東大震災に遭った。さいわい中野界隈は下町に較べれば被害は少なく、公共機関がすべて停まった不自由さの他には、家は壁土が落ちた程度であった。

そして思いもかけず、復興期を迎えて家を建てるひとや土木工事が激増し、清太郎の仕事もみるみる景気がよくなっていった。震災の翌年あたりから、家のうちに人の出入りも多くなり、毎日の膳の上のものも豊かになって、さだがけちけちいわなくなり、たまに町の辻によかよか飴屋やしん粉細工が来たときには、それぞれに一銭持たせて、買いに行かせてくれたりした。

少し手狭になった中野町から大久保百人町へ引っ越したのは大正十三年秋のこと、こちらはある酒造会社の寮だったのを借り受けたので、家のうちもゆったりと広かった。同じ豊多摩郡でも、省線の駅に近いだけ大久保のほうがひらけており、日常の買い物の足もぐっと便利であった。

光乃も勝年も淀橋第一小へ転校したが、さだとはどうにも折り合いの悪いたき子はこの頃もう堀越を退学し、家の手伝いばかりの日々であったらしい。

家のうちの金廻りの様子は、まずさだの様子を見ればよく判り、手結いの束髪ばかりだった頭は、髪結いを呼んで休みなく丸髷に結い上げており、せいぜいで銘仙を出なかったふだん着も、とき折縞のお召しなど着込んで、銅壺をぴかぴかに磨いた長火鉢の前に坐っているようになった。

そしてこれが威勢、とでも世間にひけらかすように、まず幾也の乳母を雇い、女中を一人、また一人と入れ、その果ては光乃に、

「女の子が糸道ひとつ明けてないんじゃあ、小みっともないやね」

と、近くに看板を挙げている杵屋の師匠のもとへ、たき子を介添えにして通わせることになった。

師匠といってもいわゆる「ごもくの先生」で、琴三味線からちりからたっぽーの鼓太鼓まで、何でも教えてくれ、光乃が「末広がり」など習ううちにはたき子も十三絃の手ほどきをしてもらい、二人しての帰りみちはひととき鼻唄でうなってゆくこともある。

さだが家のうちで三味線など弾く姿を、子供たちはついぞ見かけたことはないが、下町に生まれ、身内に多少その心得もあるひとがいれば、さだも人並みに、自分の娘を長唄の稽古に通わせてみたかったに違いない。

この頃は、そば屋の出前でさえ気の利いた子は「越後獅子」くらいはうなり、

「おっとっと、チンチンチン、トチチリチン」

と、山高に積み上げたざるを撓わせ、巧みに自転車のハンドルを切って角を曲がって行くのであった。

さだにはきっと幼いころからの夢があり、よく働く亭主を持ち、可愛い女の子を産んで、その子には舞三味線を仕込み、女中の二、三人も置いた世間並みの暮らしを望んでいたかと思われ、いまそれが曲がりなりにも実現しかかっていることに、満悦のていではなかったろうか。

ただ、いらだたしいのは、子供たちは赤ん坊をのぞいては皆生さぬ仲ばかり、その上、浜育ちのくせはなかなか脱けきらず、思うような躾けができなくて、ときに爆発せざるを得なくなるのであった。

俄か成金、とまではいかなくとも、家内うるおった時期の塚谷家の主婦が、さだでなく、もし光乃の生母のけいだったら、どんなふうにすごしただろう、と光乃はときどき思うことがある。

百姓と塩焚きの暮らししか知らぬけいは、きっと町の気風に馴染めず、清太郎にもついてゆけなくてとまどい、ひょっとすると貧乏時代よりももっとひんぱんに争いごとが絶えなかったのではあるまいか、という推量もできなくはない。

それを思えば、たとえ付け焼刃に似たものであったにせよ、乳母を置き、女中を雇い、娘を長唄の稽古に通わせるという、家の柄をととのえた才覚は、やはり東京生まれのさだでなくてはできないことだったろう。

ただ、惜しむらくはこの暮らしは長く続かず、移転後三年になるやならずで、家はだんだんと傾いて行った。

雇い人はいなくなり、家事は再びたき子と光乃の手に任されるようになったが、それでもまだ、さだの生きているあいだは屋台骨はしっかりしていて、食べるに事欠くようなことは全くなかった。清太郎の唯一の親孝行は、八十歳の父、猪太郎をこの家に引き取り、最期を看取ったことで、もう口も利けなくなっていた猪太郎が、しわだらけの手でしきりに敷蒲団を撫でていた姿が光乃の目に残っている。

葬式のあとで清太郎は、

「おっ母はいまわの際まで、わしに、真人間になれよ、と説教して逝ったが、お父は、こんなお蚕蒲団に寝させてもらってありがとよ、とそう言ったみたいだった。これはわしのせめてもの慰めだ」

と珍しくしみじみと皆に話した。

これが昭和三年の十月で、翌年三月に淀橋第一小を卒業した光乃は、さだの強いすすめで、渋谷の実践実科女学校に進むことになった。

清太郎はあまりすすまないふうで、

「女がお前、女学校みてえなごてえそうもねえところへ行ったって、たき子の二の舞いになるのが落ちよ。気張るだけ無駄なついえじゃねえのか」

ととどめたが、さだは粘って、

「光乃は手先が小器用だから、手職をつけておいてやれば、さあというとき役立ちます よう。ねえお前さん、光乃にきぼをつけてやっておくれ」

と、許しを取りつけてくれた。

きぼ、とは寸志のことで、何かの形をととのえるとき、「顔をつぶさないだけ、ほんのきぼですが」などと祝儀袋をやりとりするもので、さだは光乃の小学校卒業に際し、親としての志を見せてくれたものであろう。

光乃が、昭和四年という年を特別にはっきりと記憶しているのは、この春、実科女学校に入学し、いままでよりはほんの少しばかり、世間に対する目が開いてきた、その驚きのためもあったろうか。

渋谷ときわ松の実践実科女学校は、省線の渋谷駅から歩けば十三、四分、バスなら三つ目の停留所にあり、敷地内には実科女学校の他に女子専門学校、高等女学校などの校舎があった。

バスの停まる正門を入って左側の細い道を抜けた先の、小ぢんまりとした建物が実科で、入学当時、ここに通学するのが光乃はどれほど嬉しかったことか。衿に校章の刺繍のある紺のワンピースの制服に黒皮の制靴、バスに乗るなどぜいたく、とさだにいわれたわけでもないけれど、駅から学校まで、肩で風切りながら歩く爽快さは、小学校時代にはとうてい味わえないものであった。

敷地内の記念館の後ろ側にある高女のほうは、みっちりと学科ばかりの授業だが、実科のほうは和裁洋裁手芸が主で、その実技のあいだを縫って国語数学英語、書道などもあり、習っただけをきちんと覚えてゆけば、卒業後はすぐに役立つ教科内容といえた。

ここに入って最初に光乃が心に打撃を受けたのは、薙刀の時間のときであった。

実践は学校全体、薙刀の振興に力を入れていて、敷地内に道場が建っており、実科でも週に三時間ほど正課に組み入れられている。

運動服に着替え、道場に整列した一年甲組の六十人を前にし、白木綿の道場着に紺木綿の稽古袴をはいた女先生は、薙刀の石突きをとん、と床について、

「この組のほとんどの生徒は大正五年生まれの辰年であります。一部早生まれは巳年が混じっておりますが、女の辰年というのは気性つよく、たけだけしい。皆の一年先輩は卯年なので、これは組全体、大へん従順でおとなしいのであります。

初めに私がいっておきたいのは、薙刀の練習はあくまでも精神の鍛錬であって、人とのいさかいや荒々しい動作をするためのものでは絶対にない。これからおいおい、薙刀教育の目的と真髄について教えてゆきますが、まず挙措、言動に気をつけて、あくまで

も淑やかな日本女性たらんと心がけるように」

という訓辞があった。

先生のこの言葉を、生徒たちはぽかんとして聞いていたが、教師たちからみれば、古くから縁起を担いで寅年の組、辰年の組は御し難いという言い伝えもあったものであろう。まして薙刀という武器の使用法を伝授する側としては、劈頭に一本、釘をさしておく必要もあったものと思われる。

薙刀の先生の訓戒は、光乃にとって自分の真実の年齢の自覚を促されたような気がし、このとき以来、肩身の狭さ、うしろめたさに取りつかれてしまった。

たとえ父親の怠慢であったにせよ、戸籍上は大正五年生まれなのだから、他人からみれば何ひとつ証拠はなし、「ひとつ若返ったあやかりもの」で通していいわけだけれど、一組すべて辰巳ばかりのなかにいると、気のせいか何かしらの違和感があるように感じられる。

たった一歳ではあっても、年長者が年を偽っているという狡猾を光乃は自分に許せず、ただでさえ無口で静かな性格が、いっそうその傾向を増してゆくのであった。小学校時代も、成績のよいことでそのやましさがなかったとはいえないが、まだものごとを深くは考えなかったし、さだの手前、やっぱり甲の多い通知簿を差し出して、暗に自分の信用を失いたくない一心もあったかと思われる。

実科に入れば上級生、下級生の区別ははっきりと見渡せるし、光乃はしばしば、自分がもう一年上の組だったら、と思うと、まるで大人が子供たちの中に入って遊んでいるような気持ちのするときもあった。

その上、光乃の無口にさらに輪をかけたのは、裁縫に必要な材料の調達という問題があった。

入学後、最初の裁目（さいもく）は一つ身単衣物（ひとえもの）で、それをさだにつげると、

「おやまあ、めんどうなことをおいいだねえ。幾也ももう八つにもなってるから、一つ身はうちでは要らないんだよ」

と虫のいどころが悪く、いたしかたなく一時間目は手ぶらで出、恥ずかしさをこらえて先生には、

「忘れました」

と謝った。

まわりを見ると、入学後初の裁目のことでほとんどが新しい浴衣（ゆかた）地を用意してきており、それは家に一つ身を着るべき赤ん坊がいてもいなくても、実習材料として親がととのえてくれたものらしかった。光乃はさだの顔いろを窺っていて、やっと晴れ間を見つけ、

「おっ母さん、どんな切れでもいい、六尺くらいあればよろしいって先生がそういうん

だけど」

とねだってみると、

「そうかい、稽古縫いにさらの切れはもったいないやね。これで何とかおし」

と行李のなかから取り出してくれたのは、いく度も水をくぐった男物の着物の裏地であった。

いくら練習とはいえ、色とりどりの浴衣地をひろげているなかへ、古びた黒い金巾を持ち込むのはなかなかの勇気の要ること、しかし文句などいえる筋合いではなく、光乃はそれに自分で火熨斗をかけた。

裁縫の実習は、縫いかただけを教わるのでなく、まず反物からの裁ちかたがあるが、一年から四年までのあいだ、おびただしい数にのぼる裁目を、全部新品ばかり揃えられる生徒は少ないので、教師は仕立て直しを持ってくる生徒のために、裁ちかたは紙を使って指導してくれる。

が、わずか六、七尺しか用布の要らない一つ身に、きれぎれの黒い金巾を持って来る生徒ははじめてだったとみえ、教師はとまどいながらも、

「塚谷さんは、おうちには新しい切れを買ってあるのよね。学校では裁ち間違えるといけないから紙でやってみましょうね。縫うのはこの金巾でも十分です」

となだめてくれたが、茶目な級友の一人は、

「あらあ、塚谷さんの布、監獄の囚人みたい。子供の囚人にあげるんでしょ。ねえそうでしょ」

ととんきょうな声を挙げ、たちまち光乃のまわりに人垣ができた。

彼女は決して悪気はなく、むしろ光乃が囚人を慰問するのだと思い込み、賞讃のまなざしでそういったのだったが、ただでさえ年上の劣等感を持つ光乃にとって、この言葉はどれほどの手ひどい恥辱だったろうか。

光乃は学校からの帰りみち、こんな学校へ自分は入るべきではなかった、としみじみそう思った。

時間割りのほとんどが材料の要るものばかり、いちいちさだに金をねだるのはやり切れない思いだし、金がなければ親が手を貸して古いものを解き、洗い、張りものなどしてととのえなければならぬ。

それも下級生のうちは着物、羽織、帯など、調達は比較的簡単だけれど、上級になると紋付き袴、比翼、丸帯など高価な品となり、そうなるとどんなに思案してもいまの自分の家でそれを用意するのは不可能だと思える。

やめるのなら早いほうがいいのではないかしら、と考えながら家に帰りついたが、やっぱり光乃は自分からはいい出せなかった。入学以来、

「実践ってお嬢さん学校なんだよ。お前は親のおかげでそこに入れたんだから、立派に

いい成績で卒業おしな。うちだって娘の一人ぐらいは実践出したって世間さまにいいたいじゃないか」

と機嫌のよいときは鼻を高くしているだけに、入学早々その鼻をへし折るようなことを光乃が出来るわけもないのであった。

裁目と手芸材料の問題は、光乃の卒業までずっとつきまとったが、さだも財布のふくらんでいるときにはぱっと新しいものを買って与えてくれるだけの度量もあり、またものによっては親戚知人のものを預からせてもらったりして、窮したときには何とか通じたのは有り難かった。

一家たのみのさだが寝込んだのは、光乃の二年のとき、秋の新学期がはじまってまもなくのことであった。以前から自分で、

「あたしゃ癪持ちだからね。これだけははなせないんだよ」

と、中野の家の狭い庭に植えていたせんぶりを百人町の家にも移し、秋になると刈り取って陰干しにしていたものを、ひんぱんに飲むようになったのは春の頃、と光乃はおぼえている。

逆さ吊りにして、からからに乾した草を一寸ほどの長さに鋏で切り、土瓶に入れてことことと火鉢で煎じるのだけれど、その臭さは何ともいえず、土瓶から白い湯気が上が

りはじめると幾也は鼻をつまんで必ず表へ逃げ出してしまう。

その上、匂いもさることながら、味ときたら「口が歪まあ」と清太郎もいうほどの苦さ渋さで、日頃からさだが、

「暑気当たりのまじないにこれほど効くものはありゃしないよ。みんな一口ずつお飲みな」

といくら勧めてもこれだけは誰もいうことをきかず、さだも笑って強いてとはいわなかった。

これほどまでに飲みにくいものを、さだが毎度さも有り難そうに湯呑みを捧げ持って飲んでいるのを見て、光乃はおっ母さん、よっぽどおなかが痛いのかな、と考えたが、春の頃はまだ家中の誰もが、医者に診てもらうことなど思いつかなかった。夏を迎え、本人はすべて時候のせいにしていたが、ときどき食べ物を吐くようになり、ある日、外から戻った清太郎が相変わらず長火鉢の前に坐っているさだを見て、ぎょっとしたふうに、

「お前、まるで骸骨みてえじゃねえか。痩せちまってよ」

といい、自分自身でふんぎりをつけるように、

「いっぺん、駅前に看板の出てる先生に診てもらってみるか」

と勧めたが、さだはけだるそうに首を振って、

「これっぽっちの病に、先生ちへ走り込むなんざ、しめしがつかないよ」

と拒み、

「あたしゃ、せんぶりが性に合ってるからね。そのうち秋風が立てばよくなりますのさ」

と決して承知しなかった。

が、九月の声を聞いても快方に向かわず、たき子に炊かせた薄い白粥をほんの少しするだけなのを見て、清太郎がとうとう、

「こうなりゃ、しょびいてでも連れてゆかなきゃならねえ」

と、珍しくてきぱきと動き、さだを抱えるようにして大久保駅前の中村医院へ診せに行った。

清太郎がさだとともに医院から帰ってきたとき、家のなかには皆いたが、誰も何もいわず、それぞれの仕作を続けているばかり、情がないわけではなくて、医者に診せるほどの病人はこの家でははじめてだけに、どんな言葉をかければよいか、判らないのであった。

さだは大儀そうに長火鉢の前に坐ると、誰にともなく、

「腹のなかにぐりぐりができているんだとさ。全くいけ好かない病にとりつかれたもんだ」

といい、

「ねえお前さん、あたしゃもう二度と先生にはかからないからね。このまんま家療治しているうち、なおっちまうかも知れないしさ」

と清太郎に向かってよくしゃべり、それに対して清太郎は、

「うん」

と煮え切らない返事をするだけで、これも手をこまねいている。

このとき清太郎は医者から別室に呼ばれ、病名は胃癌であること、あと二、三カ月の命であることなど聞かされたと思われるが、病人よりも本人が動転してしまい、何の思案も浮かばないらしかった。

しっかり者のさだは自分で療養の方針を立て、

「先生の薬ってえのは、からくていがらっぽくて、飲めたしろものじゃないんだよ」

と受けつけず、以前どおり薬はせんぶり、食事は梅干しと粥だけ、それでいずれ快くなると信じていたらしい。

それでも九月いっぱいはまだべったりとは寝付かず、ときたま子供たちへの叱言も忘れなかったが、十月に入るとみるみる弱り、

「あたしはどうも死に病かも知れないねえ。何のバチかねえ」

と呟くようになった。

ある日、光乃を呼んで、

「お前、学校の帰りにちょいと角筈の権現さまにお詣りして来ておくれな。あたしのいうとおり、お願込めるんだよ。『俄か信心で面目次第もございませんが、ただいま巳年生まれの塚谷さだめが腹の病を患っております。なにとぞ特別のお慈悲をもちまして、この暮れまでには本復させて下さいますよう、おすがり申し上げます』ってさ。いいかい、俄か信心で申しわけないってとこを二度繰り返して謝るんだよ。判ったね」

といい渡したが、それを聞いて光乃は何故かちょっぴり可笑しく、顔をほころばせながらうなずいた。

医者から残り少ない命だといわれても、診立てちがいということもあり、まだ家中の誰も、さだにそれほど死が迫っているとは思っていなかった。

さだが何故角筈の熊野十二社の願かけをいいだしたかといえば、病を得て以来、実家の縁辺のひとたちが代わる代わる見舞いにやって来、そのなかにはのちに光乃が世話になる阿佐ヶ谷の叔母もいて、

「さだはつね日ごろ、信心の欠けっぱしも持たないからこんなとき困るねえ」

とさんざんこぼされ、藁をも摑む気持ちで思いついたらしかった。

光乃が代参し、小さなお守りを受けて戻ると、さだはそれを枕もとに祀って朝夕、手

を合わせて祈願していたが、十一月にはいるとさすがに家族全員、この家に不幸の訪れるのはもはや避けられないという予感を持たざるを得なかった。こういうとき、清太郎、勝年、幾也の男たちは何もなし得ず、日々元気を無くしてゆくさだの姿を見たくなさそうに、なるべく病床から遠ざかろうとする。

酔っぱらって戻るときには、必ず土産の折を忘れなかった清太郎も、

「うめえもの買って来ても、ひとつも咽喉を通りゃしないからよう」

と、すっかりあきらめたふうで、蒲団をかぶって早寝してしまう日も多かった。

男とは逆に、たき子も光乃も忙しくなり、とくにたき子はずっとそばにつきっきりで、食べられないまでも、せめて重湯でなりと口を養い、肩を貸して便所へも連れてゆかねばならぬ。光乃の記憶では、さだとたき子の母娘が、たとえ生さぬ仲であってもむつまじく語り合う様子などかつて見たこともなかっただけに、いまたき子の身心の負担はさぞかしと思われるけれど、たき子はその辛さはこぼさなかった。

十一月十四日のこと、町に号外の鈴が鳴り響き、勝年が走り出て行って拾ってくると、浜口首相、東京駅頭で狙撃され重傷、と報じられており、それをたき子がさだの枕もとに持って行って読んでやっているのを見て、光乃は姉ちゃんもやさしいとこ、あるわ、と思ったものであった。

が、その夜のこと、光乃はさだの寝ている部屋の隣で用を足していて、ふと中から話

し声が洩(も)れるのに気がつき、聞き耳を立てた。この家ではもともと、家族間でていねいな話し合いなどしたことはなく、いつも短い言葉のやりとりで事を足してきただけに、このような長話は珍しいことであった。

しかし、病室の声は話し合いではなくさだひとりの絶え絶えな祈りらしく、権現さま権現さまをくり返したあとで、

「塚谷さだがかような始末と相成りましたからには、もはや手間ひまかけず、一刻も早くそちらへお引き取り下さいまし。なにとぞ、なにとぞお願い申し上げます」

を力ない声で、一心にたのんでいるのであった。

手間ひまかけずにお引き取り下さい、というさだの念願の筋は、まだ光乃には十分よく判らなかったが、そのあとさだはなお七日生き、いよいよ臨終というときになって、たき子の手を握り、

「お前にはよくしてもらったねえ。お礼をいうよ。幾也のことも頼みましたよ」

と、力無い声でいうのを聞いて、光乃は胸がいっぱいになった。

やっぱりおっ母さんは、長い患いで継子のたき子に迷惑をかけるのを、すまなく思っていたのだと判り、自分をも含め、家中のひとがみんな急に可哀相(かわいそう)になって来て、声をあげてしゃくり泣いた。

さだの行年は五十歳、実家の両親は早くから無いが、親類縁者が多くて、そのひとた

ちの手伝いで、とどこおりなく葬式も終えると、もう師走であった。一家の主婦を失って残された家族は清太郎五十三歳、たき子は二十二歳で光乃十五歳勝年十四歳、幾也は九歳という組み合わせで、初七日の日、この顔ぶれを眺めて、阿佐ヶ谷の叔母まつが、

「清太郎さんや。このあとの後妻の思案はもう無いことにしちゃあもらえませんかねえ。さだも三人もの腹の違う子を苦労してこれまでに育てたんだから、せめて土の下でなと安心させてやりたいもんさね」

との言葉に、清太郎がきっぱりと「ごもっとも」と啖呵を切るかと思えば、両掌を膝のあいだに突っ込んだまま、

「へえ」

と目を落としているだけであった。

たき子が引き取って、

「叔母さん、これからは私がおっ母さんの代わりをしますから、大丈夫よ。お父つぁんにそんな真似はさせやしません」

というと、叔母は腰を折って、

「たきちゃんはしっかり者だからね。頼みますよ」

とねんごろな態度になるのは、とりようによっては、さだを早く死なしたのは全部お前さんのせいだよ、と清太郎を責めているところかも知れなかった。

この叔母は、さだの身内のなかで顔も気性もいちばんよくさだに似ており、気も利けば口も叩くふうだっただけに、このあと折々、たき子は訪ねてゆき、唯一の相談相手になってもらっていたのであった。

さだの葬式のとき、清太郎をはじめ家中誰も涙を流さなかったけれど、光乃だけは泣いた。ずい分と叱られもしたものの、死に際のやつれようはいかにもいたましく、勝ち気なさだが哀れでならなかった。折檻されてもいい、やっぱりさだは長火鉢の前に坐って家中に目を配り、びしびしと叱言をいう姿が似つかわしかったと思うのであった。

さだが亡くなると家のうちはずい分変わり、まず清太郎ががっくりと気力を無くし、男の子二人は歯止めを失って制御が利かなくなり、たき子は主婦役を背負って必要以上にきりきりし、このなかで以前どおりに見えるのは光乃ひとりであった。

たき子は皮肉を込めて、

「みいちゃんはトクな性分だね。死んだおっ母さんにも可愛がられたし、お父つぁんにも叱られたことがない。勝年も幾也も、光乃姉ちゃんはアタマいい、何でもできる、なんて世辞を使うしね。そこにくりゃ、私なんて損な役廻りばっかりだよ。いつもワリ食ってさ」

とぼやくのへ、光乃は、

「そんなことないよ。私だってつらいことといっぱいよ」

といい返し、姉ちゃんは何も判っちゃいないんだから、と心の中でいつも思う。

同級生より一つ年長の気おくれや、裁縫材料のみすぼらしさや、また学校の帰り、打ち連れ立ってアンミツ屋ののれんをくぐることもなく、休日に仲よし同士の遊山(ゆさん)などにも、誘い誘われたためしはない。級のうちでしぜんに形作られるグループにも属さず、まして親友という、心のうちを明かしあう友も持ってはいないのであった。

いまのこの家のなかでは、一人だけ女学校に通う光乃がいちばん恵まれているように見えるけれど、その胸のなかには級友に対する劣等感がはち切れるほど詰まっている。入学以来いく度退学したいと思ったか知れないが、それを実行しなかったのは、学校で習う裁縫や手芸、習字や水彩画などが楽しく、束の間(つかのま)でも孤独感を充(み)たしてくれるためでもあった。

さだが亡くなった昭和五年から、家は次第に傾いてゆき、清太郎が家に入れる金も少なくなればたき子のやりくりもずい分と大へんであったらしい。

昭和六年の暮れには仕事のせいか清太郎は家に戻らず、姉弟茶の間に寄り集まって餅(もち)もない正月を迎えたが、ここまでくれば一人ずつ口減らしをするよりなく、たき子と勝年の行き先が決まったあとは、大家からきつい店立(たなだ)てを食うまで、この家でなお半年あまり三人は過ごした。

阿佐ヶ谷の叔母の過去はさだ以外の誰も知らないが、少なくともしあわせな家庭で順調に暮らしたひとではないらしく、玄関わきに松の木のある構えのこの家には、先妻の子だという、もういい年をした学校の先生との二人暮らしであった。

さだはよく、

「叔母さんはああみえて、とびっきりそろばん勘定のうまい人でね。ねんごろにしておいてもらえば損はないよ」

といっていたから、小金貸しでもしていたものだろうか。

一家ちりぢりが悲しくない、といえば負け惜しみになるが、かといって姉弟相擁して悲嘆にくれるには、皆、この困窮の暮らしにはもはやあきあきしていたふしがある。

叔母まつの科白ではないが、五体満足に育ち、一人で出歩くことも可能な年齢になれば、あてにならぬ父親を待ってじっと我慢するよりは、自分で曲がりなりにも一人立ちしたいと思うようになるのは至極当然のなりゆきというものであった。

いつまた会えるか判らないが、その日まで皆達者で暮らそうね、の言葉も涙なく別れ、光乃は阿佐ヶ谷へ移ったが、ちらり会うだけの叔母と、一緒に暮らす叔母との差異は大きかった。家を出るとき、幾也が、

「光乃姉ちゃんは、阿佐ヶ谷の叔母さんちのいそてきになるんだね」

といったが、叔母の家における光乃の地位は、居候てきに加えて、実質は女中であっ

た。

まつは、着物に黒繻子の衿をかけることや、長火鉢の前に坐って終日、煙草をふかすことや、煮豆が大好きなことなど、さだとはたくさんの共通点があり、自分は動かず、長煙管のさきで光乃を指図するしぐさまでそっくり、似通っている。光乃が来るまではたぶん自分で何も彼もしていたと思えるのに、いまは縦のものも横にせず、すぐ離室に向かって、

「光乃や」

と呼び立てることになる。

もっとも学校だけは約束どおり通わせてくれたが、それだけに、

「着かぶりから寝起きの世話までこちらでしてるんだからね。お忘れでないよ」

と毎度つけ加えるのを忘れなかった。

光乃は阿佐ヶ谷に移ってからというもの、いっそう無口になり、学校も欠席が重なってくると、級友とますます遠ざかるのはいたしかたもなかった。

しかしいまの境遇が耐えられぬほど辛いか、と自分の胸に問えば、否、と答えられるだけの小さな意地は持っており、その意地のなかには遠い日、生みの母親に置き去りにされたことや、さだに在かたの子、とおとしめられたことなども込められていて、そのことを突き詰めて考えていると父親が底なしにうらめしくなるが、なあに、これくらい

のこと、と思えばずっと過ごしやすくなる。

さだとたき子はことごとにぶつかり合ったけれど、光乃は、さだの嫌いなことは決してしまい、という覚悟ですごして来たのを思えば、叔母に逆らわないで暮らすのがいちばん、という了簡だけは固められるのであった。

しかしそれでも、弟のいういそてきには期限と借金の返済があり、女学校卒業がそれに当たるなら、もうどうしても逃れることはできなかった。

貝寄風に吹かれながら、不忍池のそばに光乃はどれだけの時間、たたずんでいただろうか。家を出るときは曇天だったのに、いつのまにか雲の切れ目から陽が射し、地上の自分の影が小さく足もとに蹲っているのを見て、もう時刻は昼になったのを光乃は知った。

なお未だ決断はつかないが、しきりに気が急くのは、ぐずぐずと返事を延ばしているうち、さっきの口は誰かに取られそうに思われることで、ならすぐに応じればいいようなものの、病衣の洗濯という仕事にはやはりためらいがある。

しかし今日、このまま素手で帰ってしまっても、明日また別のよい口があるとは思えず、そうなるといつまでもまつのいや味と催促を浴びねばならず、それはもはやできない相談であった。

光乃はひとときしっかりと目を閉じ、胸に手を置いて、何かに祈るような気持ちでぱっと目を開くと、くるりとうしろを向いてさっきの桂庵の方向に向かって駈け出した。これがあたしの運命、これがあたしの運命、と自分にいい聞かせるようにして走りながら、いく度も自転車にぶつかりそうになり、

「おっとっと、娘さん、逆上しちゃあいけないよ」

の声を背後に聞いて、桂庵の前に辿りつき、息をととのえてから貼り紙の賑やかなガラス戸を勢いよく開けた。

昼飯刻なのか店には誰もおらず、光乃が訪うと、セルの前かけをはたきながらさっきの親爺があらわれ、ああ、とうなずいて眼鏡ごしに、

「決めなすったかい。よかった、よかった。きっとあんたは後生がいいよ」

と帳場格子のなかに入り、膝を叩いて、

「さあて、と」

と、思案し、

「いままではうちの若いもんがお連れしてまずお目見得に伺うって寸法だったんだが、このせつは手不足で若いもんも居なくなっちまった。わし地図を書いたげるから、あんた一人でいまから行ってみるかい？」

と聞き、光乃がうなずくと、申し込み書を参照して半紙に書き、それをひらひらさせ

ながら、

「なあに、雇い主の家は省線の渋谷からひとっきりさ。『菊間』って表札をさがして行けばすぐ判るよ。上野の浪花屋の口利きで参りましたってそいいな」

と、地図を手渡してくれた。

礼をいって出ようとする光乃に、親爺は追いかけて、

「あ、いま気がついたんだが、菊間さんに頼まれたのは昭和七年十月だった。半年前の申し込みだから、ひょっとするともう塞がってるかも知れないな」

といい添えたが、上野界隈の桂庵は、昭和十年前後にはすでに悉く店を畳んでしまっていたそうだから、光乃が訪ねたこの頃、一軒だけ残っていた浪花屋も、実はもう半戸おろした状態だったのではなかろうか。

むろん光乃にそれを見抜く眼力などあり得べくもなし、半年前の求人でもべつに不服もいわず、もらった地図を手に、渋谷駅から道玄坂に向かって家々の表札をのぞきながらゆっくりと登って行った。

このとき光乃の頭のなかに、訪ねて行った先から、

「もうその口なら、とうに決まっていますよ。いまごろ何だってまあ」

という言葉を聞かされはしないかというかすかな期待がなかったとはいえず、それならそれで理由も立ち、今日のところは家へも帰りやすいと思うのであった。

菊間の表札は、交番でたずねるまでもなくすぐ見つかったが、その家構えに心臆し、光乃はしばらく門の前に佇んだ。着物の下で高く胸が波打っており、自分の身がひどく卑小なものに見えてくる。このまま帰っちゃおうか、と思えばまつの恐い顔が浮かび、すすんで玄関を開ければ、とたんにその場でお払い箱をいいわたされそうな気もする。

ふと耳を澄ますと、家の奥のほうから三味線の音いろが流れて来、それを聞いて光乃はああここは役者さんの家だった、と思い返した。何も客人として訪うわけではなし、私の役割は鎌倉でご病人の汚れものの洗濯、と考えれば気分はずっと楽になり、御用聞きのつもりで、と自分にいい聞かせる。

玄関はふたつあり、見較べてみて光乃は三味線の音いろに遠いほうを選んで格子戸に手をかけた。水を打ってある三和土に立っていると、頭髪の薄いわりには童顔の男があらわれ、立ったままで、

「新聞見て来たひとだね？」

と念を押した。

光乃の怪訝そうな顔を見て、

「え？　そうじゃないの？　じゃ何の用？」

と口のききかたは横柄ではあるものの、表情も態度も親しく、光乃は一歩近づいて、

「あの、上野の浪花屋さんというところから教えて頂きました。これを」

と、地図に添えた紹介状を両手で捧げると、男はそれを受け取り、目を走らせたあとで、

「あーあぁ」

とうなずきながら大声を出し、

「思い出した、思い出した。たしか半年以上も前に、二、三軒桂庵に頼んでありましたよ。じゃあんたはそっちの口からやって来たんだね。ま、ま、上がんなさい。いまどきもう桂庵なんて当てになんないと思って、こっちは新聞広告を出したばかりでね。昨日今日と面接日だ」

男の言葉に目を落とすと、三和土の上には女下駄が五、六足並んでいる。いわれるままに光乃は上がり、玄関に近い部屋の襖(ふすま)を開けると、下駄の主らしい応募者が五人、思い思いの場所に坐っているのであった。

五人は、銀杏返し(いちょうがえし)に結ったひと、耳隠し、庇髪(ひさしがみ)、と年齢も頭もまちまちだけれど、いずれも身じまいがよく、一わたり眺めたところで光乃はすでに絶望感を持った。病衣の洗濯という裏の仕事でも、やはりこんなに装わねばならないかと思うと、白粉(おしろい)っ気もなく、髪を三つ編みのお下げにしたままの自分がひどく場違いなものに見え、部屋の隅に行ってじっとうつむいている。

さっきの男が一人ずつ名を呼び、立って行ったひとは再びここへは戻らず、とうとう

光乃ひとりきりになったとき、頭のなかは、このあと阿佐ヶ谷へ帰って、まつにどういいわけしようかとそのことでいっぱいであった。きっとまつは、

「気転が利かないねえ、全く。せめて娘らしく束髪に結って、あたしの鏡台から水白粉くらいはなすってゆけばよかったのに。それじゃ山出し同然だもの。断られるのはあったりまえってもんさ」

と必ずちくちくいわれるのは判っているだけに、心はすっかり沈み込んでいる。

まもなく男があらわれ、

「塚谷光乃さん、今日のおまけみたいなひとだね。さあ、旦那と坊ちゃんの首実検だ。ようく見て頂きな。子馬なら足を叩いて試されるところだが、娘っこはそうもいくめえ」

と、これで最後の気軽さからか、うきうきと軽口を叩きつつ、奥の部屋に案内してくれた。

座敷には、紫檀らしい黒光りする机を前に男が三人並んでおり、端の一人がその前に坐るよう指を差して、

「あんた、浪花屋さんの紹介だってね。桂庵に行くよう誰にいわれたんだね？」

と聞いた。

光乃は膝に重ねた手から視線を離さず、

「はい、叔母さんにいわれました」

と小さな声で答えた。

「するってえと、新聞広告は知らなかったわけだ」

と三人は顔を見合わせ、

「浪花屋さんだと、奉公先は鎌倉っていわなかったかい?」

「はい、そういわれました」

「病人の寝巻きなどの洗濯っていったろう?」

「はい」

「じゃあんた、今日はそのつもりで来たのかね」

といわれ、

「はい」

光乃はなお顔もあげず、深くうなずくと、端の男は軽く笑って、

「ご病人はもう快くなっていなさるよ。この若旦那だ。鎌倉の家はまもなく畳むことになっている。で、改めて、あんたはこの家で女中として働く気はありますか。どう?」

と改まった態度で聞いた。

光乃は手をついて、

「はい、一所懸命に勤めます」

と頭を下げた。

三人は、光乃が用意してきた、半紙に毛筆で書いた履歴書を眺めながら、このあと、身請け人は？　両親は？　病気の既往は？　など、細かい質問を代わる代わる浴びせ、最後に年配のひとが初めて口をひらき、

「あんた年頃だが、嫁入り先の約束があるとか、いい交わしたひとがいるとか、そういう話はありますか」

とたずねた。

光乃はとたんに激しくかぶりを振り、

「いいえ」

と否定すると、むきになったその態度がおかしかったのか、三人は軽く笑った。

端の男は、

「それじゃ、さっきの部屋に戻ってちょいと待ってて下さい。いま沙汰(さた)をしますから」

といい渡し、光乃はおじぎをして引き退(さが)った。

長い長い待ち時間、と光乃は感じたが、実際にはほんの二十分かそこらであったに違いなく、さっきの端の男が部屋にあらわれて、

「塚谷光乃さん、あんたに来てもらうことに決まりましたよ」

と告げた。

「あんたが浪花屋さんを訪ねて行ったのが、ちょうど当方の面接日に当たっていたなんて、こんなに符牒（ふちょう）がピタリと合うことはめったとあるもんじゃない、運が良かったねえ。これも当家への深いご縁だと思って、しっかり相勤めて下さい」

といい、奉公始めはキリよく四月一日から、着替えを持って今度は玄関からでなく、わきへ廻って勝手口から入るように、と注意し、それで帰宅を許された。

光乃は夢見心地で三和土の下駄をはき、表へ出たが、春の陽光を全身に浴びてもまだ覚めず、道玄坂を下りながらようやく身におぼえたのは、ひどく空腹であることだった。朝家を出て以後、ずっと緊張と思案の連続で食事など頭にも浮かばず、居並ぶ店の時計をのぞいてみると、どれも四時過ぎを指している。

役者の家

亡くなったさだは芝居好きで、ときどき役者の噂など口にしていたが、どうやらそれは叔母の受け売りであったらしい。しかしまつも、始終芝居小屋に通っていたかといえば、そんな贅沢はしておらず、奮発して年一、二回、昨年焼失した下谷の市村座とか、或いは、映画館に転向する前の本郷座とかへ行くだけで、あとは何かの拍子で手に入る雑誌などをのぞくだけであった。

それでも芝居好きで十分通るものの、役者の本名までは知るわけもなく、光乃の報告を受けて、

「ええっ、まあ役者の家の女中奉公？　そりゃあまあご大そうなことだねえ」

と驚いたものの、菊間、と聞いても判らず、

「辰巳屋とか不動屋とか、扇屋とかきのえ屋とか、屋号の看板は出てなかったかい？」

といわれて光乃は思い出し、

「そういえば、玄関の庭下駄に白木屋と焼き判が押してありました」

と、再びあの家構えを目に浮かべた。

「びっくりするじゃないか。それはお前、竹元宗四郎さんのお宅だよ。菊間流のお家元だよ。何しろ宗四郎さんときたら顔よし声よし姿よしで、まあ弁慶でもやらせてごらんな。夢でうなされるほどの、出来栄えだ。

これはちょっとやそっとのご奉公じゃきかないね。全くあたしまでトンボがくらんじまうよ」

とすっかり興奮し、

「お前は、じゃあ坊ちゃま付きかい。そうなりゃ、これは支度が要るね。坊ちゃまのお供で、お前、日本一の歌舞伎座にも出入りするようになろうじゃないか。つぎの当たった銘仙など着てちゃ、坊ちゃまの面汚しってもんだ」

といわれて光乃はさっそく上一っ走り堀之内へ行って、たき子にも相談しておいで、といわれて光乃はさっそく上山家の勝手口から訪い、立ち話でこのよしを伝えた。

たき子は女中奉公の経験者だけに冷静で、

「あたしなんか、ここへ来るときは着のみ着のままだったよ。お給金もらってやっと絣を一反買い、夜の目も寝ずに縫いあげてようやく着更えたもんさ。

奉公先が何様か知らないけど、みいちゃんに着飾ってもらいたいなら、支度金を出すのがあたりまえだろ。それが出ないっていうのは、きっと下働きだよ。表には出ない役廻りだよ。

いっとくけどね。女中の仕事は一日中、板の間に膝をついて雑巾がけしたり、埃だらけになって箒とはたきを使ったり、着物の傷むことばかりだ。まっ先に膝が抜けるから、そこを考えておくといいよ」

という忠告で、叔母がひそかに期待したような、「じゃあたしのへそくりを」と振舞ってくれはしなかった。

それでも、しまりやで通っているまつにしては大奮発し、一人で新宿まで出かけて行って滝縞のお召しを一反買って来、ためつすがめつしながら、

「お前にはまだちょいとばかり地味かも知れないがねえ。ま、坊ちゃまのお供なら品のいいものでなくっちゃいけない」

と一人で算段し、

「これはあたしの餞といきたいが、お前もさんざっぱらうちに迷惑かけてるからね。給金もらったらいの一番で返しておくれ」

と、手渡してくれた。

つい先日まで女学生だっただけに、支度の風呂敷包みは至って軽く、片手で十分の荷を抱えて、光乃は約束の四月一日、菊間家の勝手口に立った。

面接の日の夢心地はいまださめやらぬ感じがあり、それというのも、有頂天になって

近所へ吹聴する叔母の言葉に浮かされ、何やら急に自分が華やかな場所へ飛び込んでゆくような晴れがましさがある。

今朝は叔母にいわれ、顔にクリームを塗り、鏡台をのぞいて紅筆を借りて紅をさしてみたが、まるで自分の顔がお猿のように滑稽で、すぐ拭き取ってしまった。髪だけは首筋で高く束髪にまとめ上げるのを、わきから見て、

「そんな赤毛じゃ島田にも結えないね。毛唐に間違えられっちまうからさ」

とか、

「お前は、世辞軽薄のこれっぽちもない子だけどね。それもときによりけりだ。せいぜい坊ちゃまのお気に召して頂けるよう、ときにはおべっかのひとつも使ってみるんだよ」

とか、思い出すままに心得をさとしたあとで、

「ねえ、光乃。これからはただで芝居が見られるよう、お前、はからっておくれな」

と、それが何よりの望みとばかり、繰り返して光乃に頼み、光乃は何もまだ判らないまま叔母の気を迎えるために、はい、と答えた。

遠くにいる父親と弟二人には、いずれたき子から葉書でも出してもらうことにし、叔母には長いあいだ厄介になった礼を述べて、菊間家に向かったが、これからいよいよ一人で世のなかを漕ぎ渡ってゆかねばならぬと思うと、光乃はひそかに武者ぶるいに似た

小きざみな震えをおぼえるのであった。

この家は勝手口もゆったりと広く、風呂敷包みを抱えて立っている光乃を見つけて近寄って来た中年とおぼしい女性が、

「ああ、太郎さんのいってたひとだわね。ま、こっちおあがんなさい」

と案内し、玄関わきの暗い六畳を指して、

「ここが女中部屋。荷物は押し入れに入れて、襷(たすき)をかけ、前かけをあてて、しっかりと仕事のなりして、お勝手まで出て来て頂戴(ちょうだい)」

光乃はいわれて風呂敷包みをあけてみたけれど、襷もエプロンも、前かけのたぐいも入れてはいなかった。仕方なし、着物の腰紐(こしひも)を一本引き抜き、羽織を脱いでそれで襷をかけたところへ、先日の案内人が襖(ふすま)から首を出し、

「おっとっと。まだそういう装(なり)はいけねえ。これからまんずご挨拶(あいさつ)だ。あいにく明日から初日で旦那(だんな)も坊ちゃまも歌舞伎座だが、おかみさんがおいでになる。さ、こっちい来な」

と長い廊下を先に立って歩きながら、

「こうっと、お前さんの名前は野崎村だったね。野崎村もお染じゃなくて『あとに娘は気もいそいそ』で尼になっちまったほうだよな」

と奥へ連れてゆかれ、長火鉢の前のこの家の主婦、加代にひきあわされた。

「まるまると肥ってかわいい娘だね。そうかい、お光つぁんかい。しっかり勤めてくださいよ。仕事の委細はお種さんに聞けばいい」

と、お目見得の言葉をもらった。

そのあとは茶の間で、家族と仕事の説明があり、まず男は自ら、役柄は手代ってもんかねえ、もとは坊ちゃま付きだった、村山太郎ってんだ、と名乗り、この家にはいま、主の宗四郎夫妻と長男雪雄、役者名で桃蔵、その下の女の子は七つと五つの二人、女中はお種、おつぎ、お兼、お由の四人と女の子付きのばあやが一人、これだけが常住寝泊まりしているひとで、他に通いは大番頭の林さん、番頭の屋代さん、弟子たちも十人じゃきかず、このひとたちが始終出入りしているという。

来客が多ければ女中は四人いてもそれぞれ忙しく、三十五歳のお種は女中頭の格で、電話の応対と食べ物の段取り、二十八歳のおつぎは旦那付き、同い歳のお兼はおかみさん付き、そして料理と掃除はおつぎ以下の三人が分担しているが、光乃は当分のあいだ、二十歳のお由について、専ら掃除を見習うことになるのだという。

太郎は最後に、

「これからさっそく働いてもらうが、先ず第一の戒めは、あんたも今日からここの家の人間となったからには、家内の内輪事について決して誰にもしゃべっちゃいけねえ。人気稼業の家ってものは、世間さまからしっきりなし見張られてるようなもんだ。お種さんの前だが、奉公人を募集しても、なかには竹元宗四郎の家のうちをのぞいてやろうってなやからも無きにしもあらずでね。

舞台に立ちゃあ、おおそれながら帝にまで化ける役者なら、さだめし小便なんて下品なものはお出しなさるまい、と考えてるひともときどきはいる。その役者が、衣裳を脱いだらどんな顔しているか、どんなもの食べているか、夫婦喧嘩はどうか、おならはするか。

そういうことを詮索したいひとはいっぱいだ。いいかね、出入りの御用聞きなんぞと、噂話は決してしねえこと。口を固くしてくれるようくれぐれも頼みましたよ。

ふたつめは、朋輩たちといさかい揉めごとはご法度だ。役者ってのは大へんな商売で、舞台のある日は矢を放つまえの弓弦のようだと常日頃、おいらは思っている。それほど気を張って舞台を相勤めなくちゃならねえから、家に帰れば子供のようなところもある。家のうちが騒がしかったら、旦那の芸にもさし障りが出よう。

この二つがよその家の奉公とはちょいとばかし違うところだ」

おいらのご垂訓はこれだけだ、というと太郎は立って出てゆき、代わってお種が光乃を伴って家のあちこちを捜し、他の三人の女中に引き合わせた。

お種は大柄で、もののいいかたもゆっくりしているが、おつぎは痩せていてきりきりした感じ、お兼はどこやら冷たくて、これから光乃が仕事を習う丸顔のお由は一見ひょうきんで明るかった。

が、光乃を納戸へと誘ったお由は、打ってかわって固い表情になり、

「私の持ち場はね。二つの玄関と客間二つでしょ。それにこの納戸と女中部屋、台所、といちばん多いのよ。しかも真っ先に人目につくところばかり。お兼さんなんか二階が割り当てだから、少しくらい怠けても誰も気がつきゃしない。だから私は朝はまっさきに起きなくちゃならないし、いい加減に端折ってると、おかみさんの目はすごいんだから」

と不服たらたらで、それというのも最年少の後入り故に、損な立場だと考えているらしかった。

この家は人の出入りが多い故にとくに掃除について難しく、はたき箒、雑巾の使いかた、糠袋のかけかた、それに「箪笥の光らねえのはご利益がうすい」という科白もあるとおり、家具を磨くのも女中たちの大事な仕事のひとつであるらしかった。

光乃はさっそく、茶がらを干して詰めてある晒木綿の袋を渡されて、

「この納戸の箪笥を磨いて頂戴」

といわれ、その袋でこすっていると、

「駄目、駄目、そう力んじゃ。道具るいを磨くときは力を入れず病人のようにたよりなげにして。休まずに。廊下の糠袋は少しきゅっきゅっいわせたほうがいいんだけど」

とわきからしきりに口出ししながら、自分は立って見ているばかり、

「そこが終わったら、客間の違い棚、茶箪笥、木目の火鉢、玄関の下駄箱、みんな片っ端からやって頂戴。ていねいにね。あ、そうそう、家中の敷居も磨かなくちゃ。そろそろ立てつけが悪くなってる」

といいつけておいて、消えてしまった。

一人納戸に残された光乃は、茶殻の袋でいわれたように軽く、根気よく箪笥を磨きながら、聞くともなし耳を澄ませていると、この家のなかのさまざまなもの音が伝わってくる。

表玄関のほうからは三味線の音いろ、勝手口からは御用聞きの威勢のいい声、あいまを縫って家中の戸の開け閉て、電話のベル、廊下を行き交いするのは女中たちで、そのうちおつぎが納戸の板戸を開けて、

「おや、あんた、来る早々、もうこんなところで油売ってたの。御飯どきには全員お勝手場手伝うのよ。それくらいのこと、判らないじゃここの家は勤まらないわね」

ととげとげしい言葉だったが、光乃はそれを悪く受け取って考え込む余裕などはまだなく、いわれてすぐさま台所へと走って行った。

初日を明日に控えた役者の家というのは、ほとんど人は出払っており、昼飯はまずおかみさんと、踊りの弟子たちが先にそそくさとすませてしまったあと、女中たちも台所

の丸い木の椅子に腰かけて手早く腹ごしらえをする。

まっさきに終わったお兼は、使った茶碗るいを光乃の前に置いて、

「お光さん、頼むわね。あたしはこれからおかみさんのお供で、五社詣りに出かけるんだから」

と行こうとするのへ、おつぎが聞こえよがしに、

「自分の茶碗と皿洗うぐらい、ものの一分とかかりゃしないよ。いつも規則を乱すひとは決まってる」

といえば、一瞬お兼は立ち止まり、何かいおうとするのへ、お種がゆっくりした口調で、

「明日は初日だからね。いざこざはいけないよ。精進、精進」

となだめ、その場はそれで収まった。

黙って見ていたお由は、流しで汚れものを洗っている光乃の肩ごしに、ささやき声で、

「見たでしょ。旦那付きのおつぎさんと、おかみさん付きのお兼さんとは、あのとおり犬と猿よ。どっちかがやめる他ないけど、これがまたちょいとした因縁があってね。そのうち話したげるよ」

と、さも面白がっているふうにみえる。

まもなく、ばあやが梅了、桜子の二人の手をひいて外から戻り、光乃は初対面の挨拶

をしたが、人の出入りの多い家に育った子供たちは女中など格別珍しくもないとみえて、すぐ母親の部屋に入ってしまった。

午後も光乃は全く無我夢中で、お由の指図どおり道具磨きを続けていても、ちょいちょいと別口がかかり、そっちへ走ればまたお由に引き戻されるというあんばいで、たちまちのうちに日が暮れてしまったような感がある。

茶の間の大時計がゆるく十一時を打ったころ、表玄関のほうから、

「えーっ旦那さま坊ちゃまのお帰りーっ」

家中に響きわたる太郎の声が聞こえると、あっちこっちの部屋の戸障子が開いてバタバタと全員、玄関に向かって駈け出してゆく。

光乃もお由について走り、玄関に辿りついたときには、主の竹元宗四郎に続いて、雪雄が式台に上がるところであった。

女中たちは板の間に並び、手をついて、

「お帰りなさいまし」

と頭を垂れ、その前を二人は弟子たちとともに通りすぎ、宗四郎は奥の居間、雪雄は二階へと上がって行く。

太郎は光乃に、

「旦那はお疲れだが、ま、ご挨拶しねえわけには参るまい」

といい、先ず今朝のおかみさんの部屋へ行くと、宗四郎は弟子に手伝わせて丹前に着替えているところで、

「ああ、こないだの合格者かい。末始終しっかり頼みますよ」

と、懇ろな言葉をかけてくれた。

太郎は、

「旦那は全く見上げたお方だよ。お前さんのような小娘にも、ちゃあんと『合格者』なんて気を迎えて下さる。これだからおいらも迷わず一生奉公、お家のためなら骨も微塵に砕くるまで、とこうならあ」

と声色ばりで呟きながら二階に上がり、奥の部屋の前で膝をつき、

「若旦那、こないだお決め頂いた女中の光乃が今日から勤めに就きましたから、ちょいとご挨拶に上がりました」

と声をかけたが、襖の内側からは答えがない。

「もし、若旦那、坊ちゃま」

と続けて呼び、

「ちょいとここ開けてもよろしいですか」

と襖の把手に手をかけたとたん、

「うるせえな。明日にしてくれ」

と中から大声があった。

「へえ」

と太郎はその手をおろし、

「若旦那は疲れていなさるんだ」

とゆっくり階段を下りながら、

「明日は五年ぶりの舞台だからなあ。無理もねえ」

と一人うなずいて、階段の下で光乃と別れた。

そのあと一日の家の後始末と家中の戸締まり、火の用心、明朝の米のしかけ、とすべて終わったのは午前一時、女中部屋に入ると光乃の蒲団はまん中に積まれてあった。

「あんた鼾はかかないだろうね」

とおつぎにいわれ、

「はい」

と答えると、お由がけたたましく笑って、

「自分で判るもんか」

六畳へ五人、古参ほど壁ぎわに寝られ、新参はまん中で小さくなって体を横たえるが、光乃は蒲団で仰臥し、ぐうーっと手足をのばして、何と今日は忙しく長い一日だったろうと思った。

今朝、勝手口へ立って以来、八方から注意と命令が雨のように小止みなく降りかかり、何が何だかよく呑み込めないままに、奉公第一日は終わってしまった。

それにしても、もう反故に近い桂庵の口入れ話に乗り、やっとの思いで辿りついたこの家で、それがちょうど新聞広告の求人の面接日だったとは、よくよくの縁だといま改めて光乃は思った。太郎はしきりに、

「野崎村のお光は、許嫁をお染にとられちまって、『嬉しかったはたった半時』と嘆いて泣かせるんだが、お前さんはいいくじ引き当てたんだ。案外福娘かもしんないね」

と景気をつけてくれたが、たしかに、もう一日桂庵を訪ねるのがずれていたら、いまごろはまだ、阿佐ヶ谷の家にいたのかも知れなかった。

光乃は目をつぶり、胸の上でてのひらを組み合わせて、この幸運を有り難く思い、一所懸命、この家で働こうと思った。口をかたく、朋輩とのごたごたを起こさず、人の嫌がる仕事は、自分からすすんでしようと思った。

今日一日、坐る暇もなくくるくると立ち働いたが、叔母の家でも掃除洗濯、すべて一手に引き受けていたことを思えば、これしき何のつらいものか、と逆に勇気が湧いてくる。姉たき子も、上山家のほうがずっと楽だといっていたし、これからはとげのない御飯が食べられるようになるかも知れないと思うのであった。

しかし考えてみると、鎌倉で療養していたというその坊ちゃまの顔を、光乃はまだ全

くおぼえていなかった。面接のときはうつむいたきりで、前に坐っていたひとが二人だったか、三人だったかさえおぼえてはおらず、さきほど帰宅の、出迎えのときは、目の前を白足袋が通りすぎて行っただけであった。

はっきりとおぼえたのは、この家の主、竹元宗四郎であって、さっき奥の居間で、丹前に片袖(かたそで)を通して振り向いたそのひとの顔を見上げたとたん、思わずごくりと唾(つば)をのみこんだのを光乃は思い出す。堂々たる体軀(たいく)、立派な風貌(ふうぼう)、一声かけてくれたその声音のひびき、まるで画匠が練磨の筆で空間に描き出した名画のようなおもむきがあった。

それに、光乃が打たれたのは、その容貌体格から発する、得もいえぬ雰囲気であって、それは光乃が生まれてこのかた、一度も会ったことのない、別世界の人種のような印象であった。

いま自分は、かつて亡(な)きさだや叔母が折ふし噂(うわさ)していた当代名優の一人の家に、正しく奉公することになったのだと思うと、心弾むうれしさが体中に満ちてくる。お由さんに習って、一日も早くしっかりと仕事をおぼえよう、と思ううち、光乃はいつのまにか深い眠りに落ちていたらしい。

夜のしらじら明け、隣の蒲団から足がのびて来て自分の足を軽く蹴(け)られ、

「ほらほら、新顔は家中の雨戸を開けて、新聞と牛乳取ってくる。旦那(だんな)様のお目ざにならないようそーっとよ」

と、お由の号令で、とたんに光乃は飛び起きて身支度をした。

一足遅れて起きて来たお由は、女中たち専用の洗面所で長い髪を梳かしながら、

「今日は初日なんだから、あんた余計な口きくんじゃないよ。いわれたとおり動いていればいいんだから」

というのは、ふだんでもげんを担ぐ役者の家では、とくに初日を大切にするため、さる、なし、から、きる、わる、などの禁句を口にするのを忌むという。

殊にこの四月は、弥生興行として出される「助六」を、六十四歳の宗四郎がしかも水入りで演じるのだから、当人もまわりも大へんな緊張で、初日は家中、まるで腫れものに触るような気の遣いようであった。

むろん光乃はそういうわけは知るよしもなく、おかみさんが神棚に灯明を上げたあと、宗四郎と、雪雄が威儀を正して柏手を打つのを、自分も何やら身の引き緊まる思いで遠くから眺めるのであった。雪雄とはこのとき初めてだったけれど、二階から下りて来たそのひとの顔を見たとき、故知らず強いものにはっと打たれ、思わず襷を外してその場に頭を垂れた。

あとから下りてきた太郎が、

「坊ちゃまへのご挨拶はあとだ、あとだ」

といい置いて小走りに去ったが、その二人の後ろ姿を、光乃は一瞬、呆然として見送

った。

宗四郎の印象は、仰ぎみる偉大なひと、という感じがあり、そのなかに一抹、今日から我が主と戴く親しさが込められていたが、いまの雪雄は、平たくいえば光乃はふるえ上がるほど恐かった。

手を前に組み、虔んで立つ光乃に一瞥もくれず通って行った冷たさもあるが、それ以上にこのひとの身辺から漂い立つ、ひしひしと激しいもの、研ぎ澄まされた鋭いものが光乃の眉間をしたたかに痛打したように感じられ、それはただちに、このお方の前でしくじりは決して許されまい、という、息詰まるような思いを光乃の胸に呼び起こすのに十分なものであった。

時間が来て、弟子たちがどやどやと迎えにやって来、口々に、声高に、

「初日お目出とうございます」

と呼び合うのは威勢よく、家中の者が玄関に居並ぶなかを、つやつやと丸髷に結ったおかみさんが、宗四郎と雪雄の背にカチッカチッと歯切れよい音をさせて切り火を打つ。

初日はおかみさんもお供して、総勢賑やかに木挽町へと出かけると、あとはさっそく、お種さんの采配ではねたあとの酒宴の用意となる。初日の恒例で、幹部役者たちは自宅に門弟や関係者を招いて、無事初日が開いた喜びと、千秋楽までつつがなく興行が打てるよう祈願もこめて、盃を交わすためであった。

料理は仕出し屋から取るが、酒の燗は女中たちの役目なので、座敷の用意、道具の点検と、忙しい。納戸から座蒲団を出して来て並べながら、お由が、

「あーあ、あたいも一度でいいから、桟敷でおいしいおべんと食べながら、芝居見物といきたいもんだ」

といえば、おつぎが合わせて、

「んだ、んだ、全くだ、指折り数えて六年間、そのあいだ、旦那の忘れもの届けに行ったついでに三階で一幕見せてもらったのが一度っきりだべ」

とお国言葉でいえば、お兼も、

「あんたはまだいいんだよ。あたしをごらんな。おかみさん付きじゃ、何のおこぼれもありゃしないのさ」

と珍しく二人は折り合いよく、

「いまごろ旦那はこうだよ。『ご存知大江戸八百八町にかくれのねえ、杏葉牡丹の紋付きも、桜に匂う仲の町、花川戸の助六ともまた揚巻の助六ともいう若い者、間近く寄って、面像おがみ奉れ』」

と声いろを使えば、お種もわきから、

「おや、芝居を見ないにしちゃ、よくおできだこと」

「いえねお種さん、旦那の科白のお稽古はおかみさんがお相手なんですよ。そのうちあ

たしのほうが先に覚えっちまいますよ」

「じゃお兼さん、それは大したおこぼれじゃないか。そのうち旦那が、おいお兼、お前黒衣を頼むよ、てなことになるかも知れないよ」

ハハハハ、と皆で笑って散ってゆくのを、光乃は黙って聞きながら、こういうこともひとつひとつしっかりと胸に記憶して行こうと思った。

即ち、役者稼業ではあってもこの家では女中に芝居見物などめったにさせないことや、主の科白の練習は女房が助けること、そういうふつうの家では見られないしきたりを、早く呑み込んでゆこうと思うのであった。


この菊間家というものの不思議さを、光乃がようやく感じはじめたのは、お目見得ののち一カ月ほどではなかったろうか。

家の間取り、ものの置き場所、一日の流れ、表と裏の区別、ここで起き臥しする人の名前と顔、それに勝手口の御用聞きまで含めて、出入りする人々の顔と名前のすべてをおぼえるまでには未だ至らないが、うしろからお由に追い立てられる回数もぐっと少なくなった。

それというのも、いっときも早く仕事をおぼえたさに、一日中きっと耳を澄ませ、目をみひらいて人の言葉、仕作を捉えているためであって、その緊張のせいかいきおい、ひどく無口になってしまう。

もともと言葉は少ないたちなので、しゃべるように、といわれるほうが苦痛だけれど、仕事の大半がいいつけどおり動いていれば勤まる女中奉公では、無口はかえってまわりには受けがよかった。

「口のかたい子だねえ」

とは、信用できる子だよ、の同義語ではあるものの、また一方で愛嬌がない、とも可愛げがないともいわれるのは覚悟していなければならぬ。

それでも、一カ月も経てば光乃の気質は少なくとも朋輩四人にだけは判ってもらうことができ、お種から、

「何事もお光ちゃんに頼んでおけば間違いないね」

というお墨付きを頂いたときは、光乃もうれしくてにっこりした。

不思議な家、と感じるのは、主の宗四郎が役者の他に菊間流という、歌舞伎の振付師の三世を名乗っているため、表玄関に続く稽古場には踊りの弟子たちが詰めかけているのも光乃にはおもしろく、また楽屋見舞いという贈り物の多さも驚嘆すべき光景であった。さらに、その頂きものを、まことに手早く簡単におかみさんが選り分け、珍しいもの美味なものは旦那にお目にかけるが、そうでないものは箱のまま、弟子たちに与えるし、台所へ下げるときもある。

光乃は子供のころ、数少ない盆暮れの頂きものは家中でためつすがめつ、この羊羹は西河岸の栄太楼だってさ、とか、いえ蠣殻町の三原堂だよ、とか或いは本郷の藤村を奮発してくれてる、とか、東京生まれのさだが品定めしたのち、長く大事にちびちびと楽しんだことを思い出すと、実にこの家はさばさばと即刻始末してしまうように見え、しかし、これはもののあり余る人間の栄耀というものかと合点する。

そして、若いおかみさんは旦那の四度目の後添いで、先妻の坊ちゃまというのは雪雄の下にはまだ二人、新二郎、優という男の子がいるが、いずれも名優といわれるひとの家に預けてあるそうで、これも珍しい変わった慣わしだと思うのであった。

また、出入りの人たちをも含め、役者というものの礼儀を尊ぶこと、まず長幼の序、主従のけじめ、振る舞いと言葉の正しさ、まるで昔の御殿のなかにいるようだと光乃はときどき思うことがある。太郎は、

「歌舞伎芝居ってえのは、忠孝の大本を教えてくれるありがてえ虎の巻みてえなもんだ。親子は一世、主従は三世、いかなることがあってもこれに違背しちゃならねえってことなんだよ」

というが、それはまだ光乃にはよく判らず、ただお辞儀の形のよさや敬語の使いかたは、きっと見倣いたいとひそかに思う。

しかし、宗四郎の部屋で役者同士やりとりしている言葉はいかに聞き耳を立てていて

も理解できず、例えば、
「このだんまりでからむのは、色奴ではいかが」
「それはようござんすね。物狂いの蘭平とは機嫌のいい役でござんすから」
とは何のことやら、また日常会話にもさまざま聞きなれない言葉が飛び出し、「お勝さん」は器量の悪い女のこと、「くりあげ」は詰問、「ごちそう」はいい役者が端役をやること、体格は「こや」で、「すっぴん」は素顔、「とんぼ」は宙返りで、「肉」は肉じゅばん、「四天」は独特の衣裳のこと、とまことにおびただしい数があり、こんなことを考えていると役者とはやはり全く別世界ではないかという感じがする。

光乃の主、竹元宗四郎は晩年、世にも仕合わせな男、と仲間うちから羨まれたひとで、何が仕合わせなのかといえば、先ず師匠の運、次に子の運、少し下って財運も添い、これだけ三拍子揃うのは、人気稼業のなかでは稀な例であったらしい。

生国は三重県員弁郡大長村長深だが、もの心つくかつかぬかの頃、生母に連れられて父のもとを去り、東京に出てのち、五歳のとき縁あって菊間家にもらわれたのだという。

生母は京橋でまんじゅう屋を始めたりしていたから、客のなかに口をきくひとがあって養子の話になったと思われるが、それにしてもやはり本人の利発さと、目鼻立ちの正しさに惚れ込まれたものであろう。

以来、菊間東右衛門夫妻を実の両親と思い、稽古に励んだが、もともと菊間は振付師ではなく、宗四郎の養祖父は役者名を銀次郎と名乗る名優七代目松川玄十郎の弟子であった。ただ、背丈が低くて役者には向かないところから、三十歳を越すと舞台を引いて振付師となり、初代東右衛門を名乗っている。

宗四郎の師匠運のよさというのは、こういう養祖父のつながりから十一歳のとき、九代目玄十郎のもとに弟子入りさせてもらい、同時に祖父の「松川銀次郎」を名乗って、師匠の家に住み込ませてもらったことであった。

九代目玄十郎は、劇聖とまでいわれた名優で、このひとの芸の影響は極めて大きいだけに、歌舞伎界門閥の子弟たちはこぞってここで修行させてもらっており、皆が兵隊部屋と呼ぶ書生の部屋には当時、子役たちがごろごろしていたという。

宗四郎は十五歳のときから七年間、ここで九代目に鍛えてもらい、銀次郎から順次、珠五郎、桃蔵と名を継いで、四十二歳のとき、六世竹元宗四郎が早逝(そうせい)して江戸時代末に絶えていた白木屋を襲名し、七世を名乗った。

このひとは、若いころには反逆精神も持ち合わせ、歌舞伎界の門閥排斥論も口にしたが、もともとは性格円満、そのために柄の大きいわりに敵役(かたきやく)には悪が効かぬという批評もある。光乃の叔母までさえも、宗四郎の名を聞いたとたん、とっさに弁慶を思い出したほど、不世出の弁慶役者といわれ、この頃すでに千五百回以上も演じており、この記録は誰も抜くひとはあるまいという評判であった。半面、進歩的な思想の持ち主でもあり、三十六歳のとき、日本最初の創作オペラ「露営の夢」に主演したり、帝国劇場が開場したときには女優を加えた数々の芝居に参加したり、新しいものに挑む闘志の持ち主でもある。

それだけに包容力は人一倍豊かなひとで、身のまわりにはいつのまにか誠実な人物が集まって、生涯離れなかったのもこのひとの徳のひとつともいえようか。

光乃お目見得のさい、引き廻してくれた村山太郎も、本人は一生奉公のつもりでいるらしく、のちに光乃と親しくなってからぽつりぽつりと明かしてくれたところによると、最初は宗四郎の俥夫としてこの家に住み込んだのだという。

菊間家がまだ日本橋浜町にあった頃で、太郎が雇われたとき、長男の雪雄は満一歳三カ月、次男の新二郎はそのとき母親の胎内にいて、まもなく年子で生まれるはずであった。

新潟出身の太郎は、朴訥善良な一徹者で、最初のうちこそ、

「おいらは旦那の俥引かしてもらうために生まれてきたようなもんだ」

と、俥夫以外の仕事は手を出さなかったが、そのうち少しずつ表の事務を手伝うようになり、そしてとうとう、新二郎のあと、三つ違いで優が生まれると、男の子三人の守り役を引き受けてしまった。

電車自動車の発達で、まどろこしい人力車が不要になったという理由もあるだろうが、本人にいわせると、

「雪雄坊ちゃんから目が離せなかったから」

とのことで、では何故それほど気になってしようがなかったかといえば、

「それがその、いろいろあって」

と明らかでないものの、要するに襁褓のうちから手塩にかけた雪雄がかわゆくてたまらず、父親の宗四郎もそこを見込んで三人を任せたものらしかった。

もっとも太郎のいう「いろいろ」は、そのころの家庭内の事情も含まれていたらしく、光乃が出会ったときは四十五歳と聞くが、すでに頭はずるりと薄くなっており、それについては、

「おいら二十二で奉公し、坊ちゃん方三人を預かったのは二十五の齢だが、そのころから髪の毛は地に据わりが悪くなっちまって、何かといやあお岩さまの髪梳きだった」

と言外に、男の子三人の養育は骨の折れたことを匂わせるものの、その実、顔は目尻にしわを寄せて、うれしそうな述懐になる。

それは、いまだに女房も持たず、この家に根の生えたように忠義一途で尽くしている者の、ひそかな自足の表情というものかも知れなかった。

主の宗四郎は、すべてに巡り合わせのよい男といわれても、たったひとつだけ、うま

く納まらない件があり、それは何故か女房運のうすいことだという。光乃が初めて挨拶したおかみさん、加代は宗四郎の四度目の妻で、このひとがいちばん長く連れ添ったといわれており、それを聞いたとき、光乃はうちのお父つぁんとおんなしだと思い、そしてすぐ、うちなどとは較ぶべくもない家だと考えて打ち消したものであった。

関東大震災まで住んでいた菊間家の日本橋浜町の家というのは、いまの渋谷のような門構えではないものの、玄関が二つあるのは同じ造りで、それというのも踊りの弟子を大勢抱えているため、奥との区分けが必要だったらしい。宗四郎の最初の結婚は堅気の家の娘で、もともとはこの浜町の家へ、父東右衛門に踊りを習いに来ていたのを、若師匠の宗四郎が見染め、強く望んだのだという。このとき宗四郎は三十九歳、麻代は二十一歳で親子ほども年のひらきがあり、気のすすまないという麻代を無理矢理口説いて、女房にもらったのは明治四十一年一月であった。

宗四郎が何故これほど結婚が遅かったかということについては、このころ、宗四郎はまだ珠五郎、桃蔵時代で、当時家桜と呼んだ十五代喜左衛門とは天下の評判を二分するほど競っており、一般の風潮として役者は結婚すると人気が落ちるとされていたから、そのせいもあっただろうか。

当然のなりゆきとして、若いころからよく遊び、わけありの女性も数え切れず、結婚まで外にはすでに五、六人の子供がいるという噂もあった。

晩年になって、若い役者たちに、白木屋のおじさん元気で長生きの秘訣は？　と聞かれ、そうだね、女を知るのが遅かったからだろうねと答え、それはおいくつで？　と詰められて、十四のときでしたよ、と明かしたという話もある。一面また、のちに宗四郎に家元を譲って東翁と名乗った養父がなかなかにうるさくて、品行を慎むよう毎晩親のそばに寝かされ、必ず十一時には帰宅した、と語ってもいるから、世間の噂ほどではないかも知れなかった。

それにしても、子供を作るほど深間になった女が二人や三人ではなかったはずの宗四郎が、それらを巧く始末して、素人の娘を無事嫁に迎えることのできたのはこれも本人の運のよさに加えるべきであったろうか。

麻代が嫁いできたとき、浜町の家は大小八つの部屋に東翁夫婦、宗四郎夫婦、倬夫、女中、など入れて十人ほどの家族が同居しており、麻代は嫁入り早々、上下からの板挟みになって苦労したというのは想像に難くない。

上は、慈悲深いひとたちとはいえ、血の繋がらぬ養父母なら一入の孝養も必要であり、下は、麻代よりもはるかにこの家に古い女中頭のおりきがいて、いまだ西も東も判らぬ二十一の新嫁にちくちくと意地悪をする。

おりきは単に古株というだけでなく、誰が見ても若旦那の宗四郎に気があると思われたから、麻代への仕打ちは嫉ましさも混じっていたものであろう。そのころ麻代が台所で襷（たすき）をかけたまま、前垂れで涙を拭（ふ）いていた姿をよく見かけたというひとも少なくはなかった。

麻代はこんななかですぐ妊娠し、結婚の翌年、明治四十二年一月に長男雪雄を産み、続いて翌年、年子で新二郎を産んだ。新二郎と三男の優（まさる）とのあいだがまる二年半ほど明いただけで、優、良子、友子の三人をまたつぎつぎと年子で産んだあと、産後の肥立ちが悪くてそのまま床払いできず、とうとう大正五年、二十九歳の生涯を終えた。

嫁いで満八年余、三男二女を挙げ、その間流産もしたというから、まことに子を産むためにだけ、この世に生まれてきた女性、というべきかもしれなかった。

残された子は八歳の雪雄をかしらに七歳、四歳、三歳、二歳、というありさまで、女中やばあやはいても、家のうちは暗くさびしかった。

この一部始終を見てきた太郎は語って、

「おかみさんはいたいたしかったねえ。気立てのいいおひとで、おりきなんざ暇出しゃいいのにと、おいら見ていていつも思ったもんだ。上三人の男の子たちはいたずら盛り、下の二人はまだ手もかかる、それに内所をいやあ、あのころ、役者の家はどこも借金まみれだった。そういうことを女房はなるべく旦那には知らせず、よい舞台を勤めさせなきゃならねえ。愚痴をこぼして世間に洩（も）れりゃ、旦那の人気にもさわる。

全くおかみさんの毎日は、気骨も折れりゃあ身も削るってとこだったねえ。いつ見ても年中大きなおなか抱えてたしねえ」

としみじみとなり、この頃から太郎は、給金なんざどうだっていい、三人の男の子を怪我なく育てあげるのがおいらの役目だと固く覚悟を決めたものらしかった。

宗四郎はこのあと、世話するひとあってくらという女性をめとったが、ものの一年もたたないうち、巡業先の名古屋の宿で、病を発して亡くなった。運の悪いときはいたしかたないもので、続いてもらったいしというひとも、二年目に心臓発作で急死してしまった。

宗四郎の場合、いざこざを起こして生き別れしたわけではなく、いずれも不可抗力の病で亡くなっただけに世間の同情も集まりはするものの、三人も続けば女房を喰い殺す男、とも、或いは結婚前に遊んだ女たちのたたりともささやかれ、宗四郎本人もかなりくさっていたふしがある。

ある役者が慰め顔に、

「白木屋さんよ。気は持ちようですよ。一生一人の女房しか持てないひとから見れば、つぎつぎとさらをもらえて、こりゃあ果報ではありますまいか」

といったところ、温厚な宗四郎の顔いろが変わり、

「そんなら、あなたの境涯と入れ替わらせて頂きましょう。私の身にもなってみて下さい」

と気色ばんで答えたという。

鎌倉の由比ヶ浜には、夏のあいだだけ波打ち際に打ち寄せられ、砂のあいだからぴゅっと潮を吹いている、小さな豆粒ほどの貝があり、なみのこ貝と呼ぶのだそうな。

鎌倉の海は毎年、台風の二つや三つ、必ず見舞われるが、嵐の去ったあと、浜辺に打ち上げられるおびただしい流木と入れ替わるように、ちょうどその頃、なみのこ貝はすっかり姿を消すという。

秋になるとどこかへ行ってしまうなみのこ貝と同じように、夏が終わると鎌倉の町はひっそりと静けさが戻るが、大正十年、太郎は菊間家の子供たちを引き連れて、夏休みをここで過ごした。

東京からほどよい距離の海沿いの保養地とあって、この地に別荘を持つひともあれば、貸別荘を建てて商う地主も多かった。この頃、自前で別荘を持っていたのは、六代目、とだけで通じる名優、辰巳屋こと田上梅五郎で、和田塚にあるその家は邸内に緑多く、ひろびろとして立派な構えであった。

日中泳ぐと日焼けするので、陽がやや傾いた四時頃から家族を伴って梅五郎が浜に出るのだけれど、そうなると梅五郎見たさに女たちで黒山の人集りが出来る。

菊間家では太郎が手配して、浜続きで小高い場所に建てられた小ぢんまりした平屋を借りたが、子供五人にそれぞれの女中が付き、走り使いの男衆なども入れると十いく人の賑やかな世帯であった。

長男雪雄が暁星中学に進んだ年の夏で、太郎もまだ若く、子供たちの養育に力こぶを入れていた時代だったから、ここでの過ごしかたについては皆、太郎の采配どおり素直に従っていたらしい。

浜辺には、夏のあいだ毎夜のように余興小屋で演芸が見られ、活動写真ののぼりがはためき、軒をつらねた売店には赤い提灯が点って心をそそられるのに、太郎は子供たちがそういう場所へ出かけることは許さなかった。

夜は家のなかで学習したり、トランプで遊び、昼間は監視つきで泳ぎはするが、雪雄はすでに七つの年に初舞台を踏み、役者として父宗四郎の幼名銀次郎をもらっていたから、六代目の例にならい、太郎も日焼けをおそれて、野放図には泳がせなかったのかも知れない。

その代わり、そのころまだとても珍しかった自転車を買い、家の隣の空き地で男の子たちに稽古をさせた。

ピカピカに光っているハンドル、ペダル、スポークなど、どれだけ少年たちを興奮させたか、毎日午後になると三人兄弟は大家の男の子二人とともに太郎を中心に代わる代わる熱心に練習したが、なかなかうまく乗ることは出来なかった。

生後満一歳とすこしの頃から太郎の世話を受けて育った雪雄は、父親にもまさる愛情と、使用人へのいたわりをこめて、いつのころからか太郎しゅう、太郎しゅう、と呼ぶようになっており、二人の関係は主従、親子、を超えて、互いに裸のままでぶつかりあいをしてきた感がある。

新二郎、優も同じように太郎の手にかかってはいるが、太郎にいわせると「あまりに雪雄坊ちゃんをおいらが庇い過ぎたため」いきおい二人にまでは手がまわらず、ばあやに任されたところも多かった。

鎌倉の夏の自転車の稽古には、三人兄弟の気質がよくあらわれており、この夏を機に雪雄のよき友となった大家の上の息子、昭彦はのちにこのときの光景をよく語り、雪雄から、

「昭ちゃんはイヤなことばっかしよく覚えてるね。もう忘れてよ」

とたびたびいわれたものであった。

それというのも、あまりに上達しない子供たちの自転車乗りに業を煮やした太郎は、

「よし、向こうの垣根に自転車をぶっつけたら、ほうびに五十銭あげよう」

と提案し、財布から白いギザギザを一枚出してかたわらの石の上に置いた。

この空き地はゆるやかな勾配になっており、向こうの垣根というのはその坂の下の突き当たりなので、うまく乗れればその地点まですーっと辷り、本人もこれで自信がつく

というものであった。

五十銭は少年たちにとって大金であり、これ一枚あれば欲しいものは何でも買えるとあって五人は小おどりし、先を争ってこの競争に挑んだ。皆かわるがわるハンドルを握り、片方のペダルに片足を乗せたまではよいが、跨ごうとしてもう片足を乗せたとたん、自転車は反対側に倒れてしまう。ようやくサドルに腰が乗ったと思っても、ハンドルがふらふらして坂を辷るどころではなく、こわくて尻込みするか、或いは体もろとも転倒するかであった。

それでも繰り返し練習しているうち、五人のなかで真っ先に成功したのは、最年長の昭彦で、キラキラ光る五十銭を高く掲げてうれしそうにそこら中とびはねるのを、他の四人は羨ましそうに眺めている。太郎は督励して、

「さあさあ、みんなも負けちゃいけません。人ができることなら誰だってできる」

とすすめると、次に年かさの雪雄がふるい立ち、

「じゃ僕やるから、太郎しゅう、そこの石のけて」

といい、太郎がいわれるとおり大きな石を取り除くと、

「こっちのも、そこのも」

と指さし、

「転んだとき、下駄の歯にはさまるから嫌だ」

と際限なく注文をつける。

　その上、雪雄はうしろから押さえているよう命じ、いざ発進してもやっぱりすぐ転んでしまい、息を切らしながら一息入れていると、代わって新二郎が進み出て、

「昭ちゃん、もう一度やって見せて」

　と乞い、成功者のやりかたを納得するまで観察させてもらい、そしてそのとおりを真似て見事に二番目をかちとった。

　雪雄は口惜しがり、さらに目指してはみるのだけれど、どうしても目的を達することが出来ず、挙げ句には、

「太郎しゅうの押さえかたがまずいんだ」

　とか、

「石ののけかたがよくないんだ」

　とか些細なことに文句をいい、それをわきから聞いていると、太郎をいじめているとも、或いは甘えているとも受け取れたと昭彦はいう。

　この競争を、最年少の優はみそっ歯をみせて笑いながら見ていたが、そのうち日が経つにつれ、優まで乗れるようになっても、なお雪雄はできなかった。五人全員が乗れれば、いろいろな競争を考え出してこの空き地で遊ぶことができるのに、四人だけで面白く遊ぶのは雪雄に対して悪いという遠慮もあり、そのうちいつか自転車は敬遠されるよ

うになってしまった。

自転車のつぎはトランプに移り、これも浜育ちの昭彦には初めて手にする美しいカードでいろいろな遊びを教えてもらったが、自転車と同じく雪雄はいつも負け、勝つのは、おとなしく冷静な新二郎と決まっているのであった。

雪雄はジョーカーがたびたび自分のところに来たり、ブリッジがうまくいかなかったりするとすぐ癇癪を起こし、手の札を全部畳の上に投げ出したりする。太郎はそれを宥める役で、

「運が廻ってくるまでじっと辛抱するんです。それくらいの我慢ができないでどうしますか」

といい聞かせもするのだけれど、いつもついには、雪雄の、

「禿げあたまの太郎しゅう、黙れ」

が勝ってしまう。

昭彦は、いつかしみじみと太郎に、

「雪雄さんは何と不器用なひとだなあ」

というと、太郎はふっと遠い目付きになって、

「昭彦さんよ。まあそういうて下さるな。同じ風に吹かれても、早く咲く花もあれば遅く咲く花もあるんだから」

と呟くようにいった。

その意味は十五歳の昭彦には十分呑み込めなかったが、ただ、花という言葉は雪雄さんに似つかわしいとそのとき強く思った。自転車にひとりで乗れなくても、あとの四人で前や後ろを押さえて懸命に助けようとする、そう人にさせるものを雪雄は誰よりもいちばん多く持っていると思えるのであった。

き

の

ね

雪雄の生まれ育った日本橋浜町の家は、前に天理教の教会、隣家には生田流の師匠、筋向かいは哥沢の芝清さん、裏には義太夫の師匠などが住んでいて、絶えまなく音曲が流れており、ふと、その音がやんだ昼下がりなど、「きんぎょやーっ」や、煙管を掃除する「らおえーっ」、また新年には「おたからえーっ」の宝船の版画売りなど、のどかな物売りの声も聞こえてくるような、一種独特の情緒があった。

家は菊間流の家元であり、早晩、子供たちには皆、踊りの素養をつけさせねばならないが、先ず長男の雪雄から、これは家の祖父にでもなく父にでもなく、そのころ同じ菊間の一統でも「茅場町の菊間」と区別して呼んでいた菊間東十郎のもとに弟子入りをさせた。

家での稽古なら、祖父や父に甘えたりわがままをしたりするため、わざと他人の家に出して鍛えてもらおうという配慮あってのことで、これが雪雄五歳のとき、このころから太郎は常に雪雄のかたわらに、付き添うようになったのだという。

まもなく、同じ茅場町の杵屋六左衛門のもとへも長唄の稽古に通いはじめたが、これはまだ単に、役者の家の子に生まれた者の教養か、習慣か、ぐらいに宗四郎も軽く考えてのことではなかったろうか。

ただし、遊びたい盛りの子供にとっておもしろくもない稽古事を強制されるのは、どれほど迷惑であったか、これはどの役者の子も成人してのちしみじみ語る言葉だけれど、まして父親が四十の声を聞いてのち生まれた子なら他のことでは我がままもある程度容認されるだけに、稽古は雪雄にとって耐え難いほどの重圧にちがいなかった。

まもなく新二郎も同じ師匠のもとに通い始めたが、こちらは自転車の練習でも判るとおり、性格は雲泥の差で、こういう弟と太郎の励ましあって、何とか稽古が続けられたのかもしれなかった。

宗四郎のひらけた考えはずっと以前からのこと、少年時代、玄十郎の兵隊部屋にいたころ、いわゆる名門の御曹司とともに修行していて、この世界のいかに門閥が先行するかについて大いに憤慨し、切歯扼腕したこともあったが、それだけに我が子三人の将来について、いろいろと思い悩むこともあったらしい。

芝居の役者をなりわいとする人間は、そのころ日本中で五百人とも千人とも、いわれていたが、そのうち年二回の名題試験に通り、幹部級へと進むのはほんの一握りのひとに過ぎず、それを考えればいかに竹元宗四郎を父に持つとも、子を役者の道に進ませるのは賭けの一種に違いなかった。いわば水商売の役者など志すよりも、三人それぞれ学問を身につけ、ゆくゆくはかたい官吏か実業家に育てあげたほうがどれだけ身のためか、と宗四郎は折にふれ、親しいひとに明かしていたらしい。

あるとき、よく舞台で共演する六世田上栄幸にこの迷いを洩らすと、栄幸は言下に、

「冗談いっちゃいけませんぜ、白木屋さん。役者の家に生まれた男の子は、いわば貴種ってもんだ。どんなとろい子でも、親父どののからちゃんと芝居の種は引き継いでいなさる。こりゃあ銭金では買えねえれっきとした財産だ。それを白木屋さんはむざむざ殺してしまおうってんですかい。さきで子供さんに怨まれやしませんかい」

と強い口調でいい、声をひそめて、

「名はお察し頂かなくちゃならねえが、甘やかされて育った御曹司を預かった師匠は、誰でも我が身の不運をかこつってのはこりゃあほんとうですねえ。稽古は怠ける、やる気はなし、こいつ一体一人前になれるもんかねえ、と思案投げ首でいると、ある日突然、ひょいっと階段をひとつ上がったようにちらり片鱗を見せる。それにやる気が出ればこれはしめたもんでさ、とんとんとんとある程度までは上達する、そのあとは本人の心がけ次第だが、白木屋さん、この片鱗ってえのは役者の子にだけ授かったもんじゃありま

せんかねえ。役者の子が役者になって何が悪いんです。いやこれは釈迦に説法、口が過ぎました」

と栄幸は謝ったが、宗四郎は、

「いや辰巳屋の、ありがとよ。おいらも覚えがありますぜ、全くその通りです」

と礼を述べた。

そういわれると、養子でこそあれ、元来役者の血筋ではない宗四郎は、兵隊部屋時代どれほど名門の子が羨ましかったか、そのために拗ねてしばらくのあいだ冷や飯ばかり食わされ、いい役がもらえなかったことを振り返ると、やっぱり男の子三人は、自分の道をついて来させたほうが無難な道かと思うのであった。

栄幸の意見は、大体歌舞伎界のものの考えかたを代表するもので、それというのも実子に恵まれずに養子を取って後を継がせる例が多かったから、家に立派な男の子の打ち揃った役者の家は、一種の威勢でもあった。

この頃、男子三人の子持ちは、白木屋の宗四郎の他に山村屋の茶六もいたが、これは長男と三男とのひらきが二十三もあり、白木屋のようにとんとんと続いて三人、押し並べば、いずれ兄弟競い合って芸を磨くに違いあるまいと羨望のまなこで見られるのであった。

この世界の慣例として、役者の子は早くから楽屋の雰囲気に馴れさせ、舞台の経験を積ませた上で、本人も嫌がらず、周囲からも素質を認められれば初舞台を披露し、そののち本格的な修行に入るということがある。

宗四郎も、雪雄を役者に、という確たる方針もいまだつかないまま、東京の本舞台を踏ませる前に、舞台度胸を、と巡業に連れ出したのは雪雄六つの年であった。

ところは高松の弁天座、役は寺子屋の小太郎で、寺入りの場面を抜けば、小太郎の科白はひとつだけとなる。これも昔からのしきたりで、小太郎役は役者の子の初役と決まっており、この芝居でなら位の高い若君、菅秀才の役は、よその劇団から借りて来た子役が勤めることになっているのであった。

ずっと雪雄に付き添っている太郎は、幕の開くその日、自分のほうがそわそわし、楽屋うちを出たり入ったり、そのころ雪雄が好きで飼っていた二十日鼠の檻を風呂敷に包んで東京から運んで来ているのを、鏡台のわきに置き、

「いいですか、坊ちゃん。落ち着いていて下さいよ。うまくできたらね、おいらがごほうびにねず公をもう一つがい、買ってあげますからね」

と、ねだられもしないのに自分から景気をつけ、小太郎の父親、松王を演じる宗四郎のかたわらで、生まれてはじめて顔を作ってもらっている雪雄から、片ときも目を離さなかった。

弟子のひとりが先ず熱いタオルで雪雄の顔を拭き、びんつけ油をむらなくのばしたあ

と、水で溶いたねり白粉(おしろい)を板刷毛(いたばけ)であご、首から順に塗りあげてゆくと、そばから宗四郎が、

「雪雄、お前にこれをやろう」

と、朱塗りの牡丹(ぼたん)刷毛をさし出してくれた。

ねり白粉を落ち着かせるのには牡丹刷毛が何より大切で、顔作りはそれを頂いてぽんぽんと雪雄の顔を叩(たた)きながら、

「白粉ののりがぐっと違いますねえ、まるで羽二重餅(もち)だ。いやあ坊ちゃん、いい肌をしてますねえ」

とまんざら世辞でもなさそうな、感嘆の声を挙げた。

「当たり前じゃないか。雪雄はおれより四十も若いんだ。いまから白粉ののりが悪くっちゃたいへんだよ」

と宗四郎も松王の顔をこしらえながら、まんざらでもなさそうに応じている。

さて出来上がり、かつらを着ける前、

「どれ、ちょっと」

と雪雄の両肩に手をおいてこちら向かせたとき、太郎はその美しさに思わずうなり声をあげた。

「ほーっ」

というためいきではなく、

「うおーっ」

という腹の底からの驚愕の声で、そのまま太郎はあんぐりと口を開いたまま、見とれている。

これがいつも我が手を焼かせている、癇癪持ちのいたずら坊主の、利かん気の茶目っ気の、わがままな雪雄坊ちゃんとはとうてい思えないほど、その顔は端正極まりなく、かつ得もいえぬ、生得とも思える品格がある。雪雄は三人兄弟のなかでいちばん目鼻立ちがはっきりしているのに、色が黒いため目立たなかったものが、こうして白塗りしてみると、顔全体、見事な造形の持ち主であることが判る。目は大きく黒々と澄み、鼻は凜として高く、唇もとは男らしくぐっと引き緊まり、それに何より、役者にはこれがいのちの、頰の輪廓にまたとなくいい線がある。

ほれぼれと見とれている太郎を見て宗四郎も、どれ、と雪雄のあごに手をかけ、

「ふむ」

とうなずいて、

「こっちのほうが菅秀才さまかな」

と呟いたのは、これは親バカをかくしての、最大の讃辞であったろう。

太郎は有頂天になり、

「どうだ、おいらの坊ちゃんを見ろ」

とそこら中、触れまわりたい衝動に駆られたが、いやいや、それは舞台を無事に勤めてからのこと、と抑えた。

いよいよ幕が開き、戸浪に伴われた小太郎はひとこと、

「お師匠さま、いまからお頼み申しまする」

と、よどみなく科白をのべたが、その声の高くとおること、大きいこと、太郎はもうきりきり舞いするほど喜び、首を切られて役目の終わった小太郎が楽屋へ戻ると、

「坊ちゃん、肩ぐるまだ、肩ぐるまだ」

と三つ四つのとき、雪雄が喜んだ肩ぐるまをして、小屋うちを吹聴して廻ろうというのであった。

雪雄はまわりから褒め言葉を浴びせられ、贔屓筋からは「初役の小太郎さん江」の金一封も届けられたが、家のうちの姿と違ってはにかむばかりでいる。

雪雄の小太郎を見たこの日、太郎は天の声を聞いたといい、天の声とは、

「この者、いく多の試練を経たのち、行く末必ず不世出の役者となるであろう」

という神がかったもので、それを太郎が触れて廻ると、聞いた弟子や付き人仲間は頭を指して、

「太郎しゅうもとうとうここへ来たか」

と例外なく笑ったという。

　しかし太郎は信じて疑わず、このあと雪雄が学齢までずっと父の巡業についてゆき、「牢破りの景清」などの子役をつとめたのち、七歳の一月、正式に帝劇で「山姥」の怪童丸を演じて初舞台を披露するまで、宗四郎から、

「そんなに毎たび褒めてちゃあ、ご利益がうすくなるよ」

といわれるくらい、雪雄を褒めそやし続けた。

　太郎のみるところ、雪雄はまことにふしぎな子で、総領の甚六でぼんやりとおおらかなところがあるかと思えば、ピリピリと神経質な面も多分にあり、そして長男の権利で弟妹たちに無理難題をふっかけていじめることもあれば、急に弱気になって逃げ隠れもする。初舞台を披露して芸名も竹元銀次郎をもらえば知る人は知り、

「よっ銀ちゃん」

の声がかかると、雪雄は急に臆病そうな目つきで「へえ、へえ」とお辞儀ばかりし、とうとう「おじぎの銀ちゃん」が通り名になってしまった。

　要するに典型的な「内はまぐりの外しじみ」で、家の中と芝居小屋では別人格になってしまうのを、太郎はこれもおっ母さんがあまりに忙しくて、かまってやれないさびしさから来たものか、と胸いっぱいむごく思うのであった。

　まもなく雪雄は、宗四郎の選んだ暁星小学校に入学し、毎日九段まで電車に乗って通

うようになったが、このときの喜びも太郎はのちにしばしば光乃に語り、

「何しろ明治二十一年に、フランスからやって来た五人の宣教師が建てたってえ学校だからね。ハイカラな洋館もあるし、フランス語も教えるし、それに何より、制服がいいやね。ちょうど、かしこき辺りがお通いになる目白の学校のそれに似ていて、坊ちゃんが着るとぴったしだった。

大体、役者の子には学歴は要らねえと考えてるひとばかりの中で、まっさきにヤソの学校へ坊ちゃんをあげた旦那はずいぶん進んだお方だが、坊ちゃん自身もほっとした思いじゃあなかったかねえ」

というのは、役者の子はどこの家でも、たとえ男の子であれ、振り袖を着せたり眉を剃ったり、ふだん着でも絣などは着せず、色のついたやわらかものを着せるという慣習があるため、雪雄はそれをとても嫌がっていたらしい。

暁星の初等部入学後は、宗四郎は雪雄にしっかり勉強しろといい、夏休み以外はしばらく芝居から遠ざけた。が、雪雄はあまり勉強には身を入れず、それというのも、入学後まもなく、母の麻代が亡くなり、家のうちはぽっかりと穴が開いたように淋しくなったこともあったし、また、続いて入学した新二郎がいつも首席で級長をもらうのも、あまりおもしろくなかったからではなかろうか。

雪雄の小学校六年間は、成績はずっと中以下で、いちばん下の優でも十四、五番目く

らいを上下していれば、勝ち気な性格として次第に学校嫌いになっていったのも無理のないところかもしれなかった。

家のうちは、母亡(な)きあと、つぎつぎと新しい母親が入って来てはすぐまた葬式を出すようなあんばいで、雪雄の少年期は決して明るいものとはいえなかった。甘えたいさかりに母親は忙しく、そしてすぐ亡くなり、孤独な少年は犬や猫や鳩(はと)や二十日鼠を飼ったり、釣りに出かけたりで、わずかに心をいやしていたらしい。太郎の口を借りれば、

「いやあ、女中が何人いても、芯(しん)になるおかみさんのいない家ってのは冷え冷えとさびしいねえ。このなかで新二郎さんは無口だし、じっと我慢の子で、誰にも世話はやかせなかった。優さんはすぐ下の妹たちといつも連れ立っていたし、気のいい子だからじじばば様にも可愛(かわい)がられて、よそ目にもあまりさびしそうには見えなかった。

坊ちゃんは何でも不器用だが、世渡りも下手でねえ。もっと楽しく暮らしゃいいのに、とおいらそばでやきもきするだけだったよ」

という具合で、そしてとうとう、嫌いな学校を中学二年で退学してしまった。

宗四郎は雪雄を膝前(ひざまえ)に呼びつけ、

「学校止(や)めたからには、腹くくって役者修行をする気になったのだな」

といえば神妙に、

「はい、そうします」

と答え、父親について小屋に行き、じっと舞台を見てはいるが、踊りも長唄も一向に上達するふうもなく、宗四郎は内心いく度も、あーあ、これがおれの子か、と嘆いたという。

中学二年といえばちょうど声変わりの時期でもあり、役者としていちばん難しいころで、通例としてこの年齢はちょうどの役がないため、女形を振り当てられることが多い。退学の翌る年、雪雄は狂言舞踊の「三人片輪」の大名付き腰元で初めての女形をやらせてもらったが、女にしてはぬきん出て背が高く、宗四郎からは、

「手邪魔足邪魔ってとこだな。踊りが巧けりゃ手足の長いのは目ざわりにならないもんだ」

とこっぴどくこきおろされた。

雪雄は中学時代、梨園の御曹司、などといわれるのがたまらなく嫌で、ひそかに辞書をひいたことがある。

梨園とは、唐の玄宗が梨の木の下の庭園で自ら俳優の技を教えたという唐書のなかの故事をひいて演劇界、とくに歌舞伎界を指す言葉、とあり、註として、ただしこれは多分に衒学的な呼称、とつけ加えられているのを見てたしかにそうだと思った。

歌舞伎界に限らず、家業を継ぐべき運命を担って生まれて来た子は、十中八九、定められた道に進むことを疑問に思う時期に踏み込むが、ときどき舞台に出してもらいなが

らも雪雄のこういう迷いの期間はしばらく続いた。

舞台がはねて戻った父親と家で顔を合わすと、

「今日の出来ゃ、ありゃ何だ」

と叱られるときはまだいいほうで、よくよく悪いときはぶすりと黙って声もかけてはもらえぬ。

父親の不機嫌の原因が自分だと判っていれば、内はまぐりのはずの雪雄も小さくなっていなければならず、こういう日が続くと、つくづく役者なんぞにはなりたくないと思ってしまう。

ああ嫌だ嫌だ、とごろり寝ころび、この頃流行の「馬賊の唄」など蓄音機をかけたりしてみるのだけれど、狭い日本にゃ住み飽いた、という、大陸雄飛を夢みる気宇壮大な歌詞を聞くと、生涯、この梨園という世界に重箱詰めにされるであろう自分の身の上に腹立たしくなり、飛びおきてレコードの針を止めてしまう。

その上、優は六つでもう帝劇の初舞台を踏み、踊りの筋もよいと祖父に一入可愛がられていれば、兄の沽券というものもあり気を取りなおして踊りの稽古に力を入れてみても、

「でくの坊め、かかしに教えてるんじゃねえよ。酢でも飲んできな」

と父親の罵声が頭から毎度降りかかれば気も萎えてくる。

こういうとき、九月一日の大震災に遭ったのは雪雄にとって一つの大きな転機であったといえようか。

　幸い家族一同怪我もなく、宮城前の広場で三日ほど夜明かしをしたあと、しばらく弟子の一人の家に仮住まいし、東京復興までのあいだ関西の舞台に立つべく一家は大阪へ旅立った。

　当座の旅館住まいを経て、土佐堀に土蔵造りの家を借り、ここから宗四郎は舞台にも通い、巡業にも出、また芸者衆へ踊りの稽古もつけた。大阪の扇屋、山村雁治郎は、白木屋一家に対して厚い友情の手をさしのべてくれ、銀次郎の雪雄にもできるだけ自分の舞台の役を振り当ててくれた。ここで雪雄は女形の勉強をさせてもらったり、初めて中座で「勧進帳」の後見もつとめ、徐々に芝居のおもしろさが判りはじめた感があった。

　大阪の生活は、雪雄の役者への決意を固めたと同じく、大学を出て官吏になるはずだった新二郎の目的もすっかり変え、これも役者への道を進むことになった。

　何しろこの頃の文楽には越路太夫、津太夫、古靭太夫、友次郎、吉兵衛、栄三、文五郎と名人たちがキラ星のように勢揃いしており、その弟子の野沢勝平に兄弟三人、しごかれる幸せもあったし、そしてやっぱり、関西の役者に舞台で引けを取ってはならぬという、江戸歌舞伎役者の意地もあったのではなかろうか。

　宗四郎も壮年の役者ざかり、太郎がよくいう、

「旦那の科白はちぎって捨てる、嚙んではき出すって贔屓が喜びますぜ」

のとおり、大阪時代はそれが歯切れのよい啖呵として冴えていたという。

それだけに友情は友情として、芸だけは扇屋一家に負けていられず、暗黙のうちに息子三人を督励する気を身につけていたものであったろう。

小坪(こつぼ)

東京の復興はようやく成り、大正十三年帝劇が再開したのを機に、一家は一年三カ月の大阪生活を打ち切って、とりあえず赤坂伝馬町の借家に戻り、しばらくののち、いまの渋谷に踊りの稽古(けいこ)場つきの家を新築した。

この間、太郎はずっと雪雄の大成を信じて揺るがず、昭和四年、ようやく二十一歳で松川桃蔵を襲名する運びになったときの喜びようといったらなかった、とまわりのひとはいう。

演(だ)しものは岡鬼太郎(おにたろう)書きおろしの「源氏烏帽子折(げんじえぼしおり)」で、父宗四郎、女形栄幸、その他、当代第一級の役者たちに囲まれて雪雄は主人公牛若丸を相勤め、披露の口上も、宗四郎栄幸によって行なわれた。

太郎は帝劇の楽屋中を駈(か)けまわり、床山(とこやま)では前割れの牛若丸のかつらを結い上げるまでそばに坐(すわ)って監視し、衣裳(いしょう)部屋、大道具、小道具、照明、音響まで自分の目で確かめるまでは気がすまず、誰からも、

「太郎しゅうはうるせえな」

と鼻をつままれたものであった。

このときの雪雄の若々しさ美しさは、帝劇の観客の目にかっきりと灼きついたものと思われるが、太郎がこぶしで目頭を押さえながら口惜しがったのは、このころから雪雄は体のだるさと微熱を訴え始めたことであった。

四月一カ月の襲名披露が終わると、すぐ二十一歳の徴兵検査があり、当日は軽い咳と七度の熱のため、第一乙種と査定された。しつこい熱は容易に去らず、とうとう稽古も休まざるを得なくなって、五月はじめ、太郎が付き添って新橋の慈恵医大病院でレントゲンを撮ってもらったところ、両肺尖端部に浸潤が見られ、肺結核、と診断された。このときの雪雄の青ざめた顔を見て、太郎のほうが危うく卒倒しそうになり、かろうじて壁に手を支えたことを思い出す。

無口な雪雄は何ひとついわず、ふだんからやや猫背のくせなのがいっそう背を丸めて、とぼとぼと渋谷の家に戻ったが、その後にずっと付き添って歩きながら、太郎は大声あげて泣きたかったという。

肺結核とは死の宣告とおなじこと、内科の医師はやさしく、

「できるだけ滋養を摂って、しばらく仕事を休んで下さい。空気のいいところへ転地するのもいいですね」

とさとしてくれたが、それは薬とて全くない結核の療養には、大気栄養安静、の三大原則を守るしかないことを示してくれたに過ぎなかった。

結核は伝染り、罹れば不治の病故にどれだけ世間から忌み嫌われるか、特効薬のない時代に生きたひとなら子供でさえよく知っているだけに、この絶望感は深かった。

その夜、芝居がはねて戻った宗四郎と大番頭の林の前で、頭を垂れて雪雄が病名を告げたところ、宗四郎は満面朱を注いで、

「いったい誰に伝染されたんだっ」

と叫んだという。

この病は若い者を襲いやすいために一名亡国病といわれ、健康への配慮を怠りやすい役者仲間では、昔、白粉の鉛毒とともに若い役者がつぎつぎとやられ、命を縮めた時代もある。逆にいえば、結核をもはね返すほど頑強な体軀の持ち主でなければ末めでたく役者は勤められないということで、いま、雪雄がどんなに振り返っても、結核患者と付き合った記憶もないとすると、桃蔵襲名のときの、毎日深夜にまで及ぶ稽古が過労を呼んだのが原因としか考えられず、健康を誇る宗四郎からみれば、

「たかがそれしきのことで」

と歯ぎしりしたいほどの口惜しさなのであった。

その座に連なっていた太郎は、はふり落ちる涙をぐいぐいと拳で拭いながら、

「旦那（だんな）、坊ちゃんの病気はきっとおいらが癒（なお）して見せまさあ。このお方は、役者になるべくこの世に生まれておいでなすったんだもの。病気なんぞに負けてたまるかってんだ」

と、涙声で景気をつけたが、それは根拠のない空威張りにすぎず、誰も相槌（あいづち）は打たなかった。

それでも宗四郎は、父親の落ち着きをみせて、

「雪雄、お前は今日限りもう芝居のことは何も考えるな。療養に専心しろ。したいことは俺が何でもさせてやる。箱根でも湯河原でも好きなところへ行って、好きにするがいい。心配するな」

と励まし、林も力づけて、

「とりあえずは箱根の旅館へでも行って、湯につかってのんびりしますか。私の知っているよい宿があります」

とすすめてくれた。

雪雄はもともと痩（や）せぎすで、肌のいろも浅黒いので、外見から病人とは全く判（わか）らず、また本人自身もこれといった露（あら）わな自覚症状はほとんど無いという。

ただ軽い咳と、夕方になれば必ずやってくる微熱と、以前に較（くら）べると疲れやすくなっていて、すぐ横になりたくなるそうであった。

明朝、林に連れられて箱根は強羅の宿へ出発するというその前夜、太郎は雪雄の様子を見に、二階へ上がって行った。

このころ、新二郎は大阪から戻ると心機一転し、帝劇で初舞台を踏み、そのあとすぐ初代幸右衛門の家に預けられており、優も六代目に引き受けてもらって、二階は雪雄がひとり占めしていたが、太郎がふと耳を澄ませると、部屋の中から話し声がする。

「明朝未明に西国へ、主命によって出立致せば、一年経って帰られますか、二年経って帰られますか、三年経って帰られますか、人間は老少不定」

おや、と近寄ると、たしかに雪雄の声で、

「暑さ寒さをおいといなされ、あがり物に気をつけて、持薬をお絶やしなさるるな、あ、これが今生の、むむ、ははは、、」

と芝居の抜き書きを読んでおり、あれは、あれはと思い起こせば「仮名手本硯高島」、赤垣源蔵が兄の塩山与左衛門を訪ね、それとなく別れを告げる科白だった、と思い出した。

思い出したとたん、太郎は雪雄がたまらなくむごくなり、わあーっと泣きながら抱きついてゆきたい衝動に駆られたが、ぐっと奥歯を嚙みしめてこらえ、足音をしのばせてその場から引き返した。

まわりのひとたちは、宗四郎へのやっかみを込めて、白木屋の大根畠は賑やかだといい、とくに総領息子は見ていてじれったいねえ、と太郎にも聞こえよがしにいうが、それを雪雄が知らぬはずもなし、本人はどれだけくち惜しく思っていることか、ましていま、平癒の見通しは五分五分だといわれる難病にかかり、志半ばで舞台から離れねばならぬとすると、雪雄の心中察しても余りある。

太郎は、おいらの命を縮めてもよし、きっときっと坊ちゃんを快くならさいでおくべきか、と両拳を身ぶるいするほど握りしめ、奮い立つのであった。

強羅の宿に入った雪雄からは三日目に電話が入り、

「太郎しゅう？　ちょっと来てくれないか。昨日から熱が上がって、昼間も下がらないんだ」

という声は絶え入りそうで、太郎は電話を終わりまで聞かないうちに家を飛び出して箱根に向かった。

手を叩けば宿の女中がすぐ来てくれ、三度の食事は部屋に運んでくれるとはいっても、淋しがりやの雪雄にとって、医者もいない山の中の独居はとうてい耐えられなかったらしい。

箱根から一旦家へ雪雄を連れ戻してきた太郎は、今度は長期療養のきちんとした計画をたてることにし、それには以前、夏休みに続けて二年借りた貸別荘のある鎌倉はどうか、と提案すると、雪雄は、

「いいね。昭ちゃんにも会いたいなあ」

と乗り気であった。

宗四郎は太郎に、

「銭金はいうな。あの子の病気を癒すためならどんなことでもしてやってくれ」

と頼み、太郎は「もとより合点承知の助」で、さっそく鎌倉に出かけ、昭彦の家を訪ねたところ、あいにくとあの貸別荘はふさがっており、他の空き家捜しを依頼して戻ったところへ、追いかけて適当な物件あり、のしらせが届いた。

そこは由比ヶ浜の、一の鳥居の六郎さまを横に入った細い道の右側にある、三間ほどの平屋建てで、庭もひろく、すぐ近くに小学校があることを除けば閑静な場所であった。幼馴染みの昭彦の家も、以前の稲瀬川から引っ越してすぐ近くの琵琶小路にあり、気軽く行き来できる便利さもある。太郎は考えて、小さいときから母親に十分甘えられず、八つの年にはその母親も亡くしている雪雄は、愚痴こそこぼさないものの、心の底には淋しさが渦巻いているものと思われ、それをよい友人たちによって癒やせば病気もしぜんに快癒するに違いない、と思った。

幸い、この鎌倉の医師会長もし、かつ町会議員の肩書を持つ久永先生は肺結核の権威で、自ら逗子の小坪にサナトリウムを作っている。

太郎はまず久永先生を訪ね、腕の立つ看護婦一名の派遣を頼み、他に新聞広告や桂庵を頼んで女中一名を雇い入れた。雪雄がなるべくよい気分で療養できるよう心をくだき、太郎自らも気がかりで東京へ帰ることはできず、この家でともに暮らすことになる。

雪雄は二十一歳の五月から、この家の一室に寝床を敷き、久永先生から指示されたとおりに看護婦の中川素子から注射と投薬を受けながら、療養生活を始めたのであった。

太郎がここで雪雄の気質を見なおしたのは、自我が強くて、まわりの人の言葉など容易に聞き入れないと思っていた雪雄が、意外と素直に、唯々として療養の原則を守ることであった。

朝七時の検温、朝食後の軽い散歩、昼食後の安静時間、そして早寝早起きを、中川看護婦にいわれるまでもなく、日課としてきちんと守り、それは一分の狂いもなかった。

雇い入れた女中はもん、といい、在所は茨城だがちょっと小垢の抜けた美人だったから、雪雄はもんが気に入っていたらしい。

そのせいかどうか、同じ茨城なのに中川看護婦とは反りがあわず、始終いさかいがあって、これには太郎も弱り果てた。牛乳瓶の底といわれるような強近視のめがねをかけた中川は、看護婦の権利で、

「ご病人は一切私がお預かりしていますから」

とつんとしてもんを下目に見れば、もんも負けてはおらず、

「あなたは病気のお手当てだけでしょ。私は若旦那のお心をお慰めする役ですから」

と、枕許の花を取り替えたり、クラシック音楽の好きな雪雄のために、レコードをかけてやったり、少しでもそばにいようとする。

が、太郎のみるところ、不器量な中川は心も拗れている、と思われ、雪雄に関する限り、太郎の意見もこのひとの関所で斥けられることが多い。

結核には、すっぽんの生き血をぶどう酒に混ぜて飲ませると効く、と聞き、生きたすっぽんを買って来て井戸端で首を切ろうとすると、中川は飛んで来て眉を吊りあげ、

「何て残忍な。そのような迷信を信じるなんて許せません。薬は私の差し上げているものだけで十分です」

と居丈高にいい、暗に、太郎を、実に無教養な男、とさげすんでいる風がみられ、太郎はとたんに、へん、勝手にしろやい、と何も彼も投げ出してしまいたくなる。

しかし肝腎の雪雄は、やはり医学的根拠のある、久永先生直々指導の中川看護婦の言葉を重く取り上げるのは無理からぬところ、それはよく合点できても太郎はときどき、ためいきの出るほどさびしくなってくる。

夜更け、波音を聞きながら身を横たえていると、じっと隣の部屋で寝ている雪雄の心中が思いやられ、ほんとは坊ちゃんもおいらよりもっと心細く、もし癒らなかった日のことを考えて眠れない時間をすごしているのではあるまいか、などと想像が拡がってくる。

昔、貸別荘にいたころ、昭彦が不思議そうに、

「おじさん、ここのおうちはどうして子供と女中さんばかりなの？　お父さんやお母さんはいないの？」

と聞き、太郎は一瞬、返答に窮したことが思い出される。

役者の家の因果さよ、金と人手はいかようにも工面できても、実の両親に看取ってもらうことも叶わず、他人ばかりの手に任されて養生しなくてはならず、このままもし死んでしまったら、あまりに坊ちゃんは可哀相だと太郎はしみじみ思うのであった。

大家の昭彦は、そのころ翻訳を業としながら労働運動に加わっていたが、雪雄はそれを忌み嫌うどころか、昭彦がくれば寝床の上に起き上がり、いちいちうなずきながら興味深そうに話を聞いた。

中川看護婦から、

「安静の時間ですから」

といわれて話を打ち切り、昭彦は帰って行くけれど、近いものだからまた気軽にすぐやってくる。

中川は、昭彦のみならず、太郎やもんでさえも病人と仲よくすると露わに渋面を作るけれども、太郎は坊ちゃんの憂さ晴らしになるなら、誰でも見舞いに来てやって欲しいと思った。が、桃蔵肺結核で療養中、のニュースが拡まれば、朋輩たちは誰ひとり来ず、

わずかに父親の弟子たちが、見舞い品や言伝(ことづ)てを届けにいく日おきかに来るだけであった。

雪雄は表面おだやかに療養生活を続けてはいるけれど、ここに来てはじめて、自分以外はすべて芸仇(げいがたき)、というこの世界の冷たさきびしさをしみじみ悟ったのではなかったろうか。

梅雨に入ってしばらくののち、中川看護婦とのいざこざからもんはもうこれ以上こらえ切れぬ、といって暇を取り、替わって渋谷から圭子が寄越された。玄関の格子戸(こうしど)が開き、

「こちらですかあ。菊間さんのお宅はあ」

とすき通るような高い声が聞こえ、太郎が出ると、ぱっと花の開いたような顔だちの大柄な娘が、傘のしずくを切りながら立っている。

それが圭子で、これも在は会津だが、東京で二軒ほど女中奉公を渡り歩いたのち、桂庵の世話で雇われたそうであった。

もんもなかなかの器量よしだったが、圭子はもんよりも十も若いだけに明るく屈託なく、そしてひどく元気がよかった。思ったことは斟酌(しんしゃく)なくずばずばと口にするたちで、来る早々から、

「ねえ、太郎しゅうさん、若旦那って男前がよくって、やさしくって、すてきね」

と始終讃美し、昭彦ともすぐ仲よしになって、

「あたしが若旦那のこと片想いしてるって昭彦さん、そういってね」

と、相手がぎょっとするようなことも涼しい顔でいう。

馴れると、ふざけて雪雄の背広を着、ズボンをはいてハンチングまでかぶり、

「若旦那、どう？　似合うでしょ。ゆき丈はちょっと長いけど、胸と腹まわりはぴったりよ」

と、雪雄も病床のつれづれに、

「ふむ、男装の麗人、なかなかいいじゃないか」

などというと、すっかり有頂天になってそのまま外へ出、昭彦に見せに行ったりする。

圭子の茶目っ気は、病人の束の間の気晴らしにはなるまいが、頑固で気むずかしやの中川看護婦には気にさわることばかり。そのせいではあるまいが、雪雄入院の話が出はじめたのは、庭に赤いダリアが咲き、浜も賑わう八月のその終わりごろのことであった。

久永先生は、雪雄の病状が進んでいるというわけではないが、やはり結核専門のサナトリウムに入って、きびしく医師に管理してもらったほうが恢復も早い、とすすめ、太郎はその旨、渋谷に戻って宗四郎に伺いをたてた。

宗四郎にむろん否やはないものの、ただこのサナトリウムは入院費用がべらぼうに高

く、退院の見通しもつかぬ患者を入れると、保護者は身代限りをするといわれるほどだったが、宗四郎はたじろぎもせず、

「役者が借金くらいにびくびくするようで大尽の役など勤まるかい。借金も貯金も、この世のなかの金という金はすべておいらのもんだ、と思わなきゃものごとは始まらねえ」

と自らに景気をつけ、できるだけのことはしてやってくれ、と太郎に頼んだ。

逗子は小坪にあるこのサナトリウムが完成したのは昭和五年、久永先生の父君の建設だが、動機となったのは鎌倉界隈にあまりに結核患者が多かったからだという。

夏が過ぎ、海水浴客の姿がみえなくなると、砂浜を散歩しているのは結核患者ばかり、それというのも海辺のオゾンを吸うべく、浜近くに建っている海辺ホテルに、患者たちが長逗留しているためであった。

太郎はさっそく、小坪に出向き、そのサナトリウムを下検分した。

建物のある披露山には人家は一軒もなく、鬱蒼たる木立を抜けるとようやく門が見えて来、そこから先、玄関まではまたヒマラヤ杉のおぐらい道が続いている。

一瞬、不吉だな、と太郎は思ったが、それもそのはず、のちになって聞けば、この杉林をくぐって入所したひとの半分は、出るときは棺に納められているのだそうであった。

雪雄の病室は、当時はまだ珍しい網戸が張られてある長い廊下を通り、いちばん奥の

三部屋つづきで、ベッドのあるひろい病室は全面、海に向かっている。あとの二部屋は付き添い用、そして物置として地下室がついており、太郎はこれらを全部あらためて、ここなら坊ちゃんも心がぐっと広くなる、くよくよしないで養生専一にできる、と何となく全快できそうな予感を抱いた。

小坪のサナトリウムへ入所するに当たり、太郎は雪雄や久永先生と相談の上、女中の圭子には暇を出し、代わりに中川看護婦の補助役にもう一人、藤田久美子という若い看護婦を雇い入れ、この二人に交替で看護してもらうことにした。

圭子は、ふだんから「若旦那(わかだんな)大好き、すてき」を口ぐせにして憚(はばか)らなかったし、雪雄もまた明るく朗らかな圭子を気に入っていた様子だったから、由比ヶ浜の家を畳むときはどちらからも多少の抵抗はあると太郎は思っていたが、実際には雪雄もすぐ、

「そうしよう、それがいい」

と、圭子の解雇に同調し、圭子もまた、

「この三カ月、若旦那のおそばにいられてとても楽しかったわ。いい思い出を持って私は故郷(くに)に帰ります」

と素直であった。

このときの太郎の心中をいえば、坊ちゃんがもし、圭子をずっとそばに置きたいといえば、病気のためにそのほうがいいのではないかという気がしたが、中川看護婦は、

「あんな騒がしいひとは、療養所へは連れてゆけません。ご病人の安静も守れませんし、第一、他の入院患者からも苦情が出るに決まっています」

と、眼鏡のへりを指でつき上げつき上げ、断固主張したし、これには誰も逆らうことはできなかった。

その点、藤田看護婦は陰気なほどおとなしく、立ち居も静かですこしも病人の邪魔にならないひとであった。

九月末、太郎は三人を伴って逗子に行き、小坪のサナトリウムの特等室に落ち着かせた。清潔なベッドからは長い水平線の端から端まですっかり望むことができ、雪雄は一応顔をほころばせはしたものの、内心、ひどく心細く思っているのは太郎にはよく判った。

実は今朝ほど、由比ヶ浜の家で入院用の荷物をまとめているとき、蒲団の下から新聞の切り抜きが出て来、見るとそれは、この九月、新宿に開場した新歌舞伎座の写真入りのニュースであった。新築の建物と並んで「翁三番叟」を踊っている遠景のスナップもあり、太郎はつと胸を突かれて思わず切り抜きを伏せた。

こちらに来てから、雪雄は芝居の話は全くせず、太郎は圭子にも口止めしてあったから、しばらく忘れてくれているわい、いい按配だ、と思っていたが、やはりそうではなかったと判った。

いまは舞台から遠く、まるで離れ小島のようなこんな場所に閉じこめられるとなると、やはり無念の思いは胸底に渦巻いているにちがいない、と察せられるのであった。

病人は栄養第一だから、このサナトリウムの献立の豪華なこと、逗子の浜揚げの新鮮な刺し身はもちろん、ここを建設するときはすべてスイスの療養所を参考にしたというだけあって、牛乳、チーズのたぐいもふんだんに盛り込まれてあり、胃腸さえ丈夫なら、食べる楽しみだけでも退屈せず十分ここにいられるというほどのものであった。

中川、藤田の両看護婦は、職員用の食堂で賄(まかな)ってもらえるので、看病に専念することが出来るが、雪雄の心細さは、ここに入ればいよいよ病人、と自他ともの認識のなかにのめり込まざるを得ず、これで普通人社会とはきっぱりと遮断された感じになってしまう。

雪雄のこれからの気晴らしは、何よりもクラシック音楽を聞くことで、東京へ帰ってしまう太郎に、雪雄はテレフンケンのバッハなどのレコード購入のメモを手渡して頼むのであった。

「坊ちゃん、一週間に一度は必ず来ますからね。欲しいものがあったら何でもおいらにいいつけて下さい」

とくどいほど繰り返し、太郎はうしろ髪引かれる思いでサナトリウムを辞した。

五カ月のあいだ住んだ由比ヶ浜の家の戸閉まりをしながら、太郎はずっと雪雄の身の上を思い、早く療養所の生活に馴れてくれるのを念じたが、それは太郎自身にも、雪雄と別れて暮らす日々に馴れるのをいい聞かせる言葉でもあった。

渋谷の家に帰ってのちも、太郎はしばらくは何も手につかず、あの部屋から見える海は、天気のいい日はいいが、しけのときは恐ろしいだろうな、と思ったり、気の強いのとうっとうしいのと二人の看護婦の顔ばかり見てちゃあ、坊ちゃん気も詰まるだろうな、と考えたり、その気持ちの底には、あの陽気な圭子に暇を出すのは坊ちゃんのために惜しかったな、というかすかな悔いもないではなかった。

一週に一度、という雪雄との約束は、最初のうちこそ実行できたが、渋谷に帰ったら帰ったで男手を必要とする用事はいくらでもあり、またよそへ預けられて修行中という新二郎と優も、まるきり住み込んでいるわけではなく、夜は渋谷へ戻るという取り決めなので、この方にも気を配らねばならぬ。

こんなある日、おかみさんの加代が、

「ちょいと太郎さん、今日は私の供をしておくれでないか」

といい、旦那がこのところ風邪気味だからこなれのいいものを食べさせなくちゃならないし、汁物なんぞの持ち運びは重いから、お前一しょに帝劇まで頼みますよ、とのおもむきで、太郎は半がゆの弁当をこぼれないようにそっと持ち、二人目の子をおなかに持っている加代とともに家を出た。

二人は渋谷から省線に乗るべくゆっくりと坂を下っていったが、加代は珍しく打ちとけて、

「ねえ、太郎さん、こんなことあんたにいうのもなんだけど、雪雄ちゃんはとうとう鹿嶋さんのお邸へご挨拶には行ってくれなかったそうだねえ」

と聞いた。

鹿嶋家は、加代のもと奉公していた名高い財閥で、その家は雪雄の養生していた由比ケ浜のすぐ近くにある。

加代は、鹿嶋家に顔をつないでおけば、これから先、あらゆる面で便宜を計ってもらえるし、雪雄自身のためにもなることだから、と宗四郎の口を借りて、雪雄にそれをすすめていたのであった。

実は太郎もいく度か宗四郎からいわれており、その都度、

「いやあ、まだあまり外歩きはしてねえもんですから、そのうちきっと」

などとお茶を濁していたが、雪雄の心中はすっかり読めている。

雪雄は麻代が死んでのち、来る母、来る母になつかず、とくにいまの加代をあまり好きでないのはわきから見ていてさえ判る。雪雄に限らず、弟妹たちも新しい母親とむつみ合うことはしないが、とくに雪雄は好き嫌いがはげしいだけに、後妻の加代もやりにくいところがあるに違いなかった。

いま、雪雄が、いくらいわれても鹿嶋家へ挨拶に行かないことについて、太郎には脳裏にかっきりと灼きついている光景がある。

それは雪雄が、慈恵医大での診断結果を父に打ち明けた翌朝食のときのこと、加代は自分の産んだ三歳の梅子がなにげなく雪雄のそばに坐ろうとすると、ハッと顔いろを変えて梅子を引き戻し、埃をはたくように梅子の着物を手で払って、ばあやに引き渡した。

そのときの雪雄の、世にも不快そうな表情を太郎はよく覚えており、あれ以来、加代とはほとんど口もきかなくなっているのにも気付いている。加代は無意識のうちに梅子をかばったのだろうが、雪雄にすれば明らかに、伝染病の継子を毛嫌いし、災いが実子に及ぶのを恐れての邪険な仕わざと受け取るのも無理はなかった。

それに加代は、二十一歳の雪雄と年はいくらも違わず、したがってお母さんと呼んだこともなく、これは男兄弟、みな右へならっている。

太郎は、加代からそういわれ、

「坊ちゃんはあのとおりのお方ですから、そのうちふっと気が変わるってことはありますよ」

とあいまいな言葉で宥めたが、加代はさらに、

「いえね、他にもおかしな噂を聞いたものだから」

「おかしな噂って彼女のことですかい？　いや役者に女がつきまとわなけりゃ、こりゃ

つまらねえ。まして坊ちゃんはいい男だもの。何とも、こりゃうれしいねえ」

　と太郎が額を叩いて喜ぶと、加代は首を振って、

「いいえ、そうじゃないんだよ」

　と少しいいよどみ、

「太郎さん、菊間にはあたしよりかずっと古いから何でも知ってるわねえ。実いうと、この噂はずっと前からあったたっていうんだねえ。五人の子供のうち、雪雄ちゃんだけ腹が違うって」

「え、それじゃ何ですかい。坊ちゃんは麻代さんの実の子じゃないってんですかい」

「顔も体つきも他の四人とはまるきり違うと思わないかい？　新二郎さんと優ちゃんは丸顔で、どちらかといえばずんぐりむっくりのほうだけれど、雪雄ちゃんはあのとおり、こう、すうーっと鼻筋が通ってて、背もすらりと高いじゃないか。どう見ても一腹の兄弟とは思えないんだねえ」

「するってえと、坊ちゃんのおふくろさんてえのは、どこのどなたさんで？」

「そんなこと、あたしが知るもんかね。二十一年も昔のことだもの。ただね、今度の病気だって、菊間のほうにはその気もないし、麻代さんだって産後の肥立ちが悪くて亡くなったんだから、ひょっとすると雪雄ちゃんは、実のおっ母さんからそういう躰をもらって生まれてきたんじゃないかって噂なんだよ」

「ふうん」

と太郎はうなり、宙をみつめながら大急ぎで記憶を手繰ってみる。

おいらが菊間家に雇われたとき、よく泣く総領息子はまる一歳と三月、おかみさんはもう新二郎さんを妊っていたけど、よく雪雄坊ちゃんの洟を拭いてやったり、食べ残しのものでも自分で食べたり、扁桃腺が腫れて高い熱を出したときは、夜通し枕許に坐ってやっていたっけ、いや、あれは継子だったら出来るまねじゃねえ、と太郎はつい大声で、

「おかみさん、口幅ったいいようだが、おいらその話は根も葉もない作り話だと思いますねえ。旦那は一人身のときにはもててもてて、新橋赤坂じゃ、色男の随一だっていわれてたそうだから、やきもちやきの、坊ちゃんの病気を喜ぶ輩が出まかせを流したに違えねえ」

と力むと、加代はちょっと流し目で、

「でもさ、太郎さん」

と、一息おいて、

「げんに、逗子のサナトリウムへは、その実のおっ母さんが看病に行ってるっていいますよ」

と、胸のつかえをおろしたような顔つきでそれを太郎に告げた。

サナトリウムへ？　おっ母さんが看病に？　そいつは聞き捨てならねえ、と太郎は色めき立ち、

「おかみさん、それはどなたにお聞きなすったんで？」

と詰め寄ると、加代はおかしそうに、

「太郎しゅう嫉いてるのかい？　相手はなあに、実のおっ母さんだもの。放っておいてあげるのが情けってもんじゃないかねえ」

といい、そして、

「噂は噂」

ときっぱりいったところで渋谷駅についてしまい、そこで話は打ち切られた。

太郎は電車の吊り革につかまり、揺られながら、なるほど新ちゃんも優ちゃんも叩いてもこわれないような頑丈な体つきをしている、坊ちゃんとはまるで違う、が、顔は正しく旦那の筋だから種違いってもんじゃねえ、とすると、何も騒ぎ立てることはあんめい、よしんば噂どおりだったにしても、それが何だってんだ、旦那が長男と認めている子に、はたから何の文句があるかってんだ、とひとり胸のうちで力み返っている。

加代からこの話を聞いたとたん、太郎はよし、いまから逗子へすっ飛んでって、おいらがこの目で見届けてやる、と勢い立ったけれど、落ち着いて考えてみれば、噂がもし真実なら、雪雄にとってこれ以上の看病人はないわけになる。

子供のころからさびしい坊ちゃんだ、実であれ、嘘であれ、おふくろと名のつくひとに看取ってもらえば病気も案外早く快くなるかもしんねえ、よしおいらは逗子へは行かねえぞ、暴き立てたりは金輪際しねえぞ、と太郎は心に決め、

「それでいいんだ」

と呟くと、意外に大声だったとみえて周りの視線がいっせいに集まり、頭をかいた。

青春の盛りをベッドにしばりつけられ、いつ死に神の手に連れ去られるか、或いはもしや死に神を退散させられるか、まるで運命の神に弄ばれているような不安な日々を送らねばならない若者にとって、その苦しみを紛らすものがあれば、それはすべて許されていいはずだと太郎は思うのであった。

幸い、ときどき訪れる太郎に、医者は病の進行は見られず、といい、少しずつ病巣は固まりつつあるらしかった。雪雄はみごと五分の運を摑んだわけで、それというのも、看護婦二人の厳重な監視もさることながら、本人の生真面目な性格が治癒へと導いたのではなかったろうか。

我がまま癇癪持ち、不器用、の気質からすれば、当然放埒、自堕落、不摂生の行動と結びつくが、雪雄の場合、これはなく、逆に、

「しらきちょうめんを絵に描いたような」

といわれる面がある。

雪雄の部屋は、子供のころからいつもきちんと片付けられ、歪みが嫌い、乱雑が嫌い、嘘が嫌い、約束違反が嫌い、遅刻、借金、無責任、なおざり、いい加減、すべて嫌いという気質そのままであった。

太郎がたまに手を出して整理しても、雪雄の気に入らず、あとで必ず自分の満足のいくよう片付けなおしている。

長期療養に短気は大の禁物だが、逗子の生活で雪雄は一度もやけを起こさず、じっと毎日の療養日課に従った、「しらきちょうめん」さが、快癒につながったと思われた。

入所後二年ののち、ようやく医者からふつう人と同じ生活に戻ってよい、とのお墨付きをもらったが、かといってすぐ舞台に戻れるわけではなかった。

役者は全くの肉体労働者であり、大てい昼夜二回興行なら、勤務時間はときに十四、五時間ともなり、その上、声を使う仕事なら、まだ当分は体を馴らしておかねばならなかった。

太郎はふたたび昭彦を頼り、今度は長谷向原の三間ほどの、古いが瀟洒な家を世話してもらって、中川、藤田の両看護婦を伴ってここに移ったのは、昭和七年の秋であった。いかによい環境であろうと、サナトリウムは死の牢獄にひとしく、ようやくそこから脱出できたのを、雪雄はどれだけ喜んだことだったろうか。

太郎は、病みやつれもなく、かえって少しふっくらとした雪雄の顔をためつすがめつ

眺めながら、

「坊ちゃんよく辛抱なすった。サナトリウムの生活を思えば、これから先、どんなつらいことでも平気ですねえ」

といえば、雪雄も、

「うん、二年はずい分長かった」

と、大きなのびをし、ついでにあくびもしてみせる。

この頃、太郎はたしか、あちこちの桂庵に下働きの女中を頼んだと思われるが、病衣の洗濯、とはっきり条件に書いたためもあってすぐには見つからず、やむなく藤田看護婦が賄いまで一切を引き受けた。

長谷ではフォックステリアを飼い、その犬を連れて毎朝、渚(なぎさ)を散歩するのが雪雄の日課だったが、ときには昭彦も一緒に歩き、散歩の帰りには必ず、長谷東町にこのごろ開いた「ラ・メール」という喫茶店に寄って二人はコーヒーを飲んだ。

入り口にはフランス風の絵ガラスの軒灯、壁にはユトリロの複製がかかり、香り高いコーヒーはポットで運ばれ、足を組みながらそれをゆったりとすすっている雪雄は誰がみても貴公子然としていて、歌舞伎役者と思うひとはいなかったという。

鎌倉にはいわゆる文化人たちがおおぜい居住し、互いに交流もあったらしいが、雪雄も昭彦の手引きで森田草平、林房雄、土方(ひじかた)与志などの諸氏を訪ねている。

が、どこへ行っても借りて来た猫さながらで、林夫人などはしばしば、

「あんなにおとなしくて、役者が勤まるのかしら」

と昭彦にいい、聞いた太郎は口惜しがって、

「てやんでえ。舞台の上の坊ちゃんを見ろってんだ。光源氏か業平か、日本一の上にまだ後光が射してらあな。そのうち坊ちゃんが芝居に戻ったらご招待さし上げますから、そのときは目を廻さねえようにと、昭彦さん伝えておくんなさいよ」

と鼻息荒くなる。

雪雄は少しずつ健康人の感覚を取り戻し、やがて舞台に復帰すべく家のうちでも体操など試み、

「まるで黒田官兵衛みたいだ。土牢の中から出てくればやっぱりいちばん足が弱るね」

と笑い、

「いやあ坊ちゃん、足なんざどうだっていいんでさ。ほら、いざり勝五郎って役もありますし」

と太郎はわきから声援する。

サナトリウムから出て半年後の昭和八年三月、雪雄はやっと普通人に戻り、まる四年ぶりに上京した。濃紺の背広を着、グレイのハンチングを被り、太郎を供に、鎌倉駅か

ら横須賀線電車に乗り込んだとき、雪雄はまさしく蘇生の思いだったという。

「僕が寝てるあいだに東京もずい分変わったろうね」

と雪雄が窓外の景色を眺めながらいえば、

「なんの。何ひとつ変わっちゃいません。帰ったら坊ちゃんはさっそく三河屋か泰明軒か精養軒か、上等の洋食をたべに行かなきゃなりませんね。うんと精をつけておいて、せいいっぱい働かなきゃならないんだから」

と太郎も相槌を打つのは、宗四郎からの話で、復帰第一回の役がほぼ内定しているためであった。

それは、何といってもまだ病みあがりの雪雄に所作の激しい役は少々無理かという配慮あって、父宗四郎の演じる「助六」のなかで、後見となって口上を述べる役割であった。

遊女白玉が禿と若衆をつれて入り、続いて白酒売りも臆病口へ入ったあと、口上の出番になり、

「憚りながら口上を以て申し上げ奉りまする」

で始まり、助六の芝居の来歴を述べたあと、

「河東節御連中さま、お始め下されましょう」

で、河東節浄瑠璃が始まるまで、かなり長い文句なのであった。

「助六」が開いてその中日のこと、太郎は雪雄の楽屋入りを見届けてのち、歌舞伎座の楽屋口から出、手に持ったビラに目を当てながら、三原橋のほうへゆっくりと歩いていた。

ビラは、古川緑波、徳川夢声、大辻司郎らの「笑いの王国」が四月一日、浅草常盤座で旗上げしたという宣伝で、

「おいらもたまには、こんなお笑いをのぞいてみてえな」

と考えながら目を上げたとき、真向かいから歩いて来る若い女性とふっと視線が合った。

とたんに、その女は、

「まーあ、太郎しゅうさん」

と驚きの声を挙げて近寄って来たが、そう呼ばれても太郎はまだ相手が判別できず、きょとんとしているのへ、

「お圭よ、鎌倉にいたお圭よ」

と腕を取ってゆすぶられ、

「あー、そういやあ」

と合点して、まじまじとその顔を見つめた。

もともと派手な顔立ちの美人だったが、いまはまた、このごろ流行のウエーブのかか

った耳かくしに結い、化粧もどこやら垢抜けた感じで、着物もやわらかものの錦紗を着ている。

「お前さん、あれから会津へ帰ったんじゃなかったのか」

と、太郎が呆気に取られてそういうと、以前と少しも変わらぬさばさばしたいいかたで、

「ちょっとお茶でも飲みましょうよ。私、おごるわ」

と先に立ってコロンバンへ案内した。

その様子はすっかりもの馴れていて、以前の、茶目っ気はあってもどこやらまだ初心だった面影はうすれており、太郎は率直に、

「お前さん、じゃ東京で働いているんだね」

と聞くと、圭子はうなずいて、

「ええ、このさきのサロン・ミキにいるの。いまは女中じゃなく、女給よ。だって田舎に帰ったって仕事はないし、銀座の女給なら収入はいいっていうから、若旦那に相談してそう決めたの」

と打ち明けるのを聞いて太郎はとび上がるほど驚き、

「若旦那に相談？　そいつあどういうこったい？　おいら何にも知らねえよ」

「相談つうのが悪ければお知らせよ。だって私は、ずっと逗子へ手紙さし上げてたんだ

もの」

と圭子は両指で眼鏡のまねをして、

「あそこにはこれ、いたでしょ。だから私の手紙の名前は田中実太郎。総理大臣と太郎しゅうさんとをくっつけたわけ。若旦那はめったとお返事は下さらなかったけど、私の居場所ぐらいお教えしておけば、いつか来て下さることもあると思って」

「で、何かい、坊ちゃんはお前さんちへ訪ねて行ったかい？」

と太郎は身をのり出して聞くと、圭子はけたたましく笑って、

「どういたしまして。冷たいの。若旦那はいいひとあるんじゃない？　ね、教えてよ。太郎しゅうさん」

「病気で四年も寝てたのに、そんないい話あるわけないだろ。あればおいらだって嬉しいんだが」

というと、圭子は太郎の目の底をのぞき込むように顔を寄せて、

「若旦那にいいひとが出来ればほんとに嬉しいと思うの？」

と念を押してから、

「あたしね、実は楽屋へ二度訪ねて行ったのよ。新聞の広告見て。そしたら若旦那はとっても喜んで下さって、近くお店へ来てくれるというお約束してくれたわ」

「へえ、そうかい。そういうことかねえ」

といってしまって、太郎は思わず吐息をついた。

雪雄が病に倒れるまえ、父親とともにご贔屓(ひいき)の席に呼ばれて芸妓(げいぎ)舞妓(まいこ)に岡惚(おかぼ)れされ、付け文の一つや二つされたという笑い話は聞いていたが、それはいずれも泡沫(うたかた)のように消えてしまっただけに、太郎はいま目の前で、こういう経過を辿(たど)って女が男に近づいてゆくものか、と悟るところがあった。

「ふむ、しかしヤバいねえ」

というと、圭子はすっかり身につけた色っぽい目で、

「あら、嬉しいっていったくせに」

と抗議し、

「でも太郎しゅうさんは知ってるでしょ。あたしが鎌倉にいたときから、磯(いそ)のあわびで片思い、てよくいってたのを」

と、なつかしそうな目をした。

そういえば、眼鏡の中川看護婦が、雪雄を誰にも触らせまいときつく管理したのも、いま思えば一人占めしたかったからだと思えるし、最初の女中のもんも、雪雄を争って中川とは犬猿の仲だった、サナトリウムから一緒だった藤田看護婦も、別れが近づいてくるにしたがい、毎日のように泣いていたっけ、と太郎は思い出し、

「坊ちゃんて、どういうタイプの女が好みなのかなあ」

と首をかしげると、圭子は言下に、

「それはあたしのようなセッキョク的なひとなの。若旦那はとっても不器用だから、こちらから仕掛けてあげないと腰を上げないと思うのよ。ねえ、太郎しゅうさん、若旦那にあたしのこと、よしなに申し上げて。お願いよ」

木の穴

光乃が菊間家に奉公して二日目の朝、二階から下りて来た雪雄と初めて顔を合わせたあと、ふたたびその姿を茶の間で見たのは、「助六」が開いて十日目くらいではなかったろうか。

その間、旦那の宗四郎は弟子たちを従えて毎晩戻るけれども、雪雄が一緒ということはなく、夜更けにくぐりを開けて一人帰り、翌朝早く出かけてゆくのか、或いはよそで泊まるのか、光乃は知らなかった。

叔母まつのいう坊ちゃま付きかと思っていたらそうではなく、新参はまず下働きから覚えなくてはならないので、家中の人の動きに目を配る余裕などまだなかった。

その朝、朝食のあと、眼鏡をかけて朝刊を読んでいた宗四郎が、真向かいに坐って紅茶をすすっている雪雄に、

「この劇評を読んでみろ。お前の口上がけなされている」

と新聞を差し出した。

　執筆者は仏文学者の辰野隆で、「助六」の出来栄えを評する文のなかに、口上をやっている若い役者は甚だ科白の歯切れが悪い、将来ろくな役者にはなれないだろう、と書かれてあった。雪雄は、初めて自分の芸が取り上げられたのが酷評だっただけに、かなり打撃を受けたらしく、なおしばらくじっと紙面をみつめていたが、やがて立ち上がると黙って二階へ上がって行った。

　このあと、光乃はまた雪雄の姿を家のうちで見なくなり、替わって、新二郎と優がちらりと戻ったり、二階で泊まったりの毎日で、そのうちいつのまにか、この家の兄弟三人の顔と気質も呑み込めるようになった。

　雪雄はまるで腫れもののよう、近づくのはおそろしいが、新二郎はむっつりやでも心はやさしく、お由にいわせると、

「新二郎さんのあだ名は『哲学者』だって」

とのこと、なるほど役者よりも頭を使う商売がお似合いかという感じがある。

　優は愛嬌よしで、女中たちにも受けがよく、「ハラ空ったよう」と茶の間にかけ込んで来ては、江戸みこしの、ごうきだごうきだ、塩まいておくれをもじって、

「めーしだ、めーしだ、めーし出しておくれ」

と卓袱台を叩き、お種がはいただいま、とさし出すおかずが少ないときは、

「けーちんぼ、けーちんぼ、もーっともっとおくれ」

と唱って皆を笑わせたりする。

光乃がようやく馴れた一カ月ほどののち、太郎の命令で、雪雄が鎌倉の家を畳み、新たに借りた赤坂山王下の家へ、お由が行くことになった。

雪雄が何故別居かといえば、加代と反りのあわない問題もあり、それに諸事礼儀のうるさい親のもとから離れたい思いも強かったし、またどうやら独立するに足る収入もあるにはあった。鎌倉を引き上げて戻る車中で、すでに太郎は雪雄から、

「親父にそういって、太郎しゅう適当な家を見つけておいてよ」

といわれており、芝居に復帰とはいっても四年間も独り暮らしをし、いまだ病人の感覚から完全に脱け出せない身にとって、継母や祖父母との同居はさぞ骨が折れるだろうと察して、太郎はいわれるままに山王下に家を用意した。

この家は嵯峨侯爵の持ち物ではあるが、陽の差さない崖下に建っている数ある貸家の一軒で、病後の雪雄にはどうかと思われたが、何しろ急かされていたし、とりあえず取り決め、手伝いとしてお由をさしむけたのであった。

お由はうきうきし、

「一軒の家の上下で、これからは坊ちゃまと二人っきり。あたし困っちゃうわ。奥さまの役目もしなくちゃならないのかしら」

と頬をおさえるのを見てお兼がぷっと噴き出し、

「勘ちがいしちゃいけないよ。この家ではあんただけ役どころがないから厄介払いをされただけじゃないか」

といえば、たちまちふくれるのへ、お種が年かさらしく、

「若旦那はきれい好きだから、お由さん向こうへ行っても、ここ以上によく掃除整頓をしてあげなきゃ。最初のうちは三日に一度くらい、あたしなり誰なり監督に行くからね。いいかい？」

といい聞かせた。

渋谷から赤坂までは市電があり、世帯用の小道具など風呂敷に包んでぽつぽつ運び、少しずつ家らしくしてゆくのを、光乃は知っていたが、格別な関心は何もなかった。強いて感想をいえば、あの気むずかしそうな坊ちゃまにお仕えするのは、お由さんさぞかし気骨が折れるだろうな、という同情だけで、それよりもこちらは一人手が減っただけ、毎日が忙しく過ぎてゆくのであった。

七月に入ってまもなく、太郎から、

「お光つぁんや、坊ちゃんの鎌倉の家を畳みに行くから、おいらと一緒に行っておくれでないか」

と頼まれ、梅雨明けを待って二人で行くことになった。

光乃は女学校の遠足で江ノ島へ行ったことはあるが、鎌倉まではじめての短い旅で、

もの珍しく窓外を眺めているのへ、太郎は問わず語りに、

「こないだ、坊ちゃんの口上がよくないって、ほら、えらい博士先生に新聞に書かれていたろう。

そしたら坊ちゃん、一ぱつふんばってその先生に手紙書いてお宅へ訪ねて行って、どこが悪いか、教えて下さいって手をついて頼んだってよ。先生びっくりして、いやあ君のは発音からして固いから、ちょっとこれ、聞いてみる？　とかおっしゃって、ほらサラ、サラ、サラ・ベルナールとかいう女優の『椿姫』のレコードをかけて聞かせてくれたって。

博士先生は坊ちゃんの態度にすっかり感心なすって、鎌倉に住んでいるなら、僕の友人の今日出海君を引き合わせよう、このひとにフランス語を習いなさい、鼻音を会得すれば科白もぐっとうまくなる、と紹介状を書いてくれたんだとさ。

だから坊ちゃんは、舞台のあいまを見て鎌倉の今先生のお宅へA、B、Cのお稽古に行ってたんだが、やっぱし通いは遠いね。坊ちゃん疲れすぎるからね。

いやおいらもおかげで数ぐらいはそらでいえるようになったよ。

un　deux　trois　quatre　cinq

six　sept　huit　neuf　dix

どうだい？　ちょっとしたもんだろう」

と鼻うごめかす太郎がおかしくて、光乃はほほえんだ。

太郎は光乃のかたいのを信じて、車中ずっとよくしゃべったが、その話題は最初から終わりまで雪雄のことばかり。療養生活の四年間、雪雄がいかにさびしく不安だったかを、ときには目をうるませて語るのを見て、光乃はこのひとがどれだけ深く主の身を思っているか、自分も奉公人なら見倣わなくてはならぬと思った。

しばらく人の住まなかった長谷の家は、梅雨を通して何も彼もかび臭くなっており、

「こりゃあ、一日ではとうてい片がつかないね」

という太郎とふたり、炎天下にものを干したり、庭の草もむしったり、雑巾をかけたり休む間もなく働いた。

ここには雪雄の持ち物がそのままに残されてあり、蓄音機、横文字のレコード、演劇雑誌、手箱、衣類、とひとつひとつ荷作りする太郎を手伝いながら、光乃は、奉公に行くのがも少し早かったら、或いはひょっとして、自分はこの家で、これらの品々を片付けたり、洗ったりしていたのではないかと思われ、巡り合わせというものについて考えさせられてしまうのであった。

赤坂山王下の家へ持ち物をすっかり移した雪雄は、その後もう全く渋谷の家へは姿を見せなかった。ただ、新二郎、優の二人は始終出たり入ったりしていたし、太郎も半分はこちらにいたから消息はおおよそ判り、雪雄が「口上」のあと、順調に八月は青年歌

舞伎に、十二月は歌舞伎座へ出ていることは耳にしている。
山王下へ行ったお由は、稀に渋谷へものを取りに戻ることがあり、お種が、
「どんな工合？　あんたのやることを見て若旦那は癇癪起こしてるんじゃないの？」
と聞くと、お由は、
「ご冗談もんでしょ。あたしはてんで気楽なものよ。だって若旦那はめったと帰っては
いらっしゃらないんだから」
「それはね」
とお兼が入って、
「あんたのおかめ面を見たくなさに若旦那はよそで遊んでおいでなのよ。私が代わって
行ってあげようか」
「おおきなお世話よ。以前ね、優さんがこんなことおっしゃってたわよ、『俺はお兼に
給仕してもらうと飯がすすむ』って、何故ですかって聞いたら、『目の前に獅子っ鼻が
睨んでると思ったら、鏡獅子の獅子頭思い出してよ、俺も役者だ、負けちゃなんねえと
ばかりに飯をかっくらうてえわけさ』って」
とまたいさかいになり、いつもながらお種が、
「暇だからって昼寝ばかりしてちゃだめだよ」
と、終いをつけてお由を帰すことになる。

光乃がこの家へ来た年はまもなく暮れ、昭和九年を迎えたが、二日初日の正月興行を控えて役者の家に休日はなく、元日から仕事関係の人の出入りで賑やかであった。

それでも、暮れうちから職人が入って玄関には大きな孟宗竹の門松が立てられ、軒に大一番の注連縄、床と稽古場には鏡餅を載せた白木の三方、また神棚、仏壇、手洗い、井戸、火の元、と至るところ新藁の輪飾りで浄められ、家に出入りの客たちは黒紋付きの羽織袴で改まり、身のひきしまるような清浄感がある。

元日の朝は、人が「金銀銅のお宝」と羨むこの家の三兄弟が紋付き袴で揃い、父に手をついて新年の賀をのべるのを、遠くから見て光乃は涙のにじむような感動をおぼえた。

塚谷の実家の、少し金廻りのよかった時代でも、正月の餅や食べものが少々豪勢になったばかりで、こんな粛然とした正月風景は生まれて初めてだっただけに、暮れうちの煤払いや大掃除のてんてこ舞いの忙しさなどすっかり忘れ、光乃は感じ入ってしまった。

女中たちは台所で雑煮を頂きながら、

「どなたが金でどなたが銅やら」

とかしましく、打ち明けてみれば女中たちも三兄弟にそれぞれ贔屓がある。

旦那付きのおつぎは、

「あたしは何といっても新二郎さん。よそ目にはそっけないように見えるけど、芯はとてもやさしいんだ。笑った顔の何とまあ、こぼれるような、とはこのことこのこと」

「あたしは優さん。家へ戻るときには二人のお妹さんにときどき鯛(たい)やきか何か、お土産あげてる。あたしにも一度、お扇子下さったし」

とお兼がいえば、お種も、

「そうだねえ、優さんは陽気だもんね。ただしお兼さん、あのお扇子はお祝儀(しゅうぎ)用に優さんがよそから頂いたものだからね。あんたに買ってくれたんじゃないの。早合点して失恋しないようにおしよね」

と、これも優になびき、その果てには、

「お光つぁん、あんたどなたがご贔屓?」

と三人が聞いた。

光乃は困り、しばらく考えて、

「まだよく判りませんけど」

と口ごもると、三人はそれぞれ、

「興味ないの? あたしたち、こんないい男に囲まれていて、冥加(みょうが)に尽きると思ってるのに」

「あんたそれじゃ、一生縁遠いかも知れないわねえ」

「色気のない子だわねえ」

と興ざめた顔つきになり、その話題はそれで終わってしまった。

あとで光乃は、塗りものの雑煮椀を一人ぬるま湯で洗いながら、三人の坊ちゃんのうち、惹かれるものがあるとしたら、あたしはいったいどのお方かしら、としきりに自分に向かって問いかけた。

関心が無いわけではなく、稽古場で踊っている優の身のこなしを見ればやはり胸がときめくし、ベレーを被って帰ってくる新二郎をみれば、そっと脱いだ靴を磨いておいてやりたくなる、しかしその前に出れば何故か顔の挙げられなくなるのはやはり雪雄だけれど、お種たちのいうようにご贔屓、という感じとは全く違う。

強いていえば、未だこわいという思いが拭い切れず、かといって、お由が山王下へ出向くと聞いたときは、何故か胸がことことと高鳴って苦しかった。どうしてかしら、何なのかしら、と考えごとをしながらの仕事はつい椀のひとつを流しに落としてしまい、はっと取り上げるとさいわい疵はついていない。

たいへん、こんなことではいけない、と気を引きしめ、ふたたび手を動かしながらふっと、父や弟、たき子たちはどんな正月を迎えたろうと思った。

女中の仕事に日曜はなく、盆正月も申し出れば一、二日のやぶ入りは許されるかもしれないけれど、光乃はそれもしていなかった。

そしてその後はしばらく、渋谷の家では全く雪雄の姿を見ることはなく、太郎からも

消息を聞かないまま、相変わらず忙しく日が過ぎて、この年の花も散り、五月に入ったある日の昼さがり、光乃は太郎から、

「ちょいとお光つぁん、ごく内密の話なんだが」

と呼ばれ、誰もいない二階の一室へと誘われた。

ここは雪雄の居室で、道具類などそのままにしてはあるが、主の常住しない部屋は何となくさむざむとしており、太郎は火のない火鉢を引き寄せて火箸で灰をならしながら、

「お光つぁんは口が堅いね。そこを見込んでおいらが頼むんだが。いいね、寝言にでもしゃべらないよう、気をつけてくれるね」

とくどく念を押す様子は何やら大事な話かと思われ、光乃はあわてて襷を外し、居ずまいを正した。

「この前、お光つぁんはおいらと一緒に鎌倉へ行ってくれたね。坊ちゃんがあの鎌倉で養生しているときに雇ってた女中で、お圭ってのがいるんだが」

と一息入れ、火箸を灰にぎゅっと突きさして、

「そのお圭がね、ついこないだ坊ちゃんの子を産んじまったんだ」

といい切ってから、自分自身にもいい聞かせるように、

「いや、何も驚くこたあねえよ。こんな話は役者の世界じゃ珍しくも何ともねえ。むしろ坊ちゃんも、やっと一人前になんなすったかと、おいら褒めてあげたいくらいだね。

十五、六のときから、旦那と一緒にご贔屓に呼ばれて、芸妓にどんなに騒がれても自分からはめったに手を出さなかった坊ちゃんだ。今度ばかりはおいらに『太郎しゅう頼むよ』と片手拝みですがって来なすった。

ここを巧いこと始末しなきゃ、おいらの男がすたるってもんだ。そこでだね、あんたご苦労だが、明日っからそのお圭のもとへ行って、産後の手伝いをしてやってはくれめえか。家は麻布のさきの赤羽橋だ。腹が目立ち始めたころから銀座のサロン・ミキをやめさせて、おいらがそこに住まわせてあったんだ。

このことはまだ旦那もおかみさんもだあれも知っちゃいねえ。万一知れたとしても、旦那からは『おい太郎しゅう、そんな話をいちいちおれに知らせるなよ。役者だったら女なんて両手両足の指でゆきもどり数えてもまだ足りねえくらい、ごまんとあるのが並みってもんだ、おれなんざ次々と新手で忙しくって、つい昨日のでももう忘れちまってる、雪雄のぶんまで覚えてられるかい』って、こうおっしゃるに決まってる。

ってわけだから、この話は金庫番の林さんとおいらと、お前さんだけのことだよ」

ついては、雪雄がもうめったと帰らなくなっている山王下の家のお由と光乃を入れ替わらせるという筋立てで、お由を渋谷に帰し、光乃が赤羽橋へ行くようにすればよい、という太郎の段取りであった。

雪雄はこの五月、歌舞伎座で昼が「矢の根」の大薩摩文太夫、夜が「毛剃」の船頭と、

「四千両」の三番役、と出ずっぱりで活躍しており、太郎は何よりも、
「坊ちゃんに造作をかけちゃいけねえ。あとに懸念のないよう、芝居をさせてあげるのがおいらの役目ってもんだ」

と、話を結んだが、光乃は何だか腰から下の力が脱けてしまったように、その場を立てなかった。

太郎はそんな光乃を見て、くだけたいいかたになり、

「お前さんびっくりしたろう？　年端もいかねえから無理もねえ。実はおいらもお圭の腹ぼての姿を見たときゃ、目の前がまっくらになったってえのがほんとうだ。お圭って子はお茶っぴいの極楽とんぼだから、坊ちゃんの気晴らしの相手にはちょうどいいや、と考えてたんだが、いやあ、子供が生まれるなんざ、これは思わぬ伏兵ってとこだったねえ」

と本音を語ったが、正直のところ、明けて十九の光乃には、太郎の話を十分に呑み込めたとはいい難かった。

ただ、あのこわい坊ちゃまに好きな女性がいて、そのひとが子供を産んだという事実にただただ驚くばかり、それというのも、いままで取りつくしまもなかった雪雄の姿に、急に息がかよいはじめたという、まざまざとした感じがある。

しかしそれは光乃の胸の深奥にある動きで、もちろん言葉には出来ず、太郎はそうい

う光乃を見て、安堵したのか、さらに、
「こんな話があるぜ。殿様お抱えの床屋がいて、御殿に上がり、毎度頭をあたらせても
らうんだが、殿様には後頭部に大きな瘤がある。床屋はその瘤が見えないよう、うまく
髪を按配するものだから瘤のことは家来の誰一人知らないの。床屋はそれを、誰かにい
いたくていいたくて、きりきり舞いするんだが、いってしまえばお手討ちになるかも知
れねえ。
そこで山へ行って、木の根っこに穴を掘り、大きな声で『殿様たんこぶ、殿様たんこ
ぶ』って気のすむまで怒鳴り、ようやく胸が収まったってえの。
人間、人の秘密を背負っていつまでも黙ってるのは案外苦しいもんだ。誰かにしゃべ
っちまえばずい分気が楽になる。だから、おいらの木の穴はお光つぁんかもしんないね。
お前さんには安心して話せるからね」
とせいせいした顔つきでいったが、それじゃあたしはどこの木の穴に吐き出せばいい
のかしら、と光乃は思った。
明日からは坊ちゃまのいいひとと、赤ん坊のお世話、と考えただけで光乃はずっしり
と肩の辺りが重くなり、話が終わっても、はいそれでは、と立つことができないまま、
襷の結び目をまさぐっていたが、はっと気がついて、
「あの、その赤ちゃんは男でしょうか、女でしょうか」

と聞くと、太郎は膝を叩いて、

「そうだ、忘れてた、坊ちゃんから名前を考えてくれよと頼まれてたんだ。丈夫な男の子だよ」

と立ち上がり、本棚から辞書を取り出してめくりながら、

「さあてと、親父が雪雄なら子供は風雄か、それとも雨雄かな。いやどうも語呂がよくねえ。こういうのは、曲がりくねったのよりはパッと浮かんだのが縁起がいいんだ。そうさな、丈夫な子で、坊ちゃんのいちばん子だから丈一、ってのはどうかな。

お光つぁん、丈一ってのはどうだい？」

「はあ」

と、光乃は判断がつかないまま、あいまいに答えてようやく立ち上がりかけると、

「あ、お前さん、お前さんにはえらく面倒をかけるからね。これからは木戸ごめんで芝居が見られるよう、おいら手配しておくよ。取りあえずは明日、赤羽橋へ行くまえに、坊ちゃんの『矢の根』をのぞいて行きな。ただし三階だよ」

と、太郎は光乃の機嫌取りに何よりの褒美をくれた。

その夜、女中部屋では、

「あーあ、またお由の鉦叩きが戻ってくるか。やんなっちゃうねえ」

「お光つぁん、向こうは暇だっていうけど、勝手に活動写真なんか見に行っちゃだめだ

よ」

「大丈夫よ、このひとは。お由と違ってきちんとやるもの」

とかまびすしく、その声をうしろに聞きながら光乃は黙って押し入れのなかの自分の持ち物を整理した。

翌朝、光乃は当座の着替えを入れた風呂敷包みを抱いて渋谷駅前から水天宮行きの市電に乗り、歌舞伎座前で下りた。

ここは叔母まつのいう「日本一」の芝居小屋、

「門構えはだね、お前は知るまいが、日光結構の陽ぐらしの門、あれそっくりだ。日の暮れるのも気づかず見とれてしまうってわけさ。

大正の大地震で昔の歌舞伎座は焼けちまったけど、もと通りに建て直ったのはたしか地震の次の年の暮れ、とあたしははっきり覚えてる。

何故かっていうと、新築記念の木戸銭がたしか一等席で十円だった。十円といやあ、大工の手間賃なら三日分だ。だからあたしたちゃ、中に入れるどころのさわぎじゃない。それでもせめて目の保養にって、往復十四銭の電車賃奮発して、外廻りの見物にだけは行ったものさね。何でもああいうのを、桃山だか栗山だかの御殿風というんだそうな。

ま、まかり間違って切符もらっても、あたしたちゃ歌舞伎座の椅子に落ち着くようなぴったしの、着物を持っちゃいないんだもの。まさかくたびれた銘仙に、鼻緒のゆるんだふだん履きの下駄で、木戸をくぐることは出来まいじゃないか」

と叔母が羨望を込めて話してくれたその建物の前に立って、光乃は頤をぐっとそらしてその甍を仰ぎみた。

なるほど威風堂々として、豪壮きわまりなく、この屋根の下、毎回二千六百名の客を楽しませる芸を披露しているひとを我が主に頂く自分を、光乃はしみじみと誇りに思えるのであった。

折から昼の部への入場者が列をなして入りつつあり、そのいずれを見ても、なるほど叔母がためいきをついたとおり、りゅうとした装のひとばかりのように光乃には見えた。

太郎に教えられたとおり、建物の左脇へ廻ると楽屋口があり、松竹の印のついた袢纏を着た下足番が、光乃を呼びとめ、

「お、あんたは？」

と聞き、光乃が、

「はい、松川桃蔵の家の手伝いの者でございます。楽屋に届け物を持って参りました」

と、これも太郎の口うつしをのべると、

「通りな」

とあごをしゃくり、光乃の脱いだ赤い鼻緒の下駄を預かって、代わりに木札を渡してくれた。

完成以来十年の建物は、表側こそ小ゆるぎもしないが、楽屋口から順に並んでいる頭取部屋、狂言作者部屋、鳴り物部屋、長唄部屋、衣裳部屋、床山部屋、小道具部屋、そして楽屋稲荷と居並ぶその廊下には荷があふれ、ひと一人通るのがやっとと思われるほど中にせり出しているものもある。

光乃には何もかもすべて珍しく、ひとつひとつの部屋の前で立ち止まっては眺めながら奥へ進んでゆくと、突然、階段下に立っている男がしっかりと背筋をのばし、体をきめて、拍子木をふたつ、最初にチョンと打ち、数なら十を数えるほどの間をおいてもうひとつ、チョン、と打った。

これが、光乃が生まれて初めて聞いた柝の音だったが、その瞬間、たとえ難いほど鋭い感動にしたたか打たれ、まるで金縛りにあったようにその場から動けなかった。譬えていえば、かーんと冴えた頭上の空から、「これ聞け」とばかりに打ちおろされた錫杖の鐶の響きに似て、そのこだまはなお光乃の身うちに鳴り続けている。

柝を二つ打った男は、入り口へ戻り、頭取部屋の前でまたひとつ打ち、たぶんその辺りが舞台、と思われる方向に行ってもうひとつ、と廻りながら打って行った。

あとで聞けば、これが楽屋うちに開幕を知らせる最初の柝で、狂言作者が、こうしてまず二丁を打ち、次に衣裳部屋へひとつ、囃子部屋へひとつ、とそれぞれ都合十三丁打つのだけれど、それまでざわざわしていた楽屋もこれで一瞬に引き緊まり、気を張って出を待つのだという。

呆然と柝のあとを見送っていた光乃ははっと我に返って二階端の、松川桃蔵さん江、と染め抜いた紫の楽屋のれんをくぐり、踏み込みの板の間に手をついて、これも太郎に教えられたとおり、

「お早うございます。光乃でございます。三階で拝見させて頂きます」

と頭を下げた。

楽屋内にはわらわらと人が群れ、これから着付けにかかるところらしかったが、雪雄は鏡のなかでうなずいたあと、立ち上がろうとする光乃に、

「あ、あんた、今日から頼むよ」

と、振り返って声をかけた。

赤羽橋のことなのだな、とさとり、はい、と答えて廊下に出てはみたものの、昼間からあかあかと電灯を点している部屋に色鮮やかな衣裳を掛け連ねてある楽屋風景に目がくらんでしまい、方角がすっかり判らなくなってしまった。

風呂敷包みを抱えた光乃がすれ違う人に突き当たりながら、あっちへうろうろ、こっちへうろうろしていると、見兼ねたのか藍縞のたっつけをはいた若い男が寄って来て、

「あんた、どこへ行くつもり?」

と聞いてくれた。

光乃が桃蔵の名と行き先を告げると、

「じゃ表からは廻れないね。おいらが連れてったげよう。履物とっておいで」

と指図し、手に持っていた拍子木を、頭取部屋の入り口の、着到板という、役者が出勤すると自分の名前の下に赤い棒を立てる板のわきに並べて置き、先に立って歩き出した。

このひと、さっき階段下で柝を打ったひとのお仲間なのかしら、と思いつつ、うしろに従うと、男は埃っぽい木の骨組みがつぎつぎとあらわれる狭い通路をすいすい縫って歩きながら、若い者同士の気軽さからか、問わず語りに、

「おいら、大道具の久吉ってんだ。棟梁のおめがねに叶って、いまつけ打ちの稽古中なんだが、ようやっと音が出るようになったばかりでね。

おたくの宗四郎さんの弁慶などは、うちの棟梁でなきゃ打たせてもらえない。早くおいらも幕どやの前に坐ってお客さんの前で打ちたいもんだ。

立ち廻りはタラッタ、タックタ、タラッタ、タックタ、六法はね、バラリ、タックタ、バラリ、タックタ」

とこぶしで真似ながら歩いているうち、客席と舞台裏の境の扉に着いた。

久吉は重い扉を開け、

「楽屋うちで判らないことがあったら、すぐに大道具のたまりへおいでよ。おいらいつ

でもそこにいるから」

といい、引き返して行った。

久吉さん、ご親切なかた、とその後ろ姿を見送る光乃の目に、床屋へ行ったばかりと思われる青々としたえりあしがとても清潔に映り、何となくもう一度お辞儀をしてから扉の内側に入ると、そこはもうまぶしいほど華やかな赤い絨緞のロビーであった。

歌舞伎に因んだこまごました美しいものを売っている売店、着飾ってゆききするひとびと、色刷りの大きなポスター、このなかで光乃は自分がひどく場違いな場所に迷い込んだように思われ、肩をすくめ、目を落として駈けるように二階へ、そして三階へ上がった。

ここは人影は少なく、空いている椅子に腰をおろしてまわりを見廻すと、さすがに学生や職人ふうの身装が多く、なかには売店で貸し出しているオペラグラスを手にしているひともある。

下を見ると、舞台と一階ははるか谷底のように遠いが、その派手やかさは目を見はるばかり、ずらりかけ連ねた赤い提灯や、金糸銀糸に彩られた緞帳、客席の椅子は色とりどりの衣裳で埋まり、心を沸きたたせる。外側は陽明門、内部はまるで竜宮城だと光乃は思った。

そのうち、光乃が楽屋で聞いたあの錫杖に似た柝の音が二つ、三階までぴーんと響きわたり、思わず身ぶるいしたところで「矢の根」の幕が開いた。

そのとたん、光乃は自分でも気付かず、

「まあーっ」

と深い嘆声を発していたのではなかったろうか。

隣の席からちらと視線を当てられたらしいが、お構いなく、光乃はぐっと体を乗り出し、身じろぎもせず舞台をみつめた。

幅二十四間、奥行き十二間と聞く舞台はいく百のライトを浴びて明るく明るく、天井からは紅白の梅の吊り枝が下がっているその下に、市松の揚げ障子を三方にめぐらした屋台に、どっかとばかり、曾我の五郎が坐っている。二本筋で隈取ったその顔や、車鬢のかつらも珍しいが、光乃が息を呑むばかりに美しいと思ったのは、豪華な衣裳とその色彩であった。

黒地に揚げ羽蝶の縫い紋散らしのどてらを両肌脱いでいるその下着は、目を射すばかりの緋で、これにも金で蝶の縫い取りがある。

金と黒と緋は深い地の底から湧きあがってきたような、冴え返った色と色の対照をなしており、それを見ただけで、光乃はこんな艶麗なものがあったのか、と思わず唾を呑み込んだ。

芝居の筋も判ろうはずはないが、ただ惹き込まれ、舞台に釘付けになっている目に、やがて下手からあらわれたのが松川桃蔵扮する大薩摩文太夫であった。

大薩摩文太夫というのは、三世まで続いた大薩摩節の家元で、歌舞伎の音楽を担当していたものだが、以前は出語りの座から床に下り、曾我の五郎に年頭の祝辞をのべていたといわれ、その由来をもとに、いまも後見の扮装であらわれる慣わしとなっている。いま舞台の下手から、お年玉の末広と宝船の巻物を載せた三方を捧げ持ち、柿色裃に黒の紋付きでしずしずと現れたひとを見て、光乃は思わず腰を浮かした。いく度かせわしなく瞬きをしてみつめなおしても、それは確かに雪雄に違いなく、煌々たるライトに映えてその白い顔は水もしたたる美しさ、端麗この上もないものに見える。三階からは豆粒ほどの大きさだけれど、どれほど遠ざかろうと、空間をかっきりと截るこのひとの目鼻立ちの鮮やかさは損なわれることはないように思われ、光乃は息を呑んでみつめ続けた。

文太夫が年始の礼を述べ、五郎が一献、と誘い、それを辞退して文太夫はもとの口から退場して行ったが、そのうしろ姿もすらりとして、いささかの過不足もない。

このあと五郎は、有名な、

「ヤットコトッチャア、ウントコナ」

の掛け声を、客席の応援を受けて自らにかけながらふんぞり返っての大いびき、そのうち夢に兄十郎祐成があらわれて危難を告げ、飛び起きた五郎は折からやって来た大根売りの馬を借り、大根を鞭に兄を助けに駈け出してゆく、という、筋の展開があり、仕掛けを使ってすうーっと柴垣のうしろに現れる十郎の姿や、二人の役者が入って一匹の馬として演技するところや、興味しんしんの見どころがあったにもかかわらず、光乃の目は、それらをほとんど見てはいなかった。

あれが坊ちゃま？　坊ちゃまがあれ？　といく度も自問自答しており、それはいままで、ただこわいひととして、じっと雪雄を正視した記憶がなかっただけに、まるで初めて見る押し絵の羽子板の絵のように、鮮やかに光乃の胸に灼きついてしまった。

同時に、家に帰れば二階の部屋で手を組んで寝ころび、機嫌のいいときは「巴里の屋根の下」や、「丘を越えて」など口笛で吹いたり、また洗面所で匂いのいい舶来のポマードをつけて鏡をのぞいていたりする現代青年が、一転して裃姿になり、威儀を正して舞台に立つ不思議さに打たれ、すっかり考え込んでしまうのであった。

役者とはああいうものなのか、といまぱっと目の前がひらけた感じがあり、つまり化けたり素顔に戻ったり、お面をつけたり外したり、自分でないものを舞台で人さまにご披露するのが仕事なのだな、と光乃はうなずくのであった。

それにしても坊ちゃまのおきれいなこと、一点の申し分なく、水もしたたるとはこのことか、と思いながら、最後の柝の音とともに黒、柿色、萌葱、の三色の定式幕が引かれたのを機に光乃は立ち上がり、ゆっくりと階段を下りた。

いつか太郎のいっていた、

「役者の芸は、よく磨けばあるところまでは行きつくが、持って生まれた柄ってえのは、どうにもならねえもんだ。坊ちゃんはご面相よし、気色よし、足りねえものはひとつもないよう天から授かっていなさるから、いまに必ず名優といわれるようになる」

という言葉が耳によみがえって来たが、光乃にとって名優になる坊ちゃま、を予見するのはまだあまりに知識が乏しかった。

とりあえずはこれから、さっき楽屋でいわれた、

「今日から頼むよ」

のひとの許へ向かわねばならないが、光乃の胸のうちは舞台の雪雄、渋谷の家での雪雄、さらには子までなしたいいひとのいる雪雄、と三つの姿の雪雄がないまざり、ふくれ上がって来てほとんど息苦しいほどであった。

途中のりかえして赤羽橋で市電を降り、地図をたよりに山中、という表札を捜して歩くと、小商いの店の並んだ横町の奥にその仕舞屋があった。

磨りガラス二枚の玄関の戸を開けて訪うと、奥のほうから、

「はあい、どうぞ」

という声はあっても、主はあらわれず、下駄を脱いで玄関二畳へ上がり、襖を開けると次の部屋にのべてある蒲団に赤ん坊と並んで、名は圭子、と聞いたそのひとが寝てい

る。

そばへ寄って挨拶(あいさつ)すると、圭子は、

「待ってたのよ。あたし動けないもんだから。あんた、この子にお湯使わせられる？　おむつも昨日から洗ってないし、流しもいっぱいよ。若旦那(わかだんな)はたぶん今夜はこっちへ帰ってらっしゃると思うから、御飯の支度もして。全部大急ぎで」

とどっと用事をいいつけた。

光乃は一瞬混乱したが、一息ついてよく見ると、出産後三日目にしては圭子はさしてやつれもなく、うるんだような大きな瞳(ひとみ)をしていて、光乃はやっぱりきれいなひとだと思った。長い髪を女学生のように三つ編みにし、浴衣(ゆかた)の胸から少しずらして蒲団を掛けており、その衿(えり)の合わせ目からのぞいている肌は白く、なめらかで肉付きがよい。

光乃は先ず(まず)襷(たすき)をかけて前垂れを当て、流しに下りて見廻してから、さてどれから手をつけようかと思案した。

渋谷の家からみるとここは雲泥(うんでい)の差、流しも古びていて暗いし、鍋釜(なべかま)も一つっきり、盥(たらい)はあっても、それを出して洗う場所は狭い軒先しか見当たらぬ。蒲団だけは新しいものの、目ぼしい家具調度は何もなく、家のなかはさむざむとしている。

光乃に金銭のことはよく判らないが、十九歳の推量としては、この家の件が渋谷に内緒であれば、太郎の才覚で工面できるのは、しょせんこの程度の暮らしではないかと思

うのであった。

　光乃はもとより乏しい暮らしに馴れているし、一つしかない鍋で菜も茹で、ゴマも炒り、煮物もできるけれど、いったい雪雄は、これで我慢できるかどうか、案じないでもない。

　考えながら、てんやものを取ったらしい丼鉢や、店名の入った盆が積まれてある流しのものをひとつひとつ洗っていると、そのあいまに、

「ちょっとお光つぁん、子供のおむつ取り替えてやって」

　とか、

「押し入れのちり紙、取って」

　とか、ひっきりなしに呼ばれ、手を拭いては座敷へ行き、また流しもとに戻り、ばたばたとまことに忙しい。

　光乃は、生まれたばかりの赤ん坊にさわるのは初めてだが、白い襦袢を着せられた子供はまるで猿のように真っ赤で、義理にも可愛いという顔ではなかった。それでも、小さな拳を懸命に振り、声を挙げて泣くさまは、光乃にとって不思議な光景というべく、じっとのぞき込んでいると、圭子はやおら起き上がり、

「おお、よしよし」

　といいながら抱き上げて、乳房を含ませながら、

「誰も教えないのに、この子ったらお乳呑むことを知ってるのよ。えらいでしょ」

と、うっとりした目つきで我が子を眺めている。

青筋の浮いた乳房は盛り上がり、その乳が赤ん坊の口からとくとくと溢れて滴りおちるのを、これも光乃は珍しく、目を見張ってみつめているのへ、圭子は、

「ねえ、あんた、お針できる？」

と聞いた。

はい、すこし、とうなずくと、

「あたしは縫い物は苦手なの。この子に着替えがないから、大急ぎで何か縫ってやってくれない？」

と頼まれ、裁縫は嫌いではないものの、では布は、ときょろきょろすると、

「いまから晒を買って来るのよ。そのさきの中ノ橋に呉服屋さんがあるから。ついでにお豆腐一丁とけずったおかかの袋入りも買って来て。今夜はやっこ。いい？」

と、こちらがきりきり舞いをするようないいつけばかりで、とまどってしまう。

それでも圭子に少しも暗いかげがなく、意地悪な意図もないのは光乃に伝わり、とりあえずは呉服屋と豆腐屋へと、洗いものの山は一まずそのままにして、光乃は圭子に金をもらい、買い物に出かけた。

そして光乃は、学校時代の浴衣の早縫い競争のときのように、襷をかけ、腕を高くま

くり上げてから晒を裁ち、小さな襦袢と一つ身の着物を、夕方までに大急ぎで縫い上げた。

ときは五月、赤ん坊はタオルにくるんでおいても風邪ひきゃしない、と産婆(さんば)さんがいったから、と圭子はいうが、それでも、光乃が座敷に盥を持ち込み、汗だくになって赤ん坊に湯を使わせたあと、小ざっぱりした白い着物を着せると、赤ん坊はやっとそれらしく見えるようになった。

「お光つぁん来てくれて助かったわ」

と、圭子は素直に喜びはするが、出産前から放ったらかしにしてあった家事を、次から次へといいつけるため、光乃はすっかりくたびれ、やっと一丁の豆腐半分をおかずに夕飯が終わったのは、夜の九時過ぎであった。

「たいへん!! もう若旦那が帰ってらっしゃる頃よ」

と時計を見上げ、圭子は鏡台の前ににじり寄って行って垂れをあげ、身づくろいをしている。

ついそこのちり紙さえも取らないひとが、へえ、と目を丸くしている前で、圭子は髪を梳(と)かし、パフで顔を叩きながら、

「若旦那はね、とてもとてもお喜びなのよ。一旦(いったん)は疫病神(やくびょうがみ)の手で冥途(めいど)に連れ去られようとしたおれが、無事娑婆(しゃば)に戻った上、こんな立派な跡取りが出来るなんて、としみじみ

おっしゃってらした。男の子でよかったわ。この子もゆくゆくは白木屋さんの跡を継ぐようになるかも知れない」

と、生き生きと目を輝かしている。

その姿は、出産という大任を果したあとの安堵と自信にあふれており、話に相槌を打ちながら光乃は、何故かこのひとの幸運を、心から喜んであげる気にならない自分を感じているのであった。

まもなく、表のガラス戸が開いたのを聞きつけて圭子は、

「あ、若旦那よ」

と玄関へ飛んでゆき、大声で、

「お帰りなさあい。待って待って待ちくたびれたわ。子供は元気よ。お疲れでしょ。さあ、上衣脱いで」

とたてつづけにしゃべり、雪雄に腕をからませながら二人もつれるように座敷に入ってきて、

「お光つぁん、若旦那にお茶」

と命じ、いそいそと着替えを手伝うのであった。

雪雄は、一瞬光乃が呆気に取られたほど和んだ表情をしており、

「お、あんた野崎村だったね。ご苦労さん」

と、びっくりするほどやさしく声をかけてくれた。

渋谷の家では、ついぞ白い歯をこぼしたことのない雪雄が、多弁でこそないものの、圭子の言葉にうなずきつつ微笑んでいる様子は、光乃にとって思いがけない光景であった。

まして、ついさっき、裃紋付きに威儀を正し、観客の視線を全身に浴びながら舞台を勤めたひとが、いまは唐桟の常着に着替え、赤ん坊をのぞき込み、

「おい、猿面冠者、おれが判るか」

などとあやしているのを見ると、まるで狐につままれているような感じになる。

しかし素顔ではあっても、舞台顔のあのまばゆさはありありと刻まれており、光乃はまるで初めて会ったひとのように、わきからじっと横顔を盗み見していると、雪雄は振り向いて、

「おれの上着の内かくしから、角封筒を持って来てくれ。この子の命名式だ」

と光乃に頼んだ。

そのなかの名を書いた半紙を、雪雄は赤ん坊の枕もとにひろげ、

「丈一。どうだ、いい名前だろう。丈夫な男の子で、いちばん子だからずばり、とそうつけたんだ。きっといい子になるぜ」

と、大威張りで披露するのを聞いて、まあ太郎しゅうさんの受け売り、と光乃はうつ

むいてくすっと笑った。

圭子は手を叩いて喜び、

「やっぱり若旦那は知恵がおありねえ。こんないい名前つけて頂いて、この子もしあわせよ」

と礼をいい、まるで熱に浮かされてでもいるように、子についてしゃべり続け、雪雄はそれに相槌を打ってやっている。

世間並みの夫婦ではなくても、子供を生した男女とはこれほど興奮するものか、と光乃は二人を驚きの目でみつめているばかり、しかも雪雄は、

「ちょいと腹が空ってる。何かないか」

といい、圭子はあわてて、

「こんな夜更けじゃ、もうそば屋も閉めちゃってるし、お光つぁん、何かない？」

とそのまま口移しに光乃に助けを求め、

「冷やごはんなら少し残ってますけど」

というと、雪雄のほうから、

「茶漬けでいいよ。おこうこでもあればたくさんだ」

と答えたのには、これまた驚いてしまった。

露天市で、一束いくらで売っている茶碗に冷たいごはんを盛り、たくあんのしっぽは

せめてかたち良く、と刻んで出したものを、雪雄はごはんにふりかけ、上から番茶をそそいでかき込む姿を、呆気にとられて見ている光乃に、圭子は、

「若旦那はこんなざっくばらんなのがお好きなのよ。渋谷のおうちは堅苦しいでしょ」

とわきから説明する。

その夜、雪雄は泊まり、光乃は玄関の二畳に蒲団もないまま、雪雄の冬のどてらを借りてくるまり、身を横たえたが、何と今日一日の出来事の多かったことよ、と思った。

歌舞伎座、楽屋、柝の音、矢の根、大薩摩文太夫、とこれだけでも光乃にとっては胸もふるえる体験なのに、その上、圭子、赤ん坊、この家の世帯のありよう、素顔の雪雄、ときては体中、弾けそうなくらい驚きが詰まっている。

しかし、渋谷の菊間家で、きっと仕事を早く、しっかりと覚えよう、とひそかに誓ったように、今日の出来事も、決して忘れまい、と光乃は思った。何故に？　と聞かれれば、とっさに答えはでないが、「強いていえば」、と考えていて、「やっぱり坊ちゃまのこと、もっともっと知りたいから」というのが、自分の偽りのない気持ちではないかと思えてくる。

さらに分け入って、では何故、雪雄のことを知りたいかといえば、そこで言葉は途切れ、そのかわり、胸のうちにふわりとあたたかいものが充ちてくるのであった。

翌日から光乃は、圭子の思いつき放題の命令に、一日中こまねずみのように働かされ

ることになるが、それは大して苦にならなかった。

太郎はときどき現れ、遠慮なく光乃にものをいいつける圭子を見て、

「お圭さんや、お光つぁんはあんたの産後の肥立ちがよくなれば、山王下へ引き上げてもらわなくちゃなんねえからね。ちびるまで使ってもらっちゃ困るよ」

と嫌味のひとつもいうが、それは圭子には通じないらしかった。

空模様の変わりやすいお天気びとは、叔母によって馴れてはいるが、圭子はそれがいっそう顕著で、晴れの日はとめどなくしゃべりまくり、勢いに乗って、サロン・ミキ時代の髪飾りや帯留めなどを気前よく光乃にくれるけれど、雨降りの日は、何に腹を立てているのか当たり散らし、

「昨日の櫛、返してよ」

などと、詰め寄ってくる。

今日は曇りくらいかな、と思える日は、鏡台の前に坐っていつまでも顔をいじっており、ときどき振り返っては、

「女に生まれるからには、器量よしでなくてはだめよ」

というのは、あたしへの当てこすりなのかな、と光乃は判るけれど、黙っている。

光乃の見るところ、色白のなめらかな肌や、まつ毛の長い大きな瞳や、相手の気を迎える世辞の言葉など、男の側からいえば魅力溢れる女性ではあろうけれど、家のうちの

ことはどれも苦手らしく、座敷の片づけでさえ、きちんとは出来ないひとであった。

光乃が圭子を冷静なまなざしでずっとみつめているのは、心の片隅に「あのひともとは女中」というかすかな思いがひそんでいたためではなかったろうか。

明らかに意識せずとも、自分と同じく菊間家に雇われ、掃いたり拭いたり、洗ったり煮たりの仕事をしていたひとが、主の子を産み、曲がりなりにも一軒、家を持たせてもらっているのを、出世、とみるか、或いは蔑みのまなざしでみるか、それはまだ光乃には判らないが、少なくとも渋谷の家ではまともに顔も仰げなかった主と、恋人同士になれることの可能性を、いま目の前に、自分の目で確かめていることの実感はある。

圭子はしきりにのろけ、

「若旦那はね、あのとおりの内気なお方でしょ。ご自分からあれこれいい出すのはお嫌なのね。あたしはそこんとこ、パッと察してお気に召すよう、先廻りしていつも賑やかにしてさしあげるものだから、お主の顔を見るのが一の憂さ晴らしだって、若旦那はそうおっしゃるのよ」

とまではうなずいて聞いていられるが、

「若旦那はね、あのとおり天下の美男でしょ。だからお相手の女性も、おかめひょっとこはお嫌いなんだって。やっぱり女は器量よしでなくちゃいけないって、私がいつもお化粧してきちんとしているのがお好みなの」

とは、へえ、と光乃は思い、さらには、

「お光つぁん、あんたのように、白粉っ気のひとつもなし、髪だっていつも馬の糞みたいに束ねてるだけじゃ色気もなにもありゃしない。せめて口でなりと愛想がいえるならかわいいけど、一日中ぶすっとしてる。

これじゃあ、売れ残ることまちがいなしよ」

とは、有頂天の果て、後輩への忠告のつもりだったかも知れないが、その言葉は光乃の胸深くぐさり、と突き刺した感じがあった。

同じ言葉は、渋谷の家の朋輩からもときどき聞かされており、もう馴れっこになっているはずなのに、高らかに勝利を誇っている圭子からこれほど真っ正面にいわれれば、したたかに顔面を打擲された思いがする。

このひとにどんなにいわれようと、生まれついた身は生まれついた身、あたしは女中でたくさんだ、と光乃はうつむいて唇を嚙みしめながらそう思った。

圭子はいいっ放しでべつに悪気はないらしいが、しかし本来をいえば、自分は菊間家に雇われたもの、このひとを主と仰ぐ筋合いはない、という気もないではなく、それに、いずれこの家から去る身なら、べつに深い関わりを求めなくても事足りるのであった。

そして半月ののち、太郎の指示にしたがって光乃はお由の受け持っていた山王下の家へと移ることになった。

山王下の家へは、最近、鎌倉の昭彦が上京してきて寄食しており、そのために雪雄もたびたび戻っている様子で、太郎のいうのには、

「坊ちゃんは、野崎村はお圭のもとに置いとくようにってんだが、これ以上、お前さんを長く置くと渋谷の旦那にも知られっちまうしね」

との思惑で、それに雪雄と昭彦の男世帯も放ってはおけないらしかった。

圭子はひどくさびしがり、

「たびたび遊びに来てよね。話し相手がいないのはあたし、死ぬほど嫌なんだから」

と大げさに訴えたが、光乃が指を繰ってみると、ここにいた十五日のあいだ、雪雄があらわれたのは三回だけ、してみるとこれからさき、圭子は急にさびしくなるに違いなかった。

「なにいってるんだ。丈くんがいるじゃないか。風邪なんぞひかせないよう、しっかり見てやるんだよ」

と太郎はいいきかせ、光乃と連れ立って一旦歌舞伎座にゆき、楽屋で用を足しているあいだ、光乃には「蔚山城の清正」で雪雄の八木八右衛門を見せてくれた。

観たあとはまたもや熱い溜め息ばかり、光乃は山王下へ向かう市電に揺られつつ、感極まるおもいで、

「太郎しゅうさん、芝居ってまるでこの世の極楽みたいですねえ」

と舌足らずの言葉ながら話しかけると、

「おうさ、お光つぁん」

と太郎は待ってました、とばかりに、

「お前さんにもそれが判るかい？　お客さんに目の極楽、耳の極楽、心の極楽を味わって頂くためには、役者は地獄の苦しみを嘗めて稽古に励まなくちゃならねえ。表は極楽、裏は地獄だ。そのはざまに立ってるおいらたちあ、毎日気を揉むばかりだが、気を揉んであげなくちゃあ、役者の皆さんも立つ瀬がねえってもんだ。

おいらも坊ちゃんについて気を揉み続け、とうとう二十四年もたっちまった。因果といやあ因果なもんだねえ」

と半ば独り言のように呟いた。

その上にもうひとつ、光乃が感じ入るのは、昔々の衣裳をつけているのに、役者のひとたちがその扱いのいかにも馴れていること、裃、長袴、大小の太刀はいうに及ばず、遠く王朝時代の礼装から直衣装束まで、まるでその時代に生きているひとが、常着でいるようにいかにもぴったりしていると思う。

それについて、太郎は、

「袴叩いて坐るとか、袴をしごいて改まるとか、袖をさばいておじぎするとか、皆あれは先輩から受けついだ作法なんだ。つうことはいつもひとの芝居を見てなきゃなんねえし、なおその上、本読んでさらに自分も勉強しなきゃなんねえ。役者ってえのはぼんやりしてちゃできない仕事なのさ」

とまるで自分の自慢のようにいい、光乃はその言葉を納得してうなずくのであった。

たしかに芝居は人を桃源郷に遊ばせるしびれ薬、一度迷い込んだら容易なことでは抜け出せないというのは、光乃のように垣間(かいま)みただけの者でさえうなずける。自分もこのさき、役者の家に関わって、ひょっとするといく十年も離れられなくなるのでは、とふっと光乃はそんな気がしたが、それは確たるものではなかった。

山王下の家は、かねて聞いていたとおり、崖下(がけした)の湿気の多い場所にあり、階下が一間(ひとま)、二階が二間の広さがある。折よく昭彦は在宅していて、光乃ははじめて、ここで引き合わされた。

いかにも誠実そうで、そして菊間家に出入りするひとたちとは全く違う雰囲気のひとで、光乃には比較的ものいいやすいひとであった。

昭和九年の五月末から、山王下の家で二階の二人の男たちの賄(まかな)いと家事を光乃は受け持ったが、それは長くは続かなかった。

というのは、雪雄は六月いっぱい大阪の歌舞伎座に出るため、そちらで旅館住まいになり、昭彦も鎌倉の自宅へたびたび帰るので、光乃はその間、渋谷に戻っている日のほうが多かった。

七、八、九月は雪雄の舞台はなかったけれど、毎日の踊りの稽古や、人の芝居もしっかり見ておかねばならず、そして十月は、この三月に初役だった「勧進帳」の四天王の一人、駿河次郎を、もう一度やることになり、太郎のはからいで光乃は宗四郎の弁慶とともに父子共演の舞台を初めて見せてもらった。

叔母が夢でうなされる、といっていたとおり、まことに堂々たる弁慶で、とくに後半、はやる四天王を満力こめて杖で押しなだめる光景は、

「あ、旦那の顔から汗が飛び散っている」

と叫びたいほどの力わざ、光乃は思わず手を合わせたく思ったほどであった。

太郎は毎日のように雪雄をしっかり見ており、

「今日は坊ちゃんの兜巾の位置がちょいとばかし下過ぎるよ」

とか、四天王揃っての「かしこまって候」や「心得申して候」の科白は、

「坊ちゃんの声が一きわ大きいね」

とか評し、そして必ず、

「こんなに花のある役者が、何故もっと人気が出ないんだろ。客も目がないねえ」

という嘆きをつけ加えるのを忘れなかった。

十二月は、すでに三年前、松川珠五郎と名を改めていた新二郎が、京都南座でこの駿

河次郎を演じることになり、雪雄も同じ南座で「白浪五人男」の宗之助と、「助六」の福山に出るため、久しぶりで親子三人が京都に集まることになり、太郎も同行するはずで、あわただしく旅の荷をしながら、

「出発までにおいら、山のような仕事を片付けなきゃならねえ。これだけはお光つぁんに助けてもらうわけにもいかねえし」

と呟くのを聞いて、光乃は、

「何でしょう？　私にできることでしたら」

と問うと、

「またしても穴掘りだがね」

と前置きして、

「お圭のことなんだが」

太郎の述懐は山王下の家でのこと、荷造りの手を休め、家中他に耳のないのに安堵して、

「お圭って子はあのとおりの賑やか好きだろ。ところが坊ちゃんも上方へ出たり、巡業があったりで、そう年中、赤羽橋へ行ってやるわけにもいかねえ。おいらだって、そんなにたびたび、お圭の顔を見に行けもしないしなあ。

ところが、ものの一週間も放っておくと鬱ぎ込んじまってよ、これで大丈夫かな、と

思うような様子になっちまう」

「と？」

と、光乃は目を上げて不審顔をすると、

「いやさ、おいらの思い過ごしかも知らねえが、ひょっとして首でも縊りゃしないかと」

「あのお圭さんに限って」

と光乃は思わずそう口走り、これは出過ぎた言葉だとかるく頭を下げた。

「おいらも実のところ、女のことはよく判らねえ。思うひとに添うことが出来、子供まで生まれてるなら、これ以上望むのはあんまし欲が深いってもんじゃねえのかねえ。本人は、若旦那に捨てられたんじゃねえかと、夜もおちおち眠られねえってんだ」

と聞いて、光乃はほうーっと息を吐いた。

狭い小さな家であれ、豊かとはいえない暮らしであれ、雪雄の、他では見られないくつろいだ笑顔をひとり占めしているあのひとが、何故に、といよいよ以て光乃には判らなくなってくる。太郎は続けて、

「若旦那も困っちまって、何かこう、お圭の気晴らしになる法はないものかねえっておっしゃるし、そこでおいら、無い知恵絞って考えたのが、あの子に小商いの店を出させるってこと。あの子は客商売に向いてるし、人にちやほやされるのが好きな性分だ。

かたがた、自分の暮らしのかかりくらいは自分の手で稼ぎ出してもらえば、おいらだってやりくりがずい分らくになる。

そこでお圭に相談するってえと、これが思いどおり、二つ返事だった。あたしは家の中でじっとしてるよりも、働きたかったの、とかいって、病気なんかたちまちふっとんじまった。ただし、若旦那がいままでどおり通うのが条件なんだがね」

「それで、お店はもう見つかったんですか」

とたずねると、

「当たりはつけてある。店一軒、居抜きで買うとなると、旦那に内緒ってわけにはいくめえ、と林さんはいってるんだが。

そこんとこ、全部話をつけて、八方うまく納まってもらってからでないと、おいら京都へ発(た)てねえから、もうもうてんてこ舞いだ。

こういうときは景気をつけよう。お光つぁん、テッカンビールでも持って来てくんな」

「テッカンビール?」

光乃が聞きかえすと、太郎はたまっていたものを穴の中にすっかり吐き出したためか、せいせいした顔で、

「ハッハッハッ。鉄の管を通ってくる水のこと。水道の水でいいんだ。まさか昼間から

ほんまものビールなど呑んでちゃ、旦那からこれだ」

と首に手を当て、

「旦那は、ご自分も身に覚えのあることだから、きっと笑って金は出して下さると思うよ。ただ、こういう話は切り出すきっかけが大切だ。ころあいを見計らい、すらりと腰元ふうに『申し上げます』でいこうか、それともいかつく『暫』ふうに、『ホホ、敬って曰す』にするか。いやいやここは、勘平の腹切りで情に訴えなくちゃなんねえ。『しばらくしばらく御両所、しばらくお待ち下され。亡君尊霊の御恥辱とあらば、一通り申し開きつかまつらん。お下に御座ってお聞き下され』」

といい気分になっている太郎のかたわらで、光乃は何故か心が沈んでならなかった。

愛するひとの子供を産み、一軒宛てがってもらっての暮らしでも、少しでも相手の足が遠のけばやっぱり不安に駆られるものなのだろうか。相手を信じてじっとあの家で子供を育てながら待つことはできないのだろうか、と考えていると、その果ては圭子さん少しわがままずぎやしないかしら、というところに至り、あわててその思いを拭き消してしまう。

私はただの女中、太郎しゅうさんが穴の代わりに私に向かってしゃべり、それがいっぱいに詰まってくれれば、さっさと全部忘れてしまえばいいのだ、と、自分にしっかりいい聞かせるが、しかし実際には、明かされた事実は光乃の胸に根をおろし、記憶から容易に消え去りそうもない。

光乃はそのあと渋谷に戻ったが、年明けの春には六代目の肝煎りで優が由緒ある二世田上華松を襲名することが決まっており、初代華松は三代目梅五郎の養父であったという関係から名を恥ずかしめぬよう毎日稽古場につめているため、人の出入りも多く、主の留守とはいえ、やはり師走は気ぜわしかった。優はかねて徴兵検査で、五尺五寸、十七貫、視力一・二という堂々たる体格を買われて甲種合格とされており、この年はじめに赤坂三連隊に入隊し、八カ月ののち除隊となって帰って来たばかりであった。

京都南座の顔見世興行は例年師走二十六日で終わると、今年は宗四郎が城崎温泉で湯治をして帰るため、まっさきに新二郎、続いて雪雄とぱらぱら帰京した。最後に戻りついた宗四郎は、茶の間で気に入りのパイプの掃除をしながら、番頭の林に、

「来年は雪雄も二十七になる。そろそろ身を固めさせてもいいころだな」

と話しているのを、光乃は洩れ聞いた。

坊ちゃまの結婚、と聞いたとき、光乃は息の詰まるような感じがあり、つと流しもとに立ってゆき、洗いものに手を出したが、頭のなかはそのことでいっぱいであった。

太郎はあれから二度ほど渋谷に戻り、顔も合わしてはいるが、圭子の店のことを聞きたくてもまわりには人も居り、ましてやこちらは鬱憤晴らしの穴とされているなら、自分からそういう話題は口にできなかった。

大晦日（おおみそか）から元日にかけては例年のように兄弟三人家に集まり、宗四郎を中心に、正月芝居や優の襲名の話題に花が咲いたが、そっと聞き耳をたてている光乃の耳には、雪雄の結婚のけの字も聞こえてこなければ、圭子の名も、誰の口からも出なかった。

雪雄は二日から、歌舞伎（かぶき）座の「二条城の清正」に出ているはずだけれど、以来渋谷へは帰らず、光乃にも山王下へ行くような命令もないまま日が過ぎ、芝居の中日を越したころ、光乃が頼まれて郵便局へ使いに出ようとすると、よそゆき着に着替えたお兼と勝手口で一しょになり、そのまま二人連れ立ってゆるい坂を下りて行った。

「ちょいと故郷（くに）のお父っさんが病気なもんでね。二、三日お暇をもらって帰るところ」

とお兼はいい、

「もしかすると、あたしはこのまんま菊間をやめることになるかも知れない。お父っさんが亡（な）くなったらおっ母さんひとりになるしね。それにおつぎのやつ、きつくて、もう毎日あいつの顔見るのもうんざりよ」

と光乃には用心をせず胸をひらき、

「ねえよかったら、そこのお汁粉屋で休んで行かない？　ちょっと小耳に挟んだ話もあるしするから」

と誘った。

使いの途中で油売るのは固く戒められているが、小耳に挟んだという話が聞きたくて光乃はお兼のあとについてのれんをくぐった。

お兼はひとしきりまたおつぎのわる口を述べ立ててから、

「ここんとこ、雪雄坊ちゃんは旦那のおおぼえめでたくないのよね。お光つぁん、あんた山王下へ行ってたから、知ってるでしょ。何かあったんじゃない?」

と、身をのり出した。

なあんだ、こちらの話を聞き出すためだったの、と光乃はがっかりしたが、もとより素知らぬ顔で、

「私は知りません。何かあったんですか」

と聞くと、お兼は人さしゆびを振って、

「じゃやっぱり結婚の話だわ。おかみさんがこぼしてた」

と、加代の話を口うつしに、

「役者の女房ほど気骨の折れるものはない。人の倍も三倍も気働きしてふつうなんだから」

加代付きのお兼は、愚痴の相手をもつとめていると見えて、

「雪雄坊ちゃんのお嫁さんさがしは、いやあほんとにむずかしいって、おかみさん思案投げ首なのよね。旦那は、雪雄はいつまでふらふらしてるんだ、もうそろそろちゃんとした世帯持たなきゃさきゆきろくな芝居もできやしない、と心配なさるし、そこでおか

みさんもあっちこっちの知り合いに口をかけて頼んでみるんだけど、来る話、来る話、みんな『一議に及ばず』で、雪雄坊ちゃん写真をのぞきもせず、その場で断ってしまうって。

いったいどういう了簡(りょうけん)なのかねえって、生(な)さぬ仲だけにおかみさん気を揉(も)むってわけ」

「新二郎さん、優さんはまだなんですか」

と光乃が二人に鉾先(ほこさき)を向けると、

「このお二人はちっとも心配要らないようだわね。だって新二郎さんは、預けられてる幸右衛門さんのお嬢さんともう決まってるようなものだし、優さんはよく遊んでる様子だから、そのうち自分でみつけてくるでしょうよ。やっぱり跡取り息子は旦那も気がかりだと見えて、ご自分でお嫁さん捜しをなさりたいんじゃない？　それに、雪雄坊ちゃんというひとは、小さいときからまわりをハラハラさせるようなところがあるでしょ。だから太郎しゅうさんだって、はたから見れば何もそこまでしなくても、と思えるくらい世話を焼くのね。

考えてみれば雪雄坊ちゃんのお嫁さんになるひとはたいへんよ。どこのどなたが納まるか、見ものだけれどねえ。あたしはそこまで見届けられないかも知れない」

と、よく動くお兼の唇をぼんやりとみつめながら、光乃の脳裏には圭子の姿がある。

子供まである仲なら、雪雄もひょっとして圭子と正式に結婚するのかも知れない、と思うと、何故か目の前が灰いろに曇ってくるような気がする。

お兼は汁粉をふうふう吹いて口へ運びながら、すっかりわけ知り顔に、

「あたしの考えるのにはね。雪雄坊ちゃんには花柳界のひとが似つかわしいと思うなあ。役者の奥さんは、ご贔屓やらお付き合いやら、おおぜいのお客さんに会わなくちゃならないから、先ず美人でなくちゃいけない。これ、芸妓さん舞妓さんならぴったりでしょう。

次にはその人たちをうまくあしらえるような、気転の利く、気働きのあるひとね。これも客商売のひとなら合格よね。三番目はね、おかみさんがいつもいうんだけど、嫉妬おこすひとは資格無しだって。

亭主どのが色恋沙汰をおこせば、見て見ぬふりをしてあげるか、もっと賢い女房は、遊ぶお金を工面してそっと袂に入れておいてあげるか、さらには、子供でもできたら引き取って育ててあげるくらいの覚悟のあるひとなら上等だって」

お兼の話は光乃にとって驚くことばかり、

「じゃ役者さんのおかみさんは、ふつうのひとにはなれないんですね」

「そうとは限らないねえ。これぱかりは縁のものだからね。器量よしに生まれついて、人あしらいが巧くても、旦那と互いに惚れ合わなきゃ、夫婦でやってゆけなかろうじゃ

ないか」

　というお兼を、光乃はひょっとしてこのひとは、一度は誰かと世帯を持ったこともあったんじゃないかと思った。

　お兼に聞かされたこの言葉は妙に光乃の頭に残り、それを圭子にあてはめてときどき思い起こしているうち、正月が終わり、節分には例年の如く、門に青々とした柊を飾り、豆撒きのあと床の間に宗四郎が坐って、

「今年は誰がやるかな」

　と見廻せば、弟子の一人が「へい、わたくしめが」と進み出て、扇子を口にあて、

「月も朧に白魚の、篝も霞む春の空、冷てえ風もほろよいに、心持ちよくうかうかと、浮かれ烏のただ一羽、ねぐらへ帰る川端で、棹のしずくか濡れ手で粟、思いがけなく手に入る百両」

　とお嬢吉三の科白をここまで述べると、末席の誰かが舞台と同じように「お厄払いましょう、厄落とし厄落とし」と呼ばわり、声いろはそのあと続けて、

「ほんに今夜は節分か、西の海より川の中、落ちた夜鷹は厄落とし、豆沢山に一文の、銭と違って金包み、こいつあ春から縁起がいいわえ」

　でしゃんしゃんと手締めして、酒になる。

　この家にいつからこんな風習ができたのか誰も知らないが、たぶん昔、養父の東翁を

なぐさめるため、役者となった宗四郎が、科白の稽古をかねて始めたものではなかったろうか。

いままでは家中、「こいつあ春から」を聞かなければ年が廻らないといい、そのあと全員、自分の年だけ豆の粒をおひねりに作り、近くの四つ辻へ捨てに行くのであった。

今年の節分は、新二郎が帰っただけで雪雄と優は欠けていたが、太郎は久しぶりに顔を見せており、その姿を見たとたん、あ、お圭さんの消息を聞きたいな、と心が逸ったが、すぐに自分を抑えた。

翌朝、太郎は台所へ入って来て、

「今日はちょいとお光つぁんを借りるよ。旦那の用でたぶん一日仕事になるね」

と告げ、お種はお兼が暇取ってから手不足になっているのを嘆くと、

「台所はお前さんの才覚でまたひとを入れるなり何なりしてやってよ。いずれ雪雄坊ちゃんも嫁をもらえば、一人は貼りつけで山王下にいなきゃならないんだから」

と話したが、それを聞くとやっぱり雪雄の結婚も近いのだろうか、と光乃は思わざるを得なかった。

太郎は光乃を玄関わきの人のいない場所に手招きし、

「前に話したろう。お圭の店は省線を品川で京浜線に乗り換え、鶴見つう駅で下りれば、目の前に白木屋と染め抜いたのれんが出てる。もっとも昼間はのれんを出してねえかも

知れねえが、あのあたりに小料理屋は一軒しかないはずだ。お前さんお主に会って、これ先月の分ですって渡してやってはくれめいか」

と封筒に入った金包みを光乃の袂に入れた。

「お店がみつかったんですね」

「ああ、少々遠いかもしんないが、なあに有楽町からは電車一本だ。歌舞伎座でも帝劇でも、通うにゃ却って便利さね。じゃ、頼むよ」

と太郎と別れ、光乃は帯を結びなおして羽織を着、ショールをかけて家を出た。

産後の手伝いがすんで圭子と別れるとき、もうこのひととは会うことはありませんように、と心の隅でひそかに祈ったのに、やっぱりまた会う羽目になってしまった、という嘆きがあり、しかし一方では、その後の圭子に無関心ではいられず、いまの暮しをのぞいてみたいという小さな好奇心もある。

鶴見駅で下りると、太郎の記憶ちがいか、赤提灯や縄のれんの店はずらりと並んでおり、そのなかでそれとおぼしい小粋な構えの一軒はすぐ見つかった。灯が入ると外に出すらしい紺のれんが磨りガラスの向こうにしまってあるのが往来から見え、光乃は近づいてそのガラス戸に手をかけると、錠はかかっておらず、片付けてある店の内部を、一目で見渡すことができた。木の丸椅子を逆さにして上げてあるテーブルは二つ、それにカウンターだけの小さな店だけれど、手を入れたとみえて壁も天井も新しく、これなら白木屋ののれんを出しても恥ずかしくはないように思える。

訪うとすぐに応えはなく、さらに声を張り上げて呼ぶと、カウンターのわきの階段から下りてくる白い素足から先ず見え、次第に全身が現れて、人さし指を唇に当てた圭子が、

「静かにして。いま丈くんが眠ってるところだから」

と、小さな声でそういった。

八カ月ぶりで会う圭子は、また一皮むけたようにみずみずしくなっており、頭も前のような束髪でなく、銀杏返しに結ってすっかり小料理屋のおかみさんらしくなっている。

テーブルの丸椅子をおろして光乃にすすめながら、

「お光つぁん久しぶりねえ。ちっとも変わらないじゃない？」

といい、

「コーヒー飲む？」

と聞いて、

「これがただひとつ、私の出来ることなの。だって若旦那はとってもコーヒーがお好きだから、これだけは自分でネルの袋も縫っていれてあげるの」

といいながら、豆を挽き、薬缶に湯を沸かして、香りのよいコーヒーをたててくれた。

「どう？　いいお店でしょ？」

と、自分も改めて見廻しながら、料理は板前、掃除も人まかせ、子供は夕方から子守りを雇い、圭子自身は客の相手をするだけ、と説明し、

「でもずい分と気晴らしになるのよ。ここが白木屋の桃蔵の店か、なんてご存知のお客さまもずい分いらして、おかげさまで繁昌だから。私には商売が向いてるって、若旦那もそうおっしゃるの」

「こちらへはたびたびお帰りになりますか？」

と光乃がついたずねると、圭子は胸を張るようにして、

「ええ、もちろん。赤羽橋のときよりももっとたびたびね。昭彦さんもふらりと寄って下さるときもあるし、もしかすると、お父さまもお見えになるかも知れない」

と聞いてお父さま？　と問い返すと、

「竹元宗四郎さんじゃないの。あんたも相変わらず勘が鈍いわね。宗四郎さんがここへおいでになるのは、嫁としてあたしのこと、下検分のためじゃないの」

「そうしますと、坊ちゃまと結婚なさるのでしょうか」

さし出がましいとは思いつつ、光乃は聞かないではいられないのへ、圭子のほうはむしろ待っていた質問、とばかり椅子から立ち上がり、テーブルのあいだを歩きまわりな

がら、

「結婚ならとうにしてますよ、あたしたち。結婚したからこそ、丈一が生まれたんじゃないの。お父さまの検分は、あたしのこと、世間にご披露して下さるためのものなのよ。若旦那はね、首を洗って待ってな、とおっしゃるけど、私はわりと平気なの。だって私はどんな男だって、機嫌取るのうまいんだもの。きっとお父さまだって、あたしに会えばいい嫁でよかった、とおっしゃるに決まってるわ」

「お圭さんは、旦那様にお会いになったことがおありでしょうか」

光乃は自分が次第に逆上してくるのを意識しながらそう聞くと、

「いいえ」

と、圭子はうそぶき、

「私が新聞を見て菊間家に行ったとき、面接は大番頭の林さんだけだったわ」

そしてきっと振り返り、

「あんた。あたしが女中だったこと、金輪際、誰にもいわないと誓いなさい」

圭子は急に険しい顔になって光乃をみつめ、

「あたしが女中だったってこと知っているのは、若旦那以外には林さんと太郎しゅう、それに昭彦さんとあなたの四人だけよ。男たちはみんな黙っていてくれるけど、心配なのは女のあんたね。

いい？　約束する？　口が裂けてもこのこと誰にもいわないって」

と詰め寄ってくる圭子の見幕に、光乃はじわじわとおそろしさが背筋を這い上がってくるのを覚えた。

光乃のおびえた様子を見て、承諾と受け取ったのか圭子は表情を和らげ、

「弟さんたちがね、『兄貴さっさと結婚しろよ、あとがつっかえてるじゃねえか』というんだって。あいつたちに催促されるのも業腹なもんだ、って若旦那いってらしたわよ」

といい、光乃に聞いて三人兄弟の年を数えてみると、上から二十七、二十六、二十三、という順になり、

「こういうのをケッコンテキレイキというのよ」

と、話は新二郎と優のほうへ外れていって、どうやら腹は治まったらしかった。

光乃は圭子にうどんをおごってもらい、まもなく店を辞したが、八カ月前に較べ、圭子が自信にあふれ、態度もいちだんと高く大きくなったのを感じ、帰りの電車のなかでは考えることが多かった。

このところ人の口の端に上る雪雄の結婚相手はやっぱり圭子なのだろうか、という半信半疑の気持ち、もしそうだとすると、自分は圭子を主と仰ぐことになってしまう複雑な思い、そして女中という前身を、あれほど隠そうとする圭子の見栄も、光乃には納得

し難かった。

家に戻りつき、隙を見計らって太郎に無事金を渡したことの報告をすると、太郎もあたりを見まわしながら声をひそめて、

「ご苦労さん。こういう使いは野崎村がいちばんだ。おいらが行くと注文が多くていけねえ。お圭のやつ、だんだん図太くなってきやがって、いまに何をいい出すか判らねえ。お光つぁん、これから毎月、頼むよ」

と早口で労をねぎらってくれた。

その夜、光乃は冷たい蒲団に体をちぢめて横たわり、しみじみと雪雄に会いたいと思った。会っても、親しく口をきくことなど思いもよらないが、せめて遠くからでもよい、あの彫り上げたような端正な顔を、飽きるほどみつめていたいと思った。

しかしいくらそう願ってもしょせんは目立たぬ女中の身、万々一、主の旦那から暇が出たなら、とたんに雪雄は手の届かないひとになってしまうと思うと、とたんに胸がしめつけられるように悲しくなってくる。

黒髪

二月も後半になると、人の出入りが急に忙しくなり、それというのも優の襲名興行の、三月の歌舞伎座の日程が近づいてくるためで、まず興行の初日直前に、優が修行させてもらった六代目こと田上梅五郎邸で、襲名の儀式と内輪の祝いが催されることになった。

新二郎はすでに四年前、五世松川珠五郎を襲名しており、父の宗四郎からは、

「出世魚のぶりは、わかし、いなだ、わらさ、ぶり、とこれだけ名を変えて成長して行くんだ。新二郎も珠五郎で満足せず、ぶりになるまで励むべし」

との教訓をもらったが、途中の名を飛び越していっきにぶりに到達した優の場合は、内々踊りの菊間を継がせるという祖父東翁の腹づもりもあったためらしかった。

その夜、雪雄の下働きとして三田の梅五郎邸へ行った太郎は、一杯機嫌で戻り、台所で茶漬けをかきこみながら、女中相手に、

「いやあ、豪勢なものだったねえ。当世名優の皆さま方が、お二階広間に黒紋付きでこうずーっとお並び遊ばしたところ、素顔でこそあれ、ありゃあ江戸錦絵だった。まず六

代目が朱塗りの大盃を優坊ちゃんに差し、それを一同まわし飲みしてから、三方の上の奉書をひらいて、

『二代目田上華松を許す』

　と読みあげ、つづいて、

『俳名華扇を許す』

とご披露、それから黒塗りの広蓋にたたんで載せた『四つ輪に抱き柏』の五つの紋を染め抜いた羽二重の一揃いを贈ったねえ。

　お前さんたち覚えてな。これから優さんの紋どころは四つ輪に抱き柏だからね。もううちの四つ花菱じゃあねえよ」

　と太郎は得意満面、そしてつぎには、

「これはお前さんがたに話してもしょうがあるめいが」

　と前置きし、

「役者の旦那方もご立派なら、ご同席の奥方たちもそれはそれは美々しかったよ。皆さん白えり紋付きの留袖でね。先代の梅五郎夫人はもう八十歳くらいかねえ。それでも凜として威儀を正し、辺りにきっと目を配る様子は立派なものだった。駈け出しの役者なんて、あの未亡人の前に出れば頭は上がらないと思うよ」

　と褒めそやせば、

「うちのおかみさんは？」

とお種が聞き、

「今日のおかみさんは息子が祝いを受けるんだからたとえ義理の仲であれ、床前だ。見劣りはぜんぜんしなかったさ」

という報告に、

「ああよかった。お兼さんいなくなったから、あたしがお支度手伝ったんだ」

と加代の丸帯を結んだおつぎがほっと胸を撫でおろす。

優の襲名記念の演し物は「先代萩」で荒獅子男之助を演じることになり、優なら女中たちも気やすくせがんで、交替で一幕ずつ見物させてもらうことになった。

観て帰ったお種やおつぎは、

「ご祝儀に六代目さんが鼠になっておいでなんだね。優さんは六代目さんの鼠の首筋に足をかけてせり上がってくるんだけど、あれじゃ優さんもやりにくいだろうなあ。足もすくむんじゃないかしら」

などと話し合っている。

光乃は二人の持って帰ったビラを見て、一幕なら自分はやっぱり、雪雄を見たいと思った。幸い新二郎も同じ歌舞伎座に出ており、お由は新二郎の出る「尾上鐘春曙」を見たいといい張ったため、光乃も雪雄が四天王のひとり坂田金時に扮する「土蜘」を見ることにした。

　これは蜘蛛の妖怪を退治する舞踊劇だが、妖怪がつぎつぎと繰り出す千筋の糸は手に汗を握るほどおもしろく、夢中で見物していてもやはり雪雄の金時が出てくれば、目はその一挙一動にぴたりと吸いつけられてしまう。少しでも雪雄の出番が長かれ、と祈っているのに、あっというまに蜘蛛は退治され、幕は下りてしまった。

　新二郎のときもそうだったけれど、家の子の襲名興行があるときは、配りもの撒きものが玄関に山と積まれ、家中はなやいでいるが、四月に入っても前月の続きで、主夫婦も何となくうきうきしており、連日機嫌のよい日が続いている。

「いいことあったのよ、きっと」

と女中たちがささやきあっていると、一日太郎から皆に「ちょっと集まりな」と話があった。

「こんなお目出度い話は、旦那か林さんから直々、お前さんたちにお話し下さりゃいいんだが、旦那は、『太郎しゅうお前、やってみな、一生に一度しかいえない科白なんだから、お前も大見得を切りたいだろう』って、お許しが出たんだ」

　といい、

「弁慶の石投げの見得だ」

と構えて、

「バーッタリ」

　とつけの音までまねて笑わせた。

「えー。実は、わが雪雄坊ちゃんもおんとし二十七歳とも相成りますれば、このところ目出度く縁談相調い、来る四月二十日の大安吉日を以て結納の運びと相成り申し候」

　といったとたん、わあーっと女中たちは声を挙げ、

「どこのお方？　お嫁さんは？」

　とたたみ込んで聞いているわきで、光乃は胸のうちで何かに手を合わせて祈る気持ちであった。

　太郎は女中たちにせっつかれ、

「えへん、おほん」

　としばらく空咳などして焦らしていたが、

「まあ、明かさねば仕方あんめえ。お前さんがたの若おかみさんになるひとだからな」

　と前置きしてから、

「ところは神田明神下、江戸のころよりその名も高い、料亭満開楼のご令嬢、亮子さまだ」

　と披露すれば、女中たちは皆いちように「まあー」と深いためいきをつき、光乃は何故かほっとして、肩の力を抜いた。

満開楼の秘蔵している浮世絵のなかに、作者不詳の、明治十九年作といわれる「三十六大家」という作品がある。江戸の有名な料亭、三十六軒を描いたものだが、その筆頭に満開楼があり、絵によればもと七層の大楼であったという。

ここを始めたのはただいまの当主、大森のぶの父親に当たるひとで、幕末のころ、同じ場所にあった料亭を中身ごとそっくり買い取り、満開楼と名を改め、以来文人墨客はいうに及ばず、政治家実業家はもちろん役者まで、毎夜の如く遊んだといわれている。

明神の坂に建った建物だから、崖下の一階から最上階までは絵の如く七階を数えたといわれているが、これは大正末の震災ですっかり焼けてしまい、その後の復興でただいまは五階建てとなった。

それでも、二階以上になれば正面に両国国技館の丸屋根が見え、隅田川の花火ならここは最高の見物席、また五階のわきの大銀杏は、いまでも東京湾を航行する船の目じるしになっているという。

このたび菊間家に輿入れの決まった亮子は、大森のぶの長女で、下には弟二人おり、父親は早逝し、のぶの兄で人呼んで「楽阿弥」という、芸事百般の好きな伯父が後見役となっているそうであった。お茶の水高女を卒業したのち、家で花嫁修行をしていただけに、稽古事はすべて師匠級の腕前だといわれている。

雪雄にこの話を持って来たのは、男爵、財閥の大谷与一郎で、大谷自身大の宗四郎贔屓であるところから、是非にとすすめたそうであった。太郎の説明では、吉日を選んで日比谷の梅本楼で見合いの段取りとなり、芝居のはねたあと、当方は宗四郎が付き添い、向こうは楽阿弥が連れて、大谷氏に引き合わされた。

そのあと宗四郎は上機嫌で家に戻り、加代を相手に、

「いやあいい娘さんだねえ。淑やかだし、美人だし、ものごしがおっとりとして上品だ。さすが満開楼の一人娘だけのことはある。うちなどにはもったいないような娘だと思うなあ」

とすっかり満足のていだったという。

そこでおつぎが、

「坊ちゃん一目惚れってことだったの？」

と聞くと、太郎は、判り切ったこと聞くない、と肩を聳やかし、

「何しろ美人でインテリさまだ。インテリってお前さんがた知ってるかい。ここの仕組みがちょいとばかし並みのひととは違うんだよ。坊ちゃん惚れないわけはなかろうじゃないか」

と指で頭を差していえば、

「でもさ、インテリを鼻にかけてつんとお高く止まっているお嬢さんも世間にゃいますよ」

とお種も反撃し、お由も加勢して、

「蝶よ花よと育てられたお嬢さんが、うちで勤まりますかねえ」

というのを、太郎は少々やっきになって、

「控えろ、控えろ。そんなことお前さんがたに心配してもらわなくったって、坊ちゃんがちゃんと女房教育くらいはやれるんだから」

と女中たちを黙らせようとし、とりあえず熨斗の日までにあと半月余り、そのあいだに家中の大掃除と畳、建具の張り替え、植木の手入れとこまごました用をすまさねばならず、これはお種が引き受け、三人が分けて持つのであった。

宗四郎の代での婚礼の儀式は初めてとあって、家中ぴんと張りつめた感じが漲り、それというのも、主の女房運が二度や三度で納まらなかった不吉な経験があったためで、万事に縁起を担いで慎重な運びとなる。

仲人については、宗四郎のたっての希望で、昔、弟子入りしていた九世松川玄十郎の養子、松川六円に、羽織袴で雪雄ともども頼みにゆき、快く引き受けてもらったが、このことは宗四郎にとって大きな喜びであったらしい。

何といっても松川家は歌舞伎界随一の名流であり、当代六円は亡き九世ほどの力量はなくとも依然、名家を背負う重鎮としての発言力は持っていたから、このひとに仲人を引き受けてもらえば、磐石の後ろ楯を得た感じがあった。

それだけに、宗四郎夫妻は当日万遺漏なきよう、前もってこまごまと気遣いし、加代もときには台所に入ってまで口を出すのであった。このなかで光乃は、最初太郎からこの発表を聞いたとき、圭子でなかったことに安堵したものの、日が経つにつれてやはり悲しさは増してくる。

しかしどんなに悲しくてもしょせんは月とすっぽん、ただそばにいられることだけを身の幸運と考えなければならぬ、と自分にいい聞かせるのだけれど、家中の華やぎとはうらはらに、心は底なしに沈むばかりであった。

結納の儀は大安吉日、宗四郎が暦を見て、

「本来ならば、仲人さまには午前中の満潮の時間にうちを出発して頂きたいが、この日はそれが六時二十分となっておる。いくら何でもこれは無理かと思えるので、せめて干潮の零時五十分までにはこちらへ受け書をお届け頂くような段取りにしよう」

といい、六円にその旨乞うて、この日調達した黒塗りのフォードを先ず六円宅にさしむけ、菊間家に来てもらった。

結納の品は五荷五種といわれ、樽十、肴五種のうちわけはするめ、昆布、塩鯛、鰹のし鮑、それに小袖一重ね、帯一筋を添えるのが古来のならわしだけれど、このせつは大てい生物や衣類は略し、帯料として結納金を包むのを、宗四郎はなるべく古式どおりにやりたいと主張した。

幸い、出入りのすし屋が一番起きして河岸から明石鯛や土佐の鰹など手に入れてくれ、また、加代がデパートへ買いに行った結納飾りは、「きんきらきんで子供の玩具みてえだ」と宗四郎は嫌い、これも芝居関係で故事にくわしい年寄りに聞いて、一品一品を越前奉書で包み、金銀の水引をかけた。加えて尉と姥の置き物も忘れず、樽一対も白木のものを使えば、この一揃い打ち眺めただけで粛然と心ひきしまる思いがする。

六円は威儀を正してこれらの品を受け取り、弟子二人に持たせて明神下の満開楼へと出発、そして午前十一時には首尾よく受け書と返しの品々をもらって菊間邸へと帰着した。

宗四郎は受け書をひらき、それが単なる印刷の受納書でなく、濃い墨書きで、

「今般御縁組相極候に付、今日以二吉辰一御結納被下二御送一御目録の通、幾久敷目出度祝納仕、受取書如レ此候」

と古式どおりしたためられてあるのに大満悦、六円には本膳を出して労をねぎらいつつ、

「向こうさんは、やっぱり楽阿弥さんというお方が控えていなさるから、諸式立派ですなあ」

と褒めれば、六円も、

「まことにこれは、両家ともども他に得難いご縁というべきでしょう」

と、この縁組を心から喜んでくれるのであった。

この日、雪雄は宗四郎と並んで紋服に改まり、無事に結納をすませたが、四月は二人とも舞台のないせいもあって夕方までは家にいたものの、夜になるともうその姿を見なかった。

今日の儀式を、かいまみた家の者たちはその夜も興奮して茶の間は賑やかだったが、光乃はひとり、雪雄が結婚すれば圭子はどうなるのか？　子供は？　と、つい群れを離れて考えこみがちとなる。

結婚式の日取りは、雪雄の出演する五月の大阪歌舞伎座の楽の日を待って二十九日の大安との日、と決まり、式場はそのまま披露を兼ねて満開楼と取り決められた。

結納のときもそうだったが、婚礼の手はずとなればまことにこまごまと打ち合わせが要り、宗四郎の居間には毎夜のように人が集まるのに、肝腎の雪雄はめったと姿を現さなかった。

代わって太郎が、

「坊ちゃんは皆さまがたのよろしきようにとのことでございます」

と取りなすが、宗四郎もときには癇癪を抑えかねて、

「いったい雪雄はどこにいるんだい？　これだけ皆さんがたがお世話して下さってるっ

てのに、芝居のない日はせめてここに詰めていて、礼をいうのが道理ってもんじゃねえのか」

と気色ばむと、太郎はひたすら頭を下げて、

「へい、へい、まことに相すみません。毎晩山王下へはお帰りですが、いや何しろ忙しいもんで、あっちい行ったりこっちい行ったりで」

「何をそんなに忙しがってるんだ。てめえのことで、こっちのほうがてんてこ舞ってるじゃねえか」

「へい、その、鎌倉の今先生ちへフランス語を習いに行ったりとか」

「あいつはまだそんなことやってるのか。やるなとはいわねえが、婚礼がすんで落ち着いてからのことだ。明日にでも来て、手前の招待客の名簿でも作るよう、いっときな」

という場面もあり、そういうときは一応戻ってくるものの、この家はよくよく居心地が悪いのかすぐにまた消えてしまうのであった。

それを補うために太郎のほうは目を血走らせて飛びまわり、家にいるときは電話の前に坐ってばかり、いつもの軽口もすっかり忘れ去ってしまっている。式後、二人の入る新居については、いずれ適当な家がみつかるまでは当分、山王下のいまの家に住むことになり、馴れた光乃が明日からでも行ってこちらを預かるように、と告げて、太郎は、

「ただしだよ。向こうは花嫁さんのお乳母さんのばあやがついてくるそうだ。ま、金持

ちの娘は昔からお供を連れて嫁入りするものと相場が決まっているし、仕方ないやね」

とのおもむきであった。

この決定を、光乃は神さまの意地わる、と考えるか、或いはあわれみ、と取るかと思い、やっぱり、お慈悲のほうにちがいないと思うのであった。

新婚の雪雄のそばにいるのは残酷な苦しみにちがいないけれど、遠く離れてとき折消息を聞くだけのさびしさに比べれば、歯をくいしばってでも、山王下は勤めたいと思う。

女中部屋では花嫁の噂で持ちきりで、

「すごーいお支度だってさ。ぜーんぶうちの菊間の乱れ菊の紋入りのものをあつらえたんだって」

「何しろ先々代からだという仲居さんが何十人もいて、芸者衆も満開楼のお座敷だけでよそへ行かずに立っていけるっていうからね」

「ご披露は百人入りの大広間で三日三晩ぶっ続けですってよ。あちらもこちらもご贔屓さまの数が多いから、これでもまだ十分じゃないって」

「大へんなかかりだろうね」

「旦那は、一生一度のことだ、悔いの残らねえように思い切ってふん切りな、っておっしゃるそうだから」

と話はそればかり、そのなかで光乃はふたたび自分の荷物を整理している。

主の命ならいつどこへでも飛び出さねばならぬ故に、持ち物はできるだけ少なく、とはお種からいわれるまでもない女中の心得だが、それでも町着一揃い、働き着夏冬それぞれ二枚に下着となれば一山はあり、太郎は今度、
「ひょっとすると、お前さんはもう山王下へ行ったきりになっちまうかも知れねえから、荷物はここへは残さねえほうがいいぜ」
と匂わせるのを聞いて、あり金を奮発して光乃ははじめてトランクを買い、それに詰めた。

朋輩たちに別れを告げ、婚礼支度でざわめいている家をあとにして、久しぶりの山王下の家の雨戸を開けると、ここには人がしっかりと住まっていたような気配はなく、流しはパリパリに乾き、押し入れの蒲団は湿っている。

とすると、雪雄はずっと鶴見の圭子のもとにいたものと察せられ、光乃は座敷のまんなかに、腰を抜かしたようにぺたんと坐り込んでしまった。

こんなあんばいで、果たしてお嫁さんもらっていいのかしら、当日までに圭子さんと別れるつもりなのかしら、お嫁さんはこのことをご存知なのかしら、とつぎからつぎへと不安は押し寄せてくる。女中の身でそこまで案じることはないけれど、この家で、雪雄があの圭子の前で見せる和やかな笑顔を見ることができるかどうかと思うと、何故かそれは望み薄いような感じがある。

予想に反して、やさしいお嫁さんと水も洩らさぬよい家庭を作れば、それは万歳ではあるものの、光乃の身は置き場所もなくなることは判っており、いずれにしろ、婚礼の日から始まるこの家の時間は、光乃にとって地獄にひとしいといえそうであった。

たのみとする太郎は、雪雄について大阪へ行っているが、留守番のなすべきことはたくさんあり、蒲団や枕かけの洗濯や、障子の張り替え、大掃除は下駄箱の隅まで、雑巾上手といわれる光乃なら、ていねいに手を足し、結婚後の新居を磨くのであった。

雪雄に先立って太郎が東京に戻って来たのは式の四日前、東京駅からまっすぐに山王下へやって来て、

「お、やっぱり野崎村だ。家中ピカピカになってらあ」

と喜び、大阪名物粟おこしを光乃にさし出しながら、婚礼の段取りについて明かしてくれた。

それによると式を含めて三日間は花嫁花婿ともに満開楼で寝泊まりし、六月一日からこの家での生活を始めるという。ついては厖大な花嫁の婚礼道具は、式日と翌日の二日間、満開楼にずらり並べて招待客に見てもらい、三日目は渋谷に運んでこちらでも披露したあと、六月一日の午前中にこの家に運び入れる手はずになる。

「で、あたりまえの話なんだが、六月一日からは、この家のかかりやお前さんの給金はお嫁さんからもらうことになるからね。いやなに心配はいらねえ。お嫁さんにはおいら

から渡すんだ。おいらは林さんから預かり、林さんは芝居小屋から坊ちゃんの出演料を受け取るって寸法になっているんだから。

ただ、ついてくるばあやさんの給金については、これは満開楼から直接手渡すってえ約束になってる。お前さんは知らなくていい。判ったね？　何も彼もいままでどおりでいいんだ。坊ちゃんが芝居に打ち込めるよう、お嫁さんともども、お前さんも仕向けてやっておくれよ。何つっても相手は世間知らずのお嬢さんなんだから。

そのうち子供でも出来るようになれば、家ももう少し小ましなものを捜さなきゃならねえが」

と話す太郎に、光乃は思い切って、

「太郎さん、ひとつだけ伺ってもよろしゅうございますか」

と確かめ、

「坊ちゃまは、お喜びでございますか」

と聞くと、太郎は天井向いて、

「うん」

とうなり、

「旦那(だんな)の思惑は、結婚までならお圭は黙認しよう、若いもんにはありがちのことだ、といいなすって鶴見の店の金は出して下すった。おいらも実のところ、結婚はまだ二年やそこら先のことかと思っていたから、旦那にはへいへい、と安請け合いしてその場をしのいだんだが。

いや何しろ、この縁談は仲に立つお方があまりにご立派だったもんだから、話がくるなりバタバタとその場で決まっちまった。四の五のいうひまもなかったんだ。

おいらの考えじゃ、見合いはしても婚礼の儀は一年ばかし先、と、こう踏んでたもんだからねえ。あわてたの何のって。

お主は気のいい子なんだが、坊ちゃんには命がけで惚（ほ）れているふうだ。いずれ別れてもらわなくては、と考えていても、いきなり宣言じゃあの子取り乱して世間さまを騒がせる始末になり兼ねないし、かといってこのまんまでは、婚礼の記事は新聞に出るに決まっている」

「坊ちゃまはどんなふうでいらっしゃるでしょうか」

「お光つぁん、お前さんいくつだったたね」

と太郎は話をそらして突然聞き、光乃は、

「はい、二十（はたち）になりました」

と答えて、ほんとうは二十一といいたいのをとどめたところ、

「役者の家に奉公したからには、おぼこ娘でも耳だけは年増（としま）にならなきゃやっていけねえところがある。おいらだってそうだ。女房なんぞ持ったこともねえのに、女房持ちの

胸のうちを察して代弁しなきゃなんねえ場合もあるってもんだ。坊ちゃんによしんば二人や三人のお圭がいたって、それはそれ、女房は女房、ご贔屓のすすめる嫁をもらって皆さま方の顔を立て、円満な家庭を作って跡継ぎをこしらえりや、男の中の男ってものよ、うちの旦那がその鑑じゃあござんせんか。しかしね」

と太郎は少し肩をおとし、

「ほんとのところ、うちの坊ちゃんにお圭と女房とを使い分けることが出来るかどうか、おいらそこんところがいちばんの気がかりだ。あのひとの不器用は相当なもんだからねえ」

と、考え込むふうで、

「実は坊ちゃん自身もその自信がなくて、相当いらいらしてるね。大阪じゃしばしば科白をとちって、小屋の関係者に小指を立てられ、『桃蔵さん毎晩もてすぎるんやおまへんか』なんて、おいら何度もいわれたよ」

と打ち明けたが、光乃は以前よりはずっと雪雄の気持ちが理解できるように思えた。

雪雄はきっと、圭子と宗四郎の幻影に責め立てられ、金縛りにあったように動きがとれなくなっているのではあるまいかという想像もわいてくる。

「こういうときはお圭に因果を含め、しばらく子供をつれて在所へ帰しゃいいんだが、それだけはおいらの口からそれをしなきゃ、お圭のやつも坊ちゃんの口から無えをしなきゃ無え。

収まらねえしね」

いずれにしろ波乱含みの婚礼だ、八方丸く落ち着くよう、天に祈るしかないんだ、と太郎はいい、渋谷の家へ帰って行った。

続いて雪雄は千秋楽の日、夜行で東京へ戻ってくるはず、と聞き、光乃は朝飯を炊いて待っていたが山王下へは戻らなかった。が、六月に出る歌舞伎座の「大森彦七」の、道後の臣役の踊りの稽古には顔を見せている様子であった。

式の当日は雲ひとつない五月晴れ、風もさわやかで申し分のない婚礼日和であった。光乃は二階に上がって戸障子を開け放ち、手すりにもたれて神田明神の方向に目をやったが、胸のなかに何かが詰まっているように重かった。いずれ三日三晩の客宴が終わればこの家に戻ってくる若夫婦のために、しておかねばならぬ仕事はたくさんあるのに、ものうくて体が動かず、このまま肘にあごを載せたきり、いつまでも考えにふけっていたかった。

ようやく自分を励まして立ち上がり、こんなよい天気なら、雪雄の寝巻きにうすい糊をつけておこうと小箪笥をあけ、楽屋浴衣の何枚かを取り出して階下に下りた。糊袋に残り御飯を入れ、手で白い糊を揉み出していると、未だ見はせぬものの、大楼と聞く満開楼の豪奢が目に浮かび、気のせいか、大ぜいの客のどよめきが聞こえてくるような気がする。

こんなことではいけない、この先いく年、いく十年、ただ今、夫婦の固めの盃を交わしつつある二人に仕えねばならぬではないかと思うと、ただじっと辛抱するだけの自分の身の上がたまらなくいとおしく思えるのであった。

その夜、光乃がはじめて見る紋付き袴で赤い顔の太郎があらわれ、

「旦那の仰せで、お女中一同に本日のお土産だ」

と、紅白の房のかかった二重の杉折りを手渡してくれた。

上には両家の紋を染め抜いた手拭いも添えてあり、折りの下段は南天を差した赤飯、上は鯛の姿焼きに紅白のかまぼこ、昆布巻きなど目出度い料理を詰めてある。太郎は式の模様を語り、

「芝居の顔寄せならともかく、一役者の私ごとであれだけ人気役者が集まるのは、近来稀だってよ。だもんで、その役者を一目見ようと家のまわりは大へんな人集りだった。坊ちゃんもさすがアガっちまってね。舞台より骨が折れたんだってさ」

と、やっぱり嬉しさは隠せず、

「花嫁さんもきれいなひとだねえ。賢そうだしねえ。あれならきっとうまくいくよ。おいら安心した」

とやおら帰り支度をしながら少々ろれつの怪しい独り言で、

「あの嫁さんなら、坊ちゃんの世話はぴったし出来るだろうな。とすると、おいらのすることは無くなっちまうってことだ」

などと呟き呟き、祝いの折りを小脇に抱えて渋谷へ帰って行った。折りを卓袱台の上にひろげ、茶を入れてひとりそれを味わっていると、日頃はとうてい口に出来ないご馳走なのに、苦さばかり舌の上に拡がってくる。

日程はすべて予定どおりに運び、四日目の六月一日の朝、花嫁の親戚筋の一人が先導して道具一切、山王下の家に届いた。

まだ油単をかけたままだが、箪笥だけでも三棹に長持ち、鏡台、下駄箱、その他こまごましたものが、噂どおりいずれも乱れ菊の定紋を入れてあり、これらを受け取ってもどこへどういうふうに置くやら光乃には判らず、あぐねているところへ、昼さがりの時刻、太郎が案内して花嫁一行があらわれた。

雪雄は満開楼から、明日が初日の稽古場へ直行したそうで、まず、これからは「若いおかみさん」と呼んであげてほしいという亮子に引き合わされたとき、光乃はあっと思った。

色白の清楚な感じの美しいひとではあるけれど、縁無しの眼鏡をかけており、以前光乃は太郎から、

「坊ちゃんが眼鏡をかけた女を好かないわけを教えようか。それはね、逗子の療養生活

のとき、看病してもらった看護婦がきつい近眼のロイド眼鏡をかけていたからなんだ。以来、四つ目はさっぱりと嫌になっちまったのさ」

といわれたことを頭に刻みつけており、自分も少々近視ではあるけれども、眼鏡を買う余裕もなし、またかけなくても事足りる程度ということもあって、すっかり忘れていたのであった。

が、亮子の場合は、縁なし眼鏡のかもし出す雰囲気から、顔全体がまるで水晶の滴のようにしっとりと冷たく輝き、声も透きとおるように澄んで、

「これからよろしくお願いします」

と、畳に手をついて丁寧にお辞儀した。

続いてばあやさんは、どこか阿佐ヶ谷の叔母に年恰好が似ている、と感じたせいもあってか、気の強さがありありと見え、

「お光つぁんというの？　よろしく頼みますよ」

とさばさばいい、届いている箪笥の曳き出しから熨斗のかかった包みを取り出して、

「これお嬢さまから。秩父銘仙の匹よ。お芝居にお供するときなんか着ていくといいわよ」

と、すでにして指図するふうであった。

あとの一人は荷物を整理するために今日だけ満開楼からさしむけられた男衆で、この

ひとと太郎がばあやの意見も入れて担いだりかき上げたり、家中の都合のよい場所に据えるあいだ、亮子はおっとりと坐ってそれを眺めている。

「お茶をいれましょうか」

と光乃が伺いをたてると、ほほえんでうなずき、あり合わせの湯呑みで出した茶を静かにすすっているのをばあやが目ざとく見つけ、

「あらあら、そのような粗末な湯呑みでお飲みになって。荷物の中に夫婦湯呑みを用意してきてありますのに」

ばあやは、亮子をかばって何もさせまいとし、先に廻り先に廻り仕事を片付けてゆくのを見て、光乃は、ずい分勝手が違うのを感じた。

夕飯の支度も、いち早く光乃に聞いて買い物籠片手に買い出しにゆき、手早く二、三品作って卓袱台に並べ、

「お嬢さま、出来ましたよ、さあどうぞ」

と、まるで客扱いし、座蒲団をしいてすすめる。

さすがに亮子は、

「ええ、でも旦那さまがお帰りになるまで待つことにするわ」

と箸を取ろうとしないのへ、ばあやはしつこく、

「あら、旦那さまのお稽古は何時になるか判らないとおっしゃいましたのよ。ねえ、お

光さんそうでしょう」

とかえりみられ、

「さあ、私にはよく判りません」

と正直に答えると、

「夜なかになるまでお待ちしていたら、お嬢さまのお体がもちませんわ。旦那さまは旦那さまで、お稽古場のほうからきっと折りか何か出るに決まっていますよ」

とまでいわれると、亮子は卓袱台ににじり寄って、

「そうね。それじゃ少しだけね。軽くよそって頂戴」

と茶碗をさし出す。

昨日までの高島田を、けさ結い替えたらしい赤い手絡の丸髷はいかにも初々しく、これも衣更えの今日六月朔日、さわやかな単衣にきっちりとお太鼓に結んでいる亮子の、ばあやに給仕をされながらゆったりと品よく食事をする姿を光乃はわきから見て、突然胸がしめつけられるような感じがあった。

これが嫉妬という感情か、小さいときから大楼の一人娘として育てられ、およそ苦労というものを知らず、長じては名門の、美男の誉れ高い青年俳優の妻となり、実家の強力な後ろ楯もあっておそらく一生しあわせを保証されているひとの、まあ何と可愛いことよ、羨ましいことよ、そして憎らしいことよ、と光乃のまなざしは自分でも知らない

うちに小さなほむらと変じてしまったらしい。

自分などいかに善行を積んでも、神はこのひとの百分の一のしあわせも分け与えてはくれぬ、と思うと、あまりの不平等にほむらは燃えさかってくるが、しかしそれは心中深く閉じ込めねばならぬ感情であった。

亮子の食事のあとはばあやとさし向かいで光乃も箸をとり、あと片づけが済めば、就寝の支度で、ばあやは光乃に、

「お二階の若夫婦のお床の用意は、お光さんあんたの係りよ。蒲団のあげおろしは若いひとでないとね」

二間ある二階は、運び込まれた道具類でずい分狭くなっており、一間を片付けて光乃はばあやの指図どおり、雪雄と亮子の夜具をととのえた。

長持ちのなかから取り出した八反の四幅蒲団を、敷きに二枚重ね、その上に白いカバーのかかった紫の坊主枕と紅の箱枕を並べておくとき、光乃は懸命に奥歯と唇とを嚙み締めなければならなかった。

私は女中だから、女中だから、と蒲団をのべるあいだ、何度自分にいい聞かせたことか、それでも枕二つ並べるときにはいよいよ極まり、もし人目がなければ思うさま声を挙げて泣いたに違いないが、光乃にそれは許されず、ただ黙々と手を動かすばかりであった。

「電気スタンドはどこに入っていたかしら」

といいながら、亮子が取り出して来た赤い絹のシェードははっとするほどなまめかしく、光乃は顔をそむけるようにして下におりると、少し電灯を下げて繕い物を膝に拡げるのであった。

ばあやと二人、階下に並んで今夜から寝なくてはならないが、光乃の胸は波立つばかり、ともすればのどもとを圧してくる熱いものを一所懸命で呑み込んでいる。

思い出すのは渋谷の家の踊りの稽古場で、ふと通りがかりに聞いた長唄の「黒髪」の節、あれは代稽古の一人が、弟子たちに、

「この曲はね、昔、伊東祐親の息女辰姫が、頼朝への我が恋を北条政子に譲り、二人を二階の寝所へ上げたあと、我が髪を梳きながら、切ない嫉妬の思いに燃えつつ奏でるもの、その含みで幽艶に舞わなければいけません」

と説明していた言葉が何故か、耳の底に彫り込んだように残っている。

以来、〽黒髪の、という冒頭の歌詞が聞こえてくると、どこにいても一瞬、手をとめて耳を傾けたものだったが、いま針を動かしながらひとりでにその唄を呼びかえしている。

とりわけ、〽ひとり寝る夜の仇枕、袖は片敷く夫じゃというて、愚痴な女子の心も知らず、とかきくどく言葉は、いまの場合、胸を抉るようによみがえって来、さきほど我

が手でのべた四幅蒲団の手ざわりがたまらなく悲しく思い出されてくる。

かたわらではあやは、老眼鏡をかけて新聞を読んでおり、光乃にともなく、

「静かな夜だこと。人のざわめきがないと退屈で死にそうよ。お嬢さまは、お道具のなかに最新式のラジオを持っていらしたから、明日からはラジオでも聞きましょう」

と呟いている。

茶の間の置き時計が十一時を廻ったころ、外から靴音が近づいて来て、玄関の格子が開いた。

「ただいま」

の声を聞いて三人が出迎えると、雪雄はまっすぐ卓袱台の前に行って坐り、低い声で、

「お茶」

と、いった。

光乃はその顔いろを見て、坊ちゃまずい分お疲れのご様子だこと、とすぐ感じたほど雪雄の顔いろがわるかった。

そういうことは他の二人には判らず、

「どうぞ、お上衣を」

とおじぎをして亮子は両手をさし出し、ポーラーの背広上衣を渡す雪雄に、ばあやはせいいっぱいサービスのつもりで、

「今日なんどはもうずい分お暑うございますですね、うちの中にいてもいつのまにやら汗をかいているんでございますよ。

旦那(だんな)さま、おなかは如何(いかが)でございますか。お嬢さまはずっとお待ち遊ばしておいででございますから、もしあれでございましても、お軽くお茶漬けでもご一しょにめし上がってはどんなものでございましょう。今日は新しいしゃこが魚屋に入っておりましたので、きゅうりを揉んで酢の物を作っておきました」

と、ひっきりなし口を叩(たた)きながら卓袱台の上に、持参の夫婦茶碗、夫婦箸、夫婦湯呑みを並べつつ、これも講釈つきで、

「このお茶碗はうちのおかみさんが、早くからお祝いに清水(きよみず)の窯(かま)もとに注文して作らせたものでございましてね、湯呑みも同じ窯でございますけれども、こういうお祝儀(しゅうぎ)ものはふだん使いには少々もったいのうございますから、明日からは万一割れても惜しくないようなものに替えさせて頂きます。は、いえいえ、それもちゃあんとお嬢さまは持参いたしております。うちのおかみさんはまことに気のつく方でございまして、朝の歯ブラシから夜の枕もとの水差しまで、こまごまと手を足さなきゃいけないとおっしゃいまして、皆々、こちらで用意させて頂いております」

と、まだ果てもなく続くばあやのおしゃべりを耳に茶をいれつつ、光乃がふと視線を上げると、雪雄のこめかみが青くふくれ上がっており、あ、いけない、と思うまもなく、

「お茶だけでいい」

と、家も揺らぐほどの大音声で雪雄が怒鳴った。

ばあやと亮子はぽかんとして手をとめ、まじまじと雪雄を眺めるのへ、雪雄は無言のままで光乃のいれた茶を二口ほどすするとさっと立ち上がり、亮子に向かって、

「あんたが自分で何故しないの?」

といい捨てると、足音荒く二階へ上がってしまった。

ばあやは狐につままれたよう、亮子はしばらく目を伏せていたが、やがて静かに立ち上がり、二階へ上がって行った。

役者にとって初日がいかに大切か、奉公して日の浅い光乃でもいまはよく判るが、全く家業の異なるひとたちにはおそらく理解されはすまい、とは思うものの、よく考えてみれば雪雄は三日間、延べ三百五十人を越す客を相手に酒浸りの披露宴を勤めあげている。

本来体も丈夫でないなら、一日くらいは蒲団かぶって横になりたかろうに、翌日から稽古に入り、すぐ初日の幕開けとなっては疲労はたまる一方で、小さなことにも苛立ってくるのは光乃にも見てとれる。

しかし一方、花嫁に付いて他家へやって来たばあやも使命感に燃えており、もとの女主が心を砕いて調えた道具類を花婿に見てもらいたかろうし、さらには、自分が手塩に

かけて育てた花嫁をいとしんでもらいたいという思いもさだめし強いと思われる。

この先、両方折れ合ってうまく平らに納まって行かねばならないが、新居第一日目からこれでは、光乃にもさきゆきの不安は大きかった。第一、雪雄の不機嫌の理由が汲みとれないばあやは、いたく不服顔ですぐ床を取り、さきに寝てしまったらしく、明日また同じような場面が展開されないとはいえなかった。

灯りを消し、蒲団の上に手足をのばした光乃は、やはり自分の全神経が二階に集中していることが判り、何といけないこと、と自分を叱りつけて寝返りを打ってみるのだけれど、いつのまにかまた闇のなかで天井の羽目板をみつめている。

「黒髪」の辰姫は、何故にこんな苦しさを嘗めて政子に恋を譲ったのか、と考えていると、〽ゆうべの夢のけさ覚めて、床しなつかしやるせなや、積もると知らで、積もる白雪、の唄がくりかえし耳底で鳴り続ける。

このとき以来、「黒髪」は、光乃のつらさを代弁する唯一の音楽として身のうちに沁み込んでしまった感があり、それがようやく薄らいでくるのはこの先まだ二十年近くのちのことであった。

翌朝は初日、せめて何事もなく、と祈る思いで光乃は神棚を浄め、榊の水を取り替えて飯釜の初穂を土器に盛って供えた。この家にもともと神棚は無いが、役者の家なら稲荷大明神は祀らねばおさまらず、これは一日太郎が赤坂の豊川稲荷の守り札を頂いて来て作ったもの、八時に起きて下りて来た雪雄は口をすすぎ、灯明をあげてその前で神妙に柏手(かしわで)を打った。

昨日から始まった松川桃蔵のこの家の家風というべきものは、渋谷の親の家にならってこれから新しい夫婦で作りあげてゆかねばならないが、雪雄の祈願のあいだ、ばあやのつけたラジオは朝の音楽を流している。

粛然と衿(えり)を正さねばならぬ初日の朝、軽やかな歌が流れているのを、光乃ははらはらしながら案じており、雪雄の顔を盗み見ると、やっぱり何かを懸命に我慢しているふうに受けとれる。

癇癪(かんしゃく)持ちだという雪雄の、その姿に接したことは未だないが、神棚の祈願を終わり、卓袱台の前に坐った雪雄の、いまにも破裂しそうに、怒りに歪(ゆが)んだ顔をみれば、光乃は悪い予感に体がふるえて来る。

これで収まればよいが、と思っているうち夫婦さし向かいで食事が始まり、するとばあやはこれもまたサービスのつもりかラジオに手をのばして音量を大きくしようとした。スイッチの廻しすぎで、音は一瞬、われるほど大きい量で室内に拡がり、

「あら、あら」

とばあやが調節しようとすればするほど、音は大小のむらになってうまくいかず、亮子も思わず箸の手をとめて、振り向いたほどであった。

そのとき雪雄は突然、激しい音を立てて持っていた茶碗を土間に力いっぱい投げつけ、すっくと立ち上がると身をひるがえして二階へ駈け上がって行った。

茶の間の三人は呆然とし、水を打った土間に散らばった、割れた茶碗と飯粒を眺めている。ラジオだけがかん高い声のおしゃべりを流しているなかで亮子は気を取りなおし、

「ばあや、ラジオをとめて」

というなり、雪雄のあとを追って二階へと上がった。

「やかましかったかしらね。あたしは旦那さまのお気持ちをおなぐさめしようと思って」

と、さすがにしょんぼりとばあやは光乃に問いかけたが、光乃自身もこんな事態は初めてだけに、

「そうですねえ。今日は初日なものですから」

としか、答えられなかった。

二階で、さだめし亮子は手をついて謝ったものと思われるが、耳を澄ませている下の二人に話し声は聞こえず、しばらくのち、背広に着替えた雪雄が下りてきて、けさ光乃の磨いておいた靴を履くと口もきかず振り返りもせず、荒い音をたてて格子を閉め、そのまま出かけて行った。

渋谷の家の初日とは何という違い、と光乃はしんと体が冷たくなる感じがあり、立ち

上がって玄関へ出てみると、下駄箱の上に火打ち石を入れた火打ち袋が置いてある。

光乃ははっと胸をつかれ、手にとりあげてみると、おそらく亮子が自分で一針一針刺したであろう唐子模様の刺繍が施されてあり、さだめし嫁入り前、伯父の楽阿弥からでも教えられ、役者が家を出るときには魔除けを念じて女房が火を打つもの、として用意したものと察せられた。

新居からの初出勤の日、亮子は教えられたとおり、これを打って夫を送り出そうとしたに違いないが、ちょっとしたいき違いから、こうもそっけなく、気まずい「お出まし」になってしまったのであった。

茶の間に二人は困惑のていで坐っており、

「ねえお光さんや、旦那さまの初日のときは一体あたしたちはどうすればいいの？　旦那さまがおっしゃって下さればそのとおりにするんだけど、何も判らないものだから」

とばあやは少々怨みがましく、光乃にとりすがり、亮子も、

「何でも初日にはおかみさんがたも楽屋までお供するんだって聞いてるけど、あたし伺わなくていいのかしら」

と迷うふうを見せる。

そういわれても光乃にはまだ渋谷の家のしきたりは底まで呑み込めていないし、うっかりしたことはいえず、「さあ」と口ごもるのへ、ばあやは、

「何でも渋谷の大旦那さまの一番最初のおかみさん、麻代さまとおっしゃいましたかしら。その方がこの菊間へお嫁入りなさる前、まず田上栄幸さんのおかみさんの許へ、役者の女房としての修行にしばらくおいでになりましたとか、うちのお嬢さまもそうしなくていいのかしら、とご心配なすったんですが、楽阿弥さまが『案ずるより産むは易しだ、桃蔵君が全部教えてくれるよ』とおっしゃり、すっかり旦那さま頼みで参ったんですが」

と暗に雪雄の態度の冷たさを非難する口ぶりになってくる。

「坊ちゃまは日頃からとても無口でいらっしゃるので、こちらからお察ししてさし上げることが多うございます」

と光乃が説明すると、ばあやは少し自信を取り戻したふうで、

「役者も人気稼業ならうちも水商売、どちらも似たようなものなら、女房の気働きがものをいう世界だわね。判りました。お嬢さま、やっぱり旦那さまの初日にはりゅうとした身なりで見物と参りましょう。切符は満開楼にそういって、たくさんたくさん捌かしてもらいましょう。

うちが後ろ楯になって松川桃蔵を押し出してあげないことには、この縁組の甲斐がないというもの、さあお嬢さま、お支度を遊ばせ。そのおぐしではあんまりですわね。お光さん、この近くの髪結いにお嬢さまお連れして。それから楽屋うちへは何をお配りし

たらいいのかしら。

　おまんじゅうなら塩瀬か壺屋、いやお干菓子がいいかも知れない。でも松月堂も樋口万年堂もいまからではちょっと遠すぎるし」

　とバタバタと大あわて、ふしぎなもので、ばあやが先に立って強気の号令をかけると、あとの二人はふらふらとそれに従い、こうするのが最上の方法というふうに感じられてくる。

　やがて亮子は、結い立ての髪にあでやかな友禅の単衣ものを着、これもせいいっぱい装ったばあやとともにいそいそと歌舞伎座へ出かけて行った。

　二人が出かけたあと、光乃は玄関に錠をかけ、そっと二階へ上がってみた。

　昨夜は寝床をのべただけですぐ下へおりたが、いま仔細にみると、何とまあ華やかな品々、どれを見ても真新しく上等なものばかり、思わず手をのばしてさわりたくなってくる。観音びらきに大きな朱房のついた総桐の簞笥、飾りの立派な下着簞笥、珍しい三面の鏡、金で乱れ菊の紋どころを散らした衣桁、脇息、乱れ籠、三つ曳き出し、手文庫、と、まるで絵にあるお姫さまの部屋をのぞいているよう、光乃は息を呑んでひとつひとつ眺めながら、とうとう心の誘惑には勝てず、簞笥の曳き出しを開けた。

　嫁入りの際、世間には親に入れ物だけをもらい、中身はおいおい自分で埋めるという例も多いが、これはまたどの曳き出しもぎっしりとたとうでくるんだ衣裳が詰まっており、紙の端をめくってのぞくと、しあわせな若妻の身にまとうのにいかにもふさわしい、高価な数々の衣裳が重ねられている。小曳き出しにはきちんと整理された色とりどりの絞りの帯揚げ、一本一本房を奉書でくるんだたくさんの帯締め、また下着箪笥には「一生分」といわれるほど、襦袢や足袋がすき間なくはいっているのであった。

見ていると深いためいきばかり、体から力が脱けてゆくほどの悲しい羨望があり、背で押して箪笥の曳き出しをしめると、そのまま光乃は長いあいだ、放心していたらしい。同じ女に生まれても、このように何ひとつ不足のない人生を辿るひとと、自分のように人の家の女中になって先の見えぬ日を送るひともあり、せめてここに並べられてあるような道具の一品なりと、将来自分が手にできるかといえば、その望みはおそらく無いものと考えなければならなかった。

これから先、苦労を知らぬ若いおかみさんと、そのおかみさんを風にも当てぬよう命がけで守る気の強いばあやさん、そして眩しいほどの道具類に囲まれ、あくまでもこの家での位でいえばいちばん下の、女中として暮らさねばならない自分を考えると、一瞬目の前を黒いものが過り、いっそ暇を取ろうか、と光乃は思った。

やめてしまえば自由、夜毎天井をみつめての苦しみからも解き放たれる。帰る家がなくても、また上野の桂庵へ飛び込めば、新しい別の暮らしがはじまる、と心中しきりにそそのかす声があるのに、光乃は一方でまた、それが出来ないのを感じている。

何故なら、この家をやめてしまえば、雪雄はもはや手の届かない存在になり、いまの場合、それはさらに苦しみを増すことになるのが判っているからであった。

自分も太郎しゅうと同じく、気を揉みつづけていく十年、という羽目になるかも知れぬと思われ、じっと唇を噛みしめて耐える以外にこの家で生きる法はないのであった。

歌舞伎座へ出掛けた二人は昼の部だけ見物して夕方戻り、茶の間で帯を解きながら、

「旦那さまも、いま少し大きなお役が頂けるといいですのにねえ」

と「大森彦七」の、道後の左衛門が不足であるのをばあやがいえば、

「ええ、でもとってもおきれいだったわ」

と亮子はまだ酔っているような目でそれに答えている。

二人は、終演の時間から数えてお帰りはたぶん九時、お茶漬けくらいはお召し上がりになるのかしら、お光さん、旦那さまは晩酌はなさっていらしたの、とうきうきと話しあいながら用意し、柱時計を眺めていたが、雪雄はなかなか帰らなかった。

汁をあたためたり、茶を入れたり、待ちくたびれたころ玄関が開き、女三人駈け出して行って手をつくと、雪雄は酒気を帯びているらしく、ふーっと大きな息を吐いて、そのまま二階へ上がって行った。

「もし旦那さま、旦那さま」

とばあやが呼ぶのを制して亮子が二階へ上がると、まもなく、

「ばかやろう!」

と、家中に響く声が聞こえたかと思うと、続いて何かが壊れる音がし、ばあやが腰を浮かしたところで、二階はしんと静まった。

お嬢さま泣いておいでじゃないかしら、とばあやは立って階段下まで行ったが、さすがに上がれず、じっと立って気配をうかがっている。光乃もさっきからおそろしさに胸が騒ぎ、今朝の茶碗(ちゃわん)を投げつけたさまといい、さっきの怒声といい、渋谷では見られなかった様子だけに、不審が募ってくる。

ばあやは心配そうに光乃のわきに坐(すわ)り、

「旦那さまはいつもあんなふうに怒りっぽいお方なの？　渋谷でもお茶碗投げつけたりしてたの？」

と聞くが、光乃は、

「いえ、そんなことはなかったように思いますけど」

くらいしか答えられなかった。

「どうやら静まったようだから、私たちも寝るとしようか」

とばあやが蒲団を取り出そうとしたとき、亮子が手洗いに下りて来、その顔を見ると眼鏡がない。

「お嬢さま、お眼鏡は？」

とばあやが聞くと、亮子は顔をそむけるようにして、

「ちょっと、うっかりしてて割れちゃったもんだから」

と、多くは話さないが、近視のひとが眼鏡を失えば不自由なのは判っており、亮子は手さぐりで首をつき出すようにしてそろそろと歩いて行く。

亮子の眼鏡は、あのばかやろう、の怒声とともに雪雄の掌が飛んで来て壊されたものとは容易に想像はつくが、亮子がそれを明かさない限り、ばあやは押し黙って控えているより他はなかった。

二階で二人のあいだにどんな会話が交わされているか、下へは一切聞こえないが、少なくとも楽しそうに笑い声を立てている様子ではないことは察することが出来る。

「なにがお気に召さないんですかねえ」

とばあやは独り言をいいながら、眠れない様子で、光乃もまた別の意味でやっぱり心はおだやかでなかった。

翌朝の雪雄は、あの爆発まえの癇筋を立てた顔ではなかったけれど、決していい機嫌ではなく、朝飯もそそくさとすませると、ほとんど口をきかないままでまた今日も出かけて行った。

ばあやは、期待していたような新婚生活でないことに大いに不満らしく、

「ねえお光さん、旦那さまはどうすればお嬢さまに笑顔を見せて下さるでしょうね。今

日もまたお芝居拝見して、旦那さまの出番のときに手を叩いてさし上げるとお喜びになるんじゃないのかしら」

「それはやめて」

と亮子はわきから入り、

「来なくていい、とおっしゃったの。出過ぎた真似をしたのかも知れないわ」

と、あれこれ悩むふうなのを、ばあやは見ていられないという様子で、

「ではお嬢さま、今日はこれから渋谷のおかみさんのご機嫌伺いに参上して、旦那さまの舵の取りかたについてお教え頂きましょうよ。血は引いていなくとも、母親でいらっしゃるからあの方がいちばんよくご存知だと思いますよ」

といえば亮子の顔もぱっと晴れやかになり、

「それがいいわ。お母さまならよくお判りですものね」

と応じ、さっそく二人は支度にとりかかるのを見て、光乃は、それは少し違うのではないかと思った。

渋谷の加代と雪雄がそりの合わないのは使用人一同の知るところ、よけいな入れ知恵をされるとまた雪雄の癇癪のもと、と思えるし、誰かに教えて欲しいというのなら、それは太郎に勝るひとはないと考えられるからであった。

光乃は、こんな事情を二人に話さず、黙って通している自分について、これも罪のひ

とつではないかと悩む日もやってくるが、もともと何事につけ自分からさきに口をきくことはない故に、聞かれないことについてはこちらから触れられるはずもないのであった。

最初は飯茶碗を土間に投げつけ、二度目は亮子の眼鏡を壊し、三度目は何か大きな事が起こるのではないか、と光乃がひそかに恐れていたとおり、それは二人が渋谷から戻って来た夜のことであった。

芝居があいてまだ二日目、大体科白も十分に入っておらず、所作もぎごちないという時期だけに、雪雄ならずとも役者はだれも落ち着かないが、舞台の緊張からやっと解き放たれて帰宅してみれば、亮子とばあやは継母から入れ知恵されたとおりの料理を卓袱台に並べて待っている。

その上、ばあやは、渋谷のおかみさんがああおっしゃった、こうおっしゃった、と賑やかに告げ、これで雪雄の機嫌もよくなると信じ切っている様子に、とうとう癇癪玉は我慢ができなかったらしい。

すっくと立ち上がった雪雄は、目の前の卓袱台を力まかせに足で蹴っとばし、大音響とともに座敷から土間にかけて散乱する茶碗、皿、料理の上に座蒲団、新聞、団扇、扇風機と手当たり次第投げつけたかと思うと二階に駈け上がり、階段の上からこれも手もとにある硯箱、手鏡、枕、寝巻き、とあらゆるものを下に投げ落とす。

そのひとつが電灯の笠に当たって電球もろとも砕け散ったとき、亮子のおそろしそうな悲鳴と同時に階下は真っ暗闇となり、そのなかを、雪雄が足音荒く下りて来たと思うと、格子戸のあとも閉めず、往来へ飛び出して行った。

ほとんど気を失うばかりの衝撃を受けた女三人が、ようやくわれに返ったのはどれくらいあとだったろうか。まず年嵩のばあやが気を取りなおして手さぐりでマッチを擦り、神棚の蠟燭に火をともした。

丸い虹を描いている蠟燭の炎に照らし出された室内はすさまじい修羅の跡、ガラスの破片が八方に散乱しているため三人はその場からうかつには動けなかった。亮子は袖を顔に当てて泣きじゃくり、ばあやはそのそばにそろそろとにじり寄ってこれも、

「何でこんな目に会わされなきゃいけないのでしょう」

と呟きながら鼻をすすりあげている。

光乃ひとり、この恐ろしさにすくみ上がりつつも、座敷のなかの光る破片を避け、爪先立ちして箒とちり取りを取りにゆき、片づけを始めるのであった。

亮子もばあやも一所懸命、雪雄にもそれは十分判っているとは思えるけれど、双方の気持ちは悉く行きちがってしまっている。二人の目ざすところ、すべて雪雄の忌み嫌う方向ばかりで、こんなことなら、この先この家はどうなるだろうかとおぼつかなさが胸いっぱいに拡がってくる。

その夜、雪雄はとうとう家に戻らなかった。

三人とも横にならず、うとうとしながら朝を迎えたが、明るい光のなかであらためて室内を眺めると、昨夜の雪雄の鬱憤晴らしの凄さが身に沁みてくるのであった。

二人は、雪雄の行き先は渋谷とばかり信じており、

「大旦那さまとおかみさんにこのことが聞こえてしまったからには、旦那さまが歌舞伎座へお出ましにならないうちに、こちらからお伺いしなければ」

といい、ばあやが腰を上げそうにすると、

「ええ、でも、私は恥ずかしい。とてもお伺いできないわ」

と尻込みする亮子の気持ちはもっともだけにその案はしぼみ、ばあやともどもまたものように坐り込んでしまう。

何にお怒りなのかさっぱり判らないけれど、今夜はきっとご機嫌よくお帰りになるに違いないわ、という亮子の言葉にしたがい、三人は座敷を片づけ、また昨夜と同じように卓袱台を囲み、玄関の格子戸の開く音にいまかいまかと聞き耳を立てていたのに、雪雄はこの夜もとうとう帰らなかった。続いて翌晩も戻らないとなると、もはや渋谷に挨拶しないでおくこと叶わず、亮子が見る目もむごいほどひどくしおれながらも外出の支度を始めるのを見て、光乃は激しく心のうちで迷った。

雪雄の行き先は渋谷でなく、九分九厘鶴見の圭子のもとだと思われ、それを知らぬ亮

子がいきなり三日も外泊の事実を加代に打ち明ければ、ひょっとして圭子の存在は暴露されてしまうかもしれぬ。

べつに亮子に知られても、自分には関わりのないこと、と素知らぬ顔をしていようとする思いと、やっぱりここは自分が一歩進み出て、何とか雪雄の立場を取り繕ってあげたいという心の逸(はや)りとがせめぎ合い、どうしよう、どうしよう、と苛立(いらだ)つまま、やはり年功の足りなさというべきか、二人をとどめることは出来なかった。

「行ってらっしゃいませ」

と玄関に手をついて送り出したあとは、この次に来るべき場面におびえ、何をしていても身が入らぬ。

やがて夕方、表から突然賑やかな声の一団が近づいて来て玄関が開き、まっさきに座敷へ上がって来たのは太郎で、光乃をみるなり素早く片目をつむって合図し、

「さあさあ若いおかみさん、渋谷へは何のお気遣いも要りやせんぜ。役者は、『役者子供』っていわれるくらいなもんですから、ご贔屓(ひいき)にご馳走(ちそう)になってついでに二、三軒飲み歩いたらもうこちらまで帰るのがめんどうになっちまって、そのまま渋谷の家の二階へ這(は)い上がって寝込んでしまったってもんでさ。

たまたまそれが三日続いたってことでやんしょ。今夜はけろっとしてこちらへお戻りになりまさあ」

話の様子では加代は幸い留守であったらしく、折よく在宅の太郎がうまくあしらって水際（みずぎわ）でとどめ、こちらへ押し戻したものらしかった。

「じゃあ何ですか。二人の弟御さんたちも毎晩あちこちでお泊まりになるんでしょうか」

というばあやの疑問に太郎は大奮戦で、

「ばあやさん、あんたもいままで何のために正月のぞうにをたくさん食って来たんだね。男が毎晩きちんとねぐらに帰らなきゃならねえって法律はどこにも無（ね）え。まして役者なら、興の乗るまま気の向くまま、存分に遊ばせて芸を磨かせるのが女房の役目ってもんだ。

家のうちにうるせい女どもがいてガミガミいってちゃ、役者の芸は小さくちぢこまってしまわあな。坊ちゃんの気を迎えて持ち上げて、毎日上機嫌で芝居が出来るよう、仕向けてやっておくんなさいよ」

「そしたら太郎さん、旦那さまはどうすればご機嫌がよくなられるんでしょうか。何かいつも怒ってらっしゃるご様子なんですけど」

と亮子が控えめに聞くと、太郎はちらと光乃に視線を投げてから腕をこまねき、

「さあそいつは、おいらにもこれって妙案はありやせんねえ。夫婦のあいだのことは夫婦で始末をつけておくんなさい。ただ、渋谷のおかみさんには、坊ちゃんの行状を告げ

口なさらないよう、これだけはくれぐれもお頼み申しますぜ」

と太郎は固く釘（くぎ）をさし、

「おいらこれからちょいと楽屋に顔出して帰ります」

と立ち上がりざま、光乃をふりかえり、

「お、すまねえが、ついそこまで付き合ってはもらえまいか」

と誘い、ばあやが何のご用？　と問うと、いやなに、坊ちゃんの、とか何とか口のなかでごま化して光乃を外へ連れ出した。

並んで電車道まで歩きながら、

「実のところ、おいらもお圭のことで頭あ抱えてるんだ。新聞にちっちゃく載ってた記事を客の一人がお圭に見せたんだな。案の定半狂乱でね、掃除の小母（おば）さんから楽屋へご注進してきたってわけさ。

もちろん店も閉めてるし、おいらもお圭を治めに毎日鶴見へ通わなきゃならねえ。もういい加減で別れればいいんだけど、お圭もあれで案外、かわいいとこあるしね。

それに、どうもおいらの見たところ、二人目を妊（みご）っているらしいんだ」

圭子が二人目を産む？　と聞いて光乃が思わず立ち止まると、太郎も同じように足を休め、

「坊ちゃんにはまだ話してはいねえ。きっとお圭も黙ってると思うんだな。何故なら、

話したらすぐおろせっていわれるから」

と太郎は腕組みしてそこら中を歩きまわりながら、独りごち、

「松川桃蔵さんてひとはだねえ。ほどのよさってことがからっきしダメなひとなんでねえ。

役者にとって、女は滋養、女はこやし、色恋沙汰の激しいひとほど芸は大きくなるっていわれるけれども、だ。桃蔵さんのように、本妻六分に妾四分とか、或いは本妻五分に妾二人が三分と二分、というふうに巧く振り分けの出来ないひとは、お圭とともにぽしゃってしまう恐れ有りってもんだ。

折角天からたぐい稀なる姿かたちを賜った役者なんだから、ここでぽしゃらせてはおいらも今まで尽くしてきた甲斐がねえ。

まあお圭が二人目を産むのはどうにもしようはねえが、お光つぁんや、お前さんはこちらで新嫁と坊ちゃんとが巧くいくよう、取り計らってやってくんねえか。万事は渋谷の旦那に気取られねえように」

と頼まれても光乃には方法は判らないが、それでも太郎の苦衷のさまを見れば否やはいえず、ただうなずくばかりであった。

その夜、雪雄は九時すぎまっすぐに戻り、浴衣に着更えてビールを一本、美味そうに飲んだ。

家中のあちこちに、亮子がかねて覚えの腕をふるって立花、盛り花、投げ入れとさまざまに花を飾ってあるのを今夜は眺めるだけの余裕もあるとみえる雪雄に、ばあやは進み出て、

「旦那さま、如何(いかが)なものでございましょう。おさとの満開楼でも、その後のこちらのことを案じておいでになりますから、一度お揃(そろ)いでお里帰りを遊ばしましては。

また大谷さまのお邸(やしき)へもそろそろ仲人(なこうど)のお礼にお伺いしなければいけませんですね。何でしたら、楽屋入りの前に、お邸のお玄関さきだけでも向こうさまにはお許し頂けると思いますですよ。舞台というものがおありでございますもの」

とすめるのを聞いていた雪雄は、コップをおいて、亮子に、

「ばあやのいうことは尤(もっと)もだが、私は舞台の前にそういうことは出来ない。あんたひとりで行っておいで。

それからね。その挨拶まわりがすんだら、ばあやは満開楼へ帰ってよ。ここにはお光がいるし、女手は十分だから」

女三人はその言葉にはっとして雪雄の顔をみたが、今夜はべつだん怒っている様子はなく、至極正気でそう告げているのであった。

ばあやはうろたえ、

「帰れとおっしゃいましても、私は一生奉公のつもりでお嬢さまにお仕え申し上げてお

ります。お光さんではお嬢さまのことは判りません。私がいちばんよく存じております」

「あんた、この家の主（あるじ）は誰だか知ってるの？　このひとじゃないんだよ。私が命令するんだから、あちらへ帰りなさい」

「でも旦那さま」

とばあやは納得し難いという顔で、一膝（ひとひざ）ずつにじり寄り、

「私は満開楼のおかみさんからお嬢さまをお守りするようにいわれて参りましたものですから」

「じゃ何かい、この家の指図はいちいち満開楼から仰がなきゃならねえってえの？　じゃいまからあんた、行ってらっしゃい。桃蔵が私を追い出したいと申しておりますが、如何いたしましょうって。さあ、行ってらっしゃい」

と雲行きが怪しくなり、さらに雪雄は、

「あんた、私を鬼か蛇かと思ってるみたいだね。このひとをあんたがお守りしなきゃ、取って食われると思っているんだろ。そんなに心配なのかねえ」

とだんだん悪舌になってゆくのを、亮子ははらはらしながら見守っていたが、さすがに口を入れて、

「ばあや、旦那さまのおっしゃるとおりにおしなさい。私は大丈夫よ」

とそばからすすめ、惑っているばあやの目に、さらに、

「ね、そうおし。私が連れて帰ってあげるから」

と押しかぶせた。

やっぱりばあやは目の上のたんこぶだった、と判れば、亮子としてももはや家に置くことはならず、翌日さっそくにその段取りをし、

「ここがあたしの繭(まゆ)のしどころ、と決めてあったのに」

とこぼしているばあやを引き立てるようにして、さとへ返しに行った。

ばあやを帰したことは、花嫁の眼鏡を割った件とともに人伝(ひとづ)てに仲人の大谷氏に知れ、それがまた宗四郎の耳に入って、雪雄は渋谷に呼びつけられ、父親から大目玉をもらった。

「角の立つような真似(まね)はするなよ。女年寄りひとり、家へ置いといたってどうってこたあねえじゃあねえか」

と、使用人に対する雪雄の狭量を戒め、これを機に、家に雪雄の足を止めてよい家庭作りに身を入れるよう、二階に稽古(けいこ)場を作り、弟子二人をつけてくれることになった。

翌日からすぐ大工が入り、一間のうちの半分に檜板(ひのきいた)の稽古場が出来上がって、簡単な稽古場びらきも催したが、この効きめはあまり長続きしなかった。

おせっかいなばあやを退散させ、家に稽古場も作って心機一転、雪雄が晴れやかな顔

つきになったかといえば、必ずしもそうでなく、辛うじて癇癪玉の破裂をまぬがれていたのは、その後十日あまりだけであった。

雪雄はこの十日間も、にこやかに亮子に話しかけるでなく、冗談ひとついうでなく、自分から口をひらくのは付き人の弟子たちに用をいいつけるときや、朝早く稽古場でさらうときだけで、夜も、深酒をして帰ることが多かった。

亮子は、これが育ちのよさというものか、また役者の生活はこんなものかとあっさり考えているのか、決してやさしい態度とはいえぬ夫にべつだん不満を抱く様子もない。ばあやという楯を取り去って、生身の亮子に接してみれば、光乃の感じるところ、性まことに純良、およそ人を疑うすべを知らず、何事につけのどかだけれど、反面、こののどかさが相手を苛立たせる原因となる場合もあるように思える。

その夜、雪雄は突然弟子を連れて早くに戻り、玄関で亮子に、

「すぐ飯にしてよ」

といい置いて二階へ上がり、稽古を始めた。

亮子にすれば、八時台の帰宅ははじめてだけにすっかりあわて、それでも、

「私が作りますから」

と光乃をとどめる分別はあり、白いエプロンをかけて台所の土間に下りた。

光乃の考えでは、こんなに早いお帰りならさだめし素面に違いなく、とりあえず何か

一、二品、酒の肴になるものを小鉢に盛って出しておいてから、あとで味噌汁とおかずを作ればいい、と思えるのに、亮子はまず冷やごはんをふかすべく、蒸し器に入れている。

これでは空腹の雪雄が待ち兼ねるだろうと、

「私は何を手伝いましょうか」

と助け舟を出したが、亮子も一人で腕をふるいたい思いもあったのか、

「いいの。お光さんはお茶碗など並べていて頂戴」

と拒み、次は胡瓜をとん、とん、とん、と極めてゆっくりとした速度で刻んでいるのであった。


そばで光乃は気を揉むだけ、一時間以上もたってようやく出来上がり、卓袱台を見ると蛸の酢の物をこしらえてある。光乃はあっと思い、

「あの、坊ちゃまは蛸がお嫌いなんです」

と口に出かかった言葉をおさえたのは、亮子がいとも嬉しそうにエプロンを外し、いそいそと二階へ呼びに行ったからであった。


悪い予感に視線を落とし、黙々と茶碗を並べている光乃の前に、どどどっと荒い音を立てて下りてきた雪雄は、箸を取り上げたとたん、眉尻が吊り上がり、満面朱いろとなって、

「このとんちき、いい加減にしろ!!」

雪雄は大音声とともに立ち上がり、そばの亮子の頰に平手打ちをくらわしたが、それだけで腹は癒えなかったのか、眼鏡をもぎとって土間に叩きつけた。

さんざんに待たされた末、茶碗を取り上げてみればおかずは大嫌いな蛸、ときては、我慢の苦手な雪雄が黙ってすませられるわけもなく、口よりも先に手が出たのだけれど、ばあやのいたときと違って、亮子は自分へまっすぐに向けられたこの怒りに、強い衝撃を受けたらしい。

雪雄は座敷中のものを蹴っとばしながら、階段の下から二階に向かって、

「おーい、飯食いに行く。つきあえよ」

と怒鳴り、弟子たちはどやどやと下りてきて一しょに出ていってしまった。

亮子は青ざめ、ふるえながら、力尽きたようにその場にぺたんと坐っていたが、やがて光乃に助けを求めるように、

「旦那さまのお腹立ちはばあやに対するものだとばかり思っていたけれど、そうじゃあなかったのね。私のすることもお気に召しては頂けないみたい」

と話しかけたが、光乃は何と答えてよいか判らず、土間に散乱した眼鏡の破片を黙々と片づけている。

今夕、買い出しに行った亮子が蛸を買って来たかどうか、光乃は知らなかったけれど、

卓袱台に並べられたとき、すぐそれをいうべきではなかったかと自責の念に駆られており、ひょっとすると自分は、こういう場面を思い描いて黙っていたのではなかったかとの疑いさえ湧いてくる。

亮子はいまの雪雄の怒りが蛸だとはまだ気がついておらず、

「あんまりお待たせしたのがいけなかったのかしらね」

「お弟子さんたちの分もご用意すべきだったんでしょうね」

と、指先で涙を拭いながら呟いているのを聞けば、坊ちゃまは蛸を、それもとくにイボイボを見ると鳥肌が立つほどにお嫌いなのです、と教えてあげるのが自分の役目、と判っていても、何故かその言葉は咽喉もとで飲みくだしてしまうのであった。

光乃は、もしかすると自分の心の奥底に残忍な悪魔がひそんでいて、亮子が雪雄になぐられたり蹴られたり、或いは罵られたりまた帰宅しなかったりの、流血の修羅を望んでいるのではないかと思われ、そう思うと総毛立つほどにおそろしくなってくる。

こんなこと考えてはいけない、去ってゆくばあやに懇々とたのまれたように、若いおかみさんを全面的に庇って、修羅場はできるだけ避けるよう勤めなければいけない、と光乃は自分で自分にいい聞かせるのであった。

しかし現実に、雪雄の憤懣は前以上に頻発しはじめ、亮子がいささかも抵抗しないのをよいことに、些細なことにすぐ手を上げたり、怒鳴りつけたりするのであった。

七月は舞台はなく、その代わり踊りの出稽古やご贔屓との付き合い、人の舞台を見ることや地方への出張など、こまかい日程が詰まり、当然出かけるのも帰宅も不規則のなかで、雪雄も感情の平衡を失うことが多かったらしい。

亮子は、やはり馴れないため家事が巧いとはいえず、何をさせてもひどく時間がかかる上に、ものの整理もあまり得意ではなかった。机の上の科白の抜き書きや長唄本でさえ、一分でも歪んでいたら承知できない雪雄にとって、亮子のこの欠点は致命的とも思われ、またもや眼鏡が壊されている、と光乃が気付いたときは必ずといっていいほど、稽古場や文机の整頓がなされていないときであった。

毎夜、階下で横になっていると、わきにばあやがいないだけ神経は研ぎ澄まされるが、雪雄が泥酔して帰る夜が多いせいか、二階の二人には光乃が苦しみに転々とするほどの、むつまじそうな気配は全く感じられなかった。

たった一度だけ、雪雄の低い笑い声が聞こえたことがあり、自分でも気がつくと寝床の上に起き上がり、高鳴る胸を両手でおさえている。何とおかしいこと、夫婦だもの、笑い声を立てて話したとて不思議はないはず、と自分を撫でさするようにしてなだめ、再び横になると、動悸に代わって今度は胸の悪魔が動き出し、亮子をしたたか打擲している雪雄の姿があらわれる。この想像が闇のなかで拡がってくると何やら安堵して、眠りに就くことが出来るのであった。

坊ちゃまは眼鏡の女がお嫌いなはず、きちんと片付けの出来るひとがお気に入りのはず、また太郎しゅうのように、先に廻り先に廻り、気働きのできるひとがお好きなはず、と思い及べば、亮子もまた圭子もそれには当てはまらず、その先は自分の姿へと伸びてくる。

この家のこの階下で送る夜は予想したように正しく地獄、と思いつつ、それでも昼間は逆に、亮子とのあいだは少しずつ縮まってくる感があった。亮子はまことにやさしく、袋から琴を取り出し、おさらいを兼ねて光乃に聞かせてくれるときもあったし、三時のお茶にはへだてない笑顔で、

「お光さん、お生まれはどこ？　ご兄弟は？」

と身の上を聞いてくれるときもあった。

そして光乃がこのひとに感じ入るのは、お乳母日傘の甘えん坊の育ちなのに、夫の乱暴狼藉をさとへは一言もこぼしてはいないらしい分別であった。

あるとき突然、ちょいと近くまで来たものだから、と亮子の母のぶがたくさんの手土産を持ってあらわれたことがある。

そのとき亮子は、前夜、虫のいどころの悪かった雪雄が目の前の灰皿を摑んで投げつけたのを避けようとしてそばの柱に額を打ちつけ、眉の上に紫いろのあざをこしらえていたのを、のぶは見つけ、

「まあお前、それはなに？　どうしたの？」

と聞かれたとき、亮子はさりげなく、

「ええ、ちょっと転んだものだから」

とすらりかわしてしまった。

のぶはばあやから雪雄の行状は聞き知っていたと思われるだけに、そう答えられても しばらく疑わしそうな目でみつめていたが、亮子はその視線から逃れるようについと立って母親に背を向けた。

のちになって亮子は、さとへ帰るたび、

「毎度眼鏡が変わっていました」

と使用人一同、気にしていたのを知らされたが、それが雪雄のせいなのだと自分から決して打ち明けないだけの賢明さはあった。

最初のころは、雪雄の乱暴は一時の気まぐれ、とのんびり考えていたらしいが、日が経つにつれ、夫婦のあいだに親しみが増してくるどころか、ますます亮子に辛く当たるようになるのが判り、ときどきひとりで泣いていることもあった。

光乃が掃除のため二階へ上がると、目を赤くしている亮子の姿を見ることが多くなり、そんなとき、どう慰めていいか判らず、そっと階下へ下りてしまう。

こんな亮子に、圭子の存在など口が裂けてもいえないが、しかしこの時期、雪雄の側にも仕事の上で、心を苛立たせるさまざまの問題があった。歌舞伎界というのは、何といっても古い因習の上にあり、実力があっても門閥がなければ出世できぬとか、或いはやりたい企画を持っていても通してはもらえぬとか、意気に燃える若手にとっては窮屈きわまりない世界であって、ここから抜け出し、広い場所で羽ばたきたい思いは誰しも抱いている。

そういう若手に誘いをかけ、結成の動きを見せはじめたのが東宝劇団で、雪雄も役者仲間からこの話を聞き、大いに心動かされている時期でもあった。

すでに同世代で雪雄の芸仇と目される、関東豆助、山村ひょうたんなどは入団を表明しており、そういう筋からは移籍のいい話ばかり聞こえてくるものの、子役の時代から世話になった松竹を飛び出すのは、なかなかに決断がつかなかった。気配を察して宗四郎からは、

「うそうそするでない。落ち着け」

と太郎を通じて釘を差されているだけに、雪雄の迷いも深くて、いっそう苛々する。

七月十日の昼まえのこと、いつもはきちんと朝の食卓につく雪雄が下りてこないので、亮子が様子を見に上がって行った。と、まもなく、一大音響とともに怒声と罵声、もののこわれる音、そしていつになく、

「お光さあん、来てえ、お光さあん」

と助けを求める亮子の声が聞こえて来る。

光乃は一瞬目をつぶり、まるで矢玉の降りかかる戦場に突入する思いでとどとっと二階に駈け上がると、果たして、亮子は昨日髪結いに行って来たばかりの丸髷をこわされ、箪笥のかげにうずくまってふるえている。

雪雄はその亮子に向かって、手に触れるものすべてを投げつけており、光乃は咄嗟に亮子をかばってその前面に立つと、雪雄はそれがまた癇にさわったのか、光乃にとびかかって来て、うしろから頭を四、五回なぐった。

光乃はくらくらとし、よろめいて膝をつき、思わず亮子と抱き合ったその目の前で雪雄は荒い息を吐きながら、寝巻きを脱いで叩きつけ、衣桁の白い帷子を着て財布を懐にすると、後をも見ずに出て行ってしまった。

座敷を見廻すと今日はまたいちだんと激しく、一面だけ開いた三面鏡も蜘蛛の巣のようなひびが入り、何より大事な三味線はぽっきりと棹が折られている。呆然と眺めている光乃の足もとで亮子はしくしくと泣いており、泣きながら、

「あたし、もうだめ」

と呟いたのを聞いたとき、光乃の心のなかでなにかが動いた。

それが、いつも巣食っている悪魔のささやきか、或いは神の導きか判らないが、光乃は亮子のそばに寄って手をしっかりと握り、

「ねえ若いおかみさん。逃げましょう。いますぐ逃げましょう。ここにいると、殺されてしまう。さあ」

とすすめると、亮子は涙を拭いながら、

「逃げるってどこへ？」

と、光乃にとりすがるように聞いた。

この場合、いきなり満開楼へ、とまでの決心は二人ともついてはいないが、ともかくどこであれ、この毎日の修羅地獄から身を隠したいという強烈な願望が、ふつふつと噴き上げてくる。

光乃は、静かに立ち上がって窓の下に行き、障子を開け、

「あそこです」

と指差した。

その先には、赤坂の家並みを圧するように青銅の尖塔が聳え立っており、それは折からの雨もよいの曇天のなか、一入荘厳に、そしてこの上もなく頼もしく、二人を招き入れてくれるかのように望まれるのであった。

「あれは霊南坂教会」

と亮子は声に出してそう呼んだ。

霊南坂教会の聖なる姿を光乃が深く胸に彫り込んだのは、あれはいつだったろうか。

たぶん亮子がこの家に来て一週間ほどのちのことだと思われるが、掃除のため二階に上がり、障子を開けたとき、折からの夕焼け空のなかにくっきりと塔が浮かび上がっており、その姿はたとえようもなく神々しく見えた。あの塔のうちには神在す、と感じられ、そう思うと、このところ、夜毎二階の気配に懊悩しつづけ、胸に鉛のような重さを沈めていた自分が一瞬、浄められたという感じがある。

教会の塔は、光乃の視線を浴びながら暮れてゆく空の中で少しずつ黒ずみ、ついには輪廓だけとなって宵闇に溶け込んでしまったが、このとき打たれた敬虔な思いを忘れず、耐え難く苦しいときには窓を開け、塔を眺めたものであった。

亮子は光乃にそれを示され、

「あそこへ行けば、神さまは私たちをお救い下さるかも知れません」

といわれたとき、動転していたために分別をなくしており、前後見定める余裕をすっかり失っていたらしい。

光乃も同様で、自分からいい出しておきながらわなわなとふるえ、

「そうと決めたら一刻も早くここを出ましょう。誰かに見つからないうちに」

と急かせば亮子もうなずき、二人はまるで悪鬼に追いかけられるように手をつないで階段を下りかけた。

一瞬、亮子は振り返り、狼藉の部屋を見て、

「少し片付けておかなければいけないんじゃないかしら」

と躊躇するのを、光乃は強く手を引いて、

「そんなことをいってる場合ではありませんでしょう。ぐずぐずしていると殺されるかも知れない」

というと、二人は急におそろしくなり、わあーっと同時に悲鳴に近い声を上げながら往来に走り出た。

教会は丘の上にあり、塔を目当てに町並みを縫ってほとんど駈けとおし、ようやく福吉町のバス停まで辿りついたとき、教会はその全容を二人の前にあらわした。

遠くからでは見えなかったが、教会の側面はどっしりとした赤煉瓦で畳みあげられてあり、いちめんに緑青を吹いた屋根は鮮やかに美しい。

二人は立ち止まり、息をととのえながらしっかりと見上げると、壁には円形、楕円形、矩形の窓が切られ、そこに嵌め込んであるステインドグラスは、外界との堅固な遮断の役割を果たしているかのように眺められる。

光乃は亮子の青ざめた顔を見、

「では参りましょうか」

と促し、バス停から始まる教会への長い坂を登りはじめた。

丘を登り切ると、目の前の建物には、まるで手をさしのべて迎えてくれるかのようにアーチ型の入り口があり、そこをくぐり、階段を上った次の階に礼拝堂があった。

しん、と静まり返っている礼拝堂に足をふみ入れたとたん、二人は同時に大きなためいきを吐いたほど、そこは荘重な空気に充ち充ちている場所であった。

正面聖壇の上には大きなパイプオルガンがあり、内部はがっちりした木材を組み合わせてあるだけの簡素な造りだけれど、木材は長い年月を経て黒い深い光沢を見せており、また人の手の触れる木の角々はいずれも磨滅してやわらかな丸みを帯びている。

二人は何者かに導かれるように聖壇まで近寄ってゆき、いちばん前の木の長椅子に腰をかけて、斜め上の窓を仰いだ。これもステインドグラスの一種か、四つ花びらの紋様の枠に嵌めこまれたそのガラスを通して射し込んでくる光は、これが神のまなざしとでもたとえるべきであろうか、慈愛に充ちたあたたかさでここに迷い込んだ女二人を照らしている。

キリスト教など、いままで念頭にもなかった二人なのに、いつのまにか膝の上に手を組み、長い長い時間、窓の光を仰いでいたようであった。

しばらくののち、コツコツと靴音が近づいて来、無断侵入の罪を問われるかと首を垂れている二人の前に立ったのは、背広を着たふつうの、中年とおぼしい年恰好の男性であった。

「何かお悩みですか」

と、低いやさしい声で聞いてくれ、亮子が、

「牧師さまでしょうか」

とたずね返すと、深くうなずき、

「お話をお聞きいたしましょう」

と、手を差しのべて二人をうながし、先に立ってゆっくりと歩き出した。

聖壇の右脇の重いドアを開くと、そこはテーブルと椅子だけの予備室となっており、牧師は二人をそこに坐らせると、隣の牧師室に入り、ふたたび現れたときには手に聖書をさげている。聖書にてのひらを重ね、

「ああ我が魂よ、汝何ぞうなだるるや、なんぞわが内に思いみだるるや、汝、神により望みを抱け、我なおわが面の助けなる我が神をほめたたうべければなり」

と一節を低く呟いて、腰を下ろした。

「神は無限の愛を以て、あなた方お二人をお守りくださいます。案ずることは何もありません。苦しいこと辛いこと、怒り、腹立ち、すべて神はお聞き届け下さいます。何でもお話し下さい」

といい、二人の顔に交互に目ざしを当てながら促した。

牧師にそういわれたとき、光乃は自分の胸板を、鋭い視線で射し貫かれたように感じ、

じっとうなだれたが、亮子は逆に、目をつむって大きな息を吸い込むと、まるで別人のように、堰を切ったように、しゃべりはじめた。

「牧師さま、私の夫は歌舞伎役者ですが、とても短気で、癇癪持ちです。結婚してまだ一カ月余りにしかなりませんが、何も判らない私に乱暴を働きます。

先月の芝居の初日のとき、ばあやを連れて一等席で見物しましたところ、ばあやが派手に手を叩いたといって、帰宅するなり私はなぐられ、眼鏡をこわされました。

私に至らぬところがあれば、どんなに努力してでもなおしますけれど、あのひとが何に腹を立てるのか、どんなとき癇癪を起こすのか、私にはさっぱり判りません。

今日はいいご機嫌だと喜んでいると、突然卓袱台をひっくり返したり、出ていったきり三日も帰らなかったりします。これから先、こんな不安な思いばかりして暮らさねばならないと思うと、目の先は真っ暗です。一日として心安らかな日はありません。

牧師さま、我がまま勝手なあの人に神さまは罰をお与えにならないでしょうか。私はこの先、どうしたらいいのでしょう」

と話しているうち、だんだんと涙声になり、とうとう袖を顔に押しあて、机に突っ伏してしゃくりあげ始めた。

それは、意地わるな男の子につねられ、蹴られ、いじめられつづけた女の子の、じっと唇を嚙んで耐えていたものが、やさしい母親を見た瞬間、わっと泣きながら駈け寄り、いままでのつらさを懸命に訴える姿に他ならなかった。

牧師は、背を波打たせながら泣き続ける亮子を、じっと見守っていたが、

「主は悩める者の心に、恵み深き慰めと励ましをお与え下さいます」

といい、手にしていた聖書の頁をひらいて、

「二人でこの章をお読みなさい。ゆっくりと声に出してお読みなさい。そうすれば魂も安らぎます」

と手渡し、みずからは静かに立ち上がって部屋から出て行った。

やわらかなキッドのカバーをつけてある聖書は、手擦れして黝ずんでいたが、牧師の手のひらのあたたかみがまだ残っており、二人はそれを押し戴くようにしてテーブルの上に置くと、頭をくっつけながら目を走らせた。

開かれてある個所はコリント前書第七章、使徒パウロがコリント人に送った書簡のうちの婚姻についての戒めが記されてあり、「妻は己が身を支配する権をもたず、之をもつ者は夫なり。かくの如く夫も己が身を支配する権をもたず、之をもつ者は妻なり」。

コリント書はさらに説き、夫婦は「相ともに拒むな」と続いて、「妻は夫と別るべからず、もし別るることあらば、嫁がずして居るか、または夫と和らげ」とあるのを見て亮子は、

「私たちは大へんなことをしてしまったのね。神さまは私のほうに罰をお与えになるか

もしれない」

と力を落とし、額に手を押し当てて考え込んでいる。

光乃の思いも千々に乱れ、室内を歩きまわりながら、心定まらぬまま、

「それじゃあ、いまから帰りましょうか」

というと、亮子は怯(おび)えたように目を窓に当て、激しく首を横に振った。

ふたりとも長い沈黙と放心の時間をすごし、窓の外がすっかり暗くなるまで机の前で相対していて、牧師がふたたび入って来たのにもほとんど気付かないほどであった。

「いかがですか。お気持ちは静まりましたか」

と聞いてくれたとき、亮子は夢からさめたように、

「牧師さま、私は取り返しのつかぬ罪を犯してしまいました。どうしたらいいでしょうか」

「主は如何(いか)なる罪もお許し下さいます。心の欲するところに従っておすすみなさい。必ずや大いなるみ恵みがもたらされますから」

「では牧師さま、もうしばらくこちらに置いて頂いてもかまわないでしょうか」

と亮子が懇願すると、牧師は深くうなずき、

「よろしいでしょう。お気のすむまでどうぞ。お祈りを忘れずに」

とい残して、また部屋から出て行った。

人気のない教会は、夜のとばりが下りるといっそう森閑とし、まるで深海の底の世界にいるような感じになる。ここにこうして坐っていると、外界はすべてはるかに遠ざかり、柱時計が示す六時、七時の針を見ても、常日頃の感覚はすっかり失われているのであった。しばらくののち、牧師はまたあらわれ、

「今夜はこの毛布を着て横におなりなさい。当教会では信者をお泊めした例はありませんが、迷える神の子のお手助けをするのもわれわれの役目ですから。

食事は簡単なものを取り寄せておきました。聖書の一節を口ずさみ、神に感謝してお上がりなさい」

と、盆に載せた丼物と、毛布を二枚、置いて行ってくれた。

今朝からの思いもかけぬ展開に、二人は言葉も少なく、牧師心づくしの夕食を摂り、毛布を着て長椅子の上に横になったが、とても眠れるどころではなく、夜どおし薄ら明かりを投げている窓をみつめているばかりであった。

窓の外は雨になったらしく、しめやかな音がガラスを通して聞こえてくる。蚊を防ぐため、毛布をすまきにして体に巻きつけているが、向こう側の長椅子に横たわっている亮子も眠れないのか、いく度も寝返りを打った挙げ句、低い声で、

「ねえ、お光さん」

と呼んだ。

「私、牧師さまに旦那(だんな)さまの悪口ばかり申し上げてわるかったかしらね。きっと私のほうにもお気に召さないことがいっぱいあったと思うの。夜が明けたら、帰りましょうか」

というのは、まっしぐらにここまで逃げて来たものの、進みも退(ひ)きもならぬ迷いをそのままにあらわしており、光乃はそれを聞いて自分も悔悟に責め立てられつつも、ではそういたしましょう、とはいえなかった。

「では、若いおかみさん。あの家にいまさらお戻りになるんですか」

という光乃の問いかけは、このさい亮子の迷いにいっそう拍車をかけ、

「そうねえ」

と思案しつつ、それでもなお、

「こんなことが皆に知れてしまったら、渋谷のお父さまもさとの母もどんなに嘆くことやら」

ととつおいつ惑い続ける様子であった。

ようやく長い苦しい夜が明けると、亮子は起き上がって毛布を畳み、一階の手洗いに行ってきてから、光乃を前に、

「人に知られるのは恥ずかしいけど、やっぱり母に話してみるより他、ないと思うの。ここの電話お借りして迎えに来てもらうわ。お光さん、あなたも一しょに行ってね」

と告げたとき、光乃はすぐさま決然と、

「私はお供しません」

と首を振って拒み、亮子が不審そうに、

「あら、それではどこへ？　お故郷へ帰るの？　あの家へ帰れば殺されるってこわがっていたのに」

といたわってくれるのへ、光乃はくるりと背を向けて、

「私のことはどうだっていいんです。ご心配要りませんから」

というと、急に瞼が熱くなり、溢れるものをあわてて指先で拭った。

「あら、それはいけないわ。私をここまで連れて来てくれたのはあなたじゃないの。母にもお礼いってもらわなきゃならないし、とにかく、さとまで来て頂戴」

と誘うのを断ち切るように、

「若いおかみさん、それよりも、その丸髷のおぐし、根がゆるんで八百屋お七の櫓登りみたいになっています。私が鋏を借りて元結いを解いてさし上げますから、束髪に撫でつけてお母さまに会って上げて下さい」

とすすめた。

雨はまだ降りやまず、電話を受けて駈けつけて来たのぶは、礼拝堂の二人を見て早くも涙声になり、

「まあなにごとなの？　こんなヤソさんのお堂で泊めてもらうなんて」

といいつつも、牧師には手厚く礼を述べ、ともかく亮子を明神下へ連れ帰ることになった。

のぶも亮子ともども、しきりに光乃を誘ってくれたが、

「それでは筋が違いますので」

と固辞すれば、もともと菊間家の使用人だけに強いてとはいえず、

「じゃ、何かあったら、いつでも来てね。満開楼っていえば判るから」

とくれぐれもいい置いて、別れを告げた。

のぶは亮子のために、雨コートから爪革(つまかわ)のついた高下駄まで用意してきており、それを手伝って着せ、履かせ、母娘(おやこ)して長い坂を下ってゆくのを、光乃は入り口に立って二人の姿が見えなくなるまで見送った。

そして二つの蛇の目が視界から消えたとき、たとえようもないほどの疲労感がどっと襲って来、ようやく礼拝堂まで体を運んで、聖壇の前にぬかずいた。

お祈りの方法は知らないが、天に在(まし)ますという神のみまえで、こうして頭を垂れる以外、いまの光乃には取るべきすべはなく、そのうち、いつのまにか涙はしらじらと頬を伝わり、床を濡(ぬ)らしていたらしい。

母のさだの死以来、光乃は自分に対して泣くことを禁じていたが、いま、どんなに強

い意志をもってしても、この涙は止められなかった。

悪魔のささやきに負け、天使のように無垢な亮子をそそのかし、とうとう無断で家出の罪を犯させてしまった自分に、神は如何なる重い罰をくだしても甘んじて受けなければならぬが、しかし、そうかといって、これが一転すべて解決し、二人が幸福な夫婦となって出直すことにはとうてい耐えては行かれぬ。あくまでも二人の破局を願う自分の悪辣非道は憎んでも憎み足りず、激しい自責の念に身を灼かれながら、光乃は長いあいだ、涙を流しつづけるのであった。

ようやく重い体を起こし、牧師に礼を述べて、

「私のような者でも、信者になれますでしょうか」

と問うと、牧師は、

「もちろんですとも。いつなりとおいで下さい。この扉は常に開かれています」

と力強い激励の言葉を贈ってくれた。

雨は小降りになっていたが、それでも、傘もなく長い坂をくだってゆく光乃の髪を濡らし、肩を濡らし、衿もとから伝わって胸や腹に冷たく浸みとおってくるのが、いまの光乃にはいっそ快かった。

光乃がよろめきながら山王下の家に辿りついたのは、何時ごろだったろうか。濡れそぼれた重い体で格子戸に手をかけると、戸はするすると開き、下駄を脱いで上がり、座

敷に踏み込んだとき、光乃は飛びあがるほど驚いた。誰もいないと思っていたこの家に、雪雄がひとり、膝(ひざ)を手で抱えて柱に寄りかかり、ぼんやりと宙を見つめていたのであった。

思わず光乃は後退(あとずさ)りして畳に手をつき、しばらく顔が上げられなかったが、それは、うしろめたさのせいであったに違いなかった。雪雄はものうげに光乃に視線を当て、

「あんたひとり？」

と聞いた。

「はい」

と口ごもると、

「あのひと、亮子は？」

とさらにたずね、光乃はためらったがやはり打ち明けるより他なく、

「はい、おさとからお母さまが迎えにみえられ、ご一緒に帰られました」

「それは何時頃？」

「はい、いましがた」

「それじゃ、昨夜はどこで泊まったんだい」

「はい」

と、光乃は返事はしたものの、これだけは明かせない、と思った。

「え、どこへ泊まったの？」

ともう一度聞き、

「いえないのかい？　え？」

と、声はだんだんに昂ぶってくる。

ここで霊南坂教会、とぶちまければ、何故に？　の詮索が始まり、その果て光乃の罪状は歴然たるものになる。いまの光乃の胸のうちをいえば、亮子を連れ出した行為に対してはいかなる報いを受けてもよいとの覚悟は固めているが、そのもうひとつ底にある企みが明らかにされるのは何よりも恥ずかしい。

坊ちゃま、あなたを好きなのです、夜毎夜毎、あなた方の寝室の下で懊悩の時間をすごすことは耐えられませんでした、とは、口が裂けてもいえないと思うのであった。

雪雄は立ち上がり、座敷中を歩きまわりながら、

「それじゃお前たち二人は、おれにもいえないような場所で一夜を明かしたんだな。それならそれでいいさ。おれにも考えがある」

といい捨てるなり、二階へ上がって行った。

光乃は呆然と坐ったまま、これから先、どうなるのだろう、と思ったが、それを緻密に推測するだけの思考力は、疲れ果てたいまの自分には残っていないように思えた。

まもなく雪雄は背広に着替えて下りて来、

「しばらくここへは帰らないからね。太郎しゅうが来たらそいっとくれ」

といい捨てて、出て行った。

翌日からの光乃の日々は、たとえようもなく苦しくいら立たしいものであった。

亮子は、さととの話し合いの上で、いまにも突然戻って来るかも知れず、本人が戻らなければ誰かが雪雄に会いにくる可能性もある。そのさい光乃が糾弾され、そして何よりも恐れている、暇を出されるという最悪の羽目になるとも考えられ、そうなったときはどうしよう、と真剣に思案せざるを得ない。

指折ってみれば、あの春風の吹く日から菊間家に入って今日まで二年と三カ月余、その間、光乃は自分でも目を見張るほど、すっかり大人になってしまったと思う。何よりも身近に雪雄というひとを見、そのひとが役者なら役者という仕事に深い興味を抱き、ひいては芝居全体にもはや自分の全身全霊がぴったりと吸い込まれてしまっているといっても過言ではなくなっている。

この家に来て、あまりの苦しさに一度は暇を取ろうと閃いたこともあったけれど、この期に及べば、いまさら菊間家を出て役者の家以外に奉公するなど思いもよらず、そう考えると、もしや永のおいとまを申し渡されれば死のう、という気にさえなってくる。

しょせん帰る家とてなし、雪雄を見ぬ場所で生きていても何の甲斐もない、とだんだん絶望に陥ってくるのであった。

いい捨てて出たとおり雪雄は帰らず、持ち主のいない華やかな嫁入り道具のなかで、光乃は外界のもの音に耳を澄ますようにして日を送ったが、亮子が出て一日目は誰もこず、何事もなく、二日三日四日とこれも静かで、そして五日目、しょんぼりとやって来たのは太郎であった。

「野崎村よ、おいらがっかりしたぜ」

いうなり足を投げ出し、凭り柱してあーあとためいきをついた。

「満開楼はカンカンだ。真綿でくるむようにして育てて来た娘に、曰くはどうあれ殴る蹴るの折檻を加えるなんざ言語道断だ、落ち度があればそういい聞かせてくれりゃ、手をついて謝らせもしよう、改めもさせように、いきなりものを投げつける眼鏡も毀すじゃ、こりゃちと阿漕も度が過ぎやしませんか、と、昨夜、楽阿弥さんが乗り込んで来なすった。

聞いて旦那は寝耳に水だ。ひたすら平伏よ。ともかく楽阿弥さんに引き取ってもらい、次はおいらに大目玉、雪雄をしょびいて来いって次第なんだがね」

と太郎は二階を指さして、

「居るかね」

と聞き、光乃が首を振るのを予期していたように、

「鶴見だろうとは思ったんだが。しかし野崎村はずっと一部始終を見て来ているね。ほ

んとに坊ちゃんはそんなに荒れ狂って嫁をいじめたのかねえ」

と聞かれて光乃は困り、どう答えたらよいか、考えながらせわしなく瞬きをした。

光乃が返事に窮しているのを見て太郎は、

「こりゃあ悪かった。お前さんがお主の悪口をいうはずは金輪際ねえもんな。ま、夫婦のあいだのことは夫婦でしか判らねえらしいが、この際、坊ちゃんがすっぱりと心入れ替え、あっしの了簡が間違っておりやした、以後は女房大事と勤めさせて頂きやす、とこう手をついて満開楼に謝ってみせてくれさえすりゃ、なに、すぐにもとの鞘に収まるってもんだ。

おいらはこれから坊ちゃんを捜し出し、そいつを説得しなきゃならねえんだが、いやあ気が重いねえ。おいらのいうことをすぐ聞いてくれるようなご仁じゃないからねえ」

と太郎は腰を上げそうもない。

光乃は雪雄のために一言弁護したくなり、

「ねえ太郎しゅうさん、坊ちゃまもそれなりに結構お気を遣ってらっしゃいましたよ。でも無口なお方ですから、それが若いおかみさんには伝わらず、つい手が出てしまうみたいでした」

「そういう坊ちゃんの気質はおいらのほうが先刻ご承知なんだがね。やっぱりどうひいき目に見ても癇癪起こすほうが分が悪いし、こうなりゃあ奥方一家のご勘気がとけるまで、地に伏してお詫び申し上げるより他、ないんだ。やれやれ」

と太郎はようやく出かける気配を見せ、

「すまねえがお光つぁん、しばらく家を明けねえでいておくれよ。いつなんどき、こっちへも誰が飛び込んでくるかも知れねえから」

といいおいて、しぶしぶと鶴見へ出かけて行った。

とうとう正面切って満開楼から抗議が来、これから双方のやりとりが始まると思うと、光乃の胸騒ぎも一通りでなく、太郎にいわれるまでもなく、買い物にさえ出る気も起こらず、じっと鬱ぎ込んでいる。

開け払った窓からあの尖塔がつい目に入ると胸を締めつけられるようで、二階へもめったに上がらず、ひたすら太郎からの沙汰を待つしかなかった。

太郎は、宗四郎からしたたか叱責を受けて、渋谷も居心地が悪くなったのか、翌日からほとんど山王下で寝泊まりするようになり、そうなれば、「おいらの憂さ晴らしの穴」の光乃は、逐一事情を聞かされることになる。

雪雄は、「頭を下げて満開楼へ嫁を迎えに行くように」との宗四郎の勧めを頑として受けつけず、

「勝手に出て行ったものなら、向こうが頭を下げて戻るのが当然だろう」

とうそぶいているという。

それを聞いて宗四郎はいっそう立腹し、

「ともかく一度はここへ戻り、親の前で申し開きをしてみろ。それができねえなら、鶴見とやらへ俺が乗り込んでゆく」

と伝えるよう、またもや太郎を走らせた。

その日の評定の様子を太郎は語り、

「引っ立てられし桃蔵は、白洲にしばし神妙にかしこまり居りしところ、やがて宗四郎殿しずしずと立ちあらわれ、『両人、これへ』と目の前の席を指しなさる」

と、芝居もどきもここまでで、雪雄とふたり罪人の座に坐らされた情けなさを述べ立てた。

宗四郎は憤怒を内におさえ、

「雪雄、はっきりいってみろ。おめえ何が不足で女房を折檻するんだ。あのひとにこれといった落ち度があるわけじゃあるめえが」

と聞かれても、雪雄はさしうつむき、両こぶしを膝の上で突っ張って無言、

「え？　どうなんだい？」

と再度の催促にも口を開かないのへ、宗四郎も次第にいら立ち、

「てめえ親の顔に泥を塗る気か」

とそばの灰皿へ手をかけようとするのを、同席の林がとどめ、

「雪雄さん、この場を何とか収めないでは皆が立ちゆきません。お考えがあれば忌憚なくおっしゃって下さい」

と、このひと独特のものやわらかな調子で語りかけると、雪雄はやっと顔を上げて、

「おれはああいうひととは合いません。申しわけないが暇をやって頂きたい」

と一言、ぽつりといって口を結んだ。

そのときの宗四郎の、がっくりと肩を落とした様子を、太郎は「気の毒で見ちゃあいられなかったぜ」といい、

「旦那は、ご自分が四人も女房を持ったことを心中いたく悔やんでいなさるが、しかし一方で、こちらから暇を出したのは一人もいない、皆、天運のなさしめるところ、と考えていなさるふしもある。

だもんで、折角の良縁を、自分からぶちこわそうとする息子のやりくちが、はがゆくてはがゆくて、地団駄踏みたいくらいなんだ。それに何より、橋渡ししてくれた大谷さん、仲人役をわずらわした六円さんに対する、親としての面目なさもあるってもんだ。旦那の立場を考えると、おいら切腹でもしてお詫び申し上げなきゃならねえんだが、肝腎の坊ちゃんはこれっぽっちも折れる気配はねえ。暇をやって欲しいの一点張りだもんなあ」

と嘆き、雪雄に代わって頭を畳にすりつけ、いく重にも詫びたという。

はたがどれほどやきもきしても、本人にその気が全く無ければこれは離縁にするより他なく、番頭役が全権を負ってその旨を満開楼へ伝えに行ったのは七月二十一日であった。

この年の梅雨明けは長びき、いまだに涙雨が降りみ降らずみの空模様で、菊間家は渋谷本家も山王下も、一カ月半ほど前とは打ってかわり、天候と同じく沈鬱な空気にすっぽりと包まれてしまっている。

いきなり三下り半をつきつけられて、収まらないのは満開楼のほうで、

「離縁にするならするで、こちらも腹の収まるように、きちんと理由を明かしてもらいたい」

とふたたび楽阿弥があらわれ、そう詰められると宗四郎も甚だ歯切れが悪くなり、

「いやなに、二人の気質が合わないと申しますか、どうもしっくりとは参りませんようで」

とひたすら下手に出、それが口惜しいのか、客が帰ると、家中が「温厚な旦那には珍しい」というほど不機嫌になり、当たり散らすのであった。

亮子が片親だけなのを伯父の楽阿弥はいっそう不憫に思うらしく、いくら話し合っても縒りが戻らないと見定めた挙げ句には、

「よろしい。それでは白木屋さん、うちも大事な娘を疵物にされたからには、世間に対

して一分の立つよう、一札書いて頂きましょう」

といい、それは、今回離縁の次第については、大森亮子側にはいささかの非も之無く、非はすべて当方に之有るもの也、という意味の書き付けが欲しいというのであった。

こう詰め寄られたとき、宗四郎はきっぱりと、

「そいつはどうかご勘弁ねがいます。倅はいまだ未熟者ですが、これでも人気商売にたずさわっておりますもので、自ら詫び状を書くのは甚だ差しさわりがございます」

と断れば楽阿弥は激昂して、

「書けないとおっしゃるからには、やっぱりそれなりの仔細があるはずだ。何故そんなに奥歯にものの挟まったいいかたをなさるんです。白木屋さんともあろうものなら、もう少し誠意ってものを見せてもらいたいね」

といい募る。

宗四郎は手を挙げ、

「ちょっと待っておくんなさい」

と考えていたが、

「誠意が欲しいとおっしゃるなら、誠意をさしあげましょう。雪雄は、歌舞伎座の八月興行の、『忠臣蔵』で千崎弥五郎のお役を頂き、はじめて五段六段通しで出してもらえることになりました。抜き書きもとうに手渡し、明日から稽古に入りますが、楽阿弥さ

ん、あっしの名で松竹に申し入れ、倅をこの役からおろさせて頂きます。八月は自宅謹慎を申しつけますによって、どうぞこれで収まって下さい」

と、宗四郎は楽阿弥の前に手をついて陳謝した。

その姿のあわれさ、これがかの剛勇無双の弁慶を千回の上も演じるひととはとうてい思えないくらい、それはただの白髪痩軀の老人の、息子の非礼をひたすら詫びる親心に他ならなかった。

宗四郎の心をこめた陳謝で、楽阿弥は一先ず引きとったものの、何しろ満開楼には大森一家の身内同様の、譜代の使用人も大ぜいおり、それらが挙げてなおも亮子の立場を擁護するせいもあって、この後始末は長いあいだ揉め続けるのであった。

宗四郎の苦悩ひとかたならず、番頭を従えて先ず大谷男爵の邸に参上して許しを乞い、次に松川六円には、平伏、流涕して深謝の意を表した。大谷氏は捌けたひとだけに、

「なあに、見合い結婚はくじ引きと同じだからね。お互いに巧く当たらなかっただけのことですよ。桃蔵君もこれがいい経験になって、これからぐっと飛躍するかも知れませんね」

とかえって慰めてくれたし、子のない六円も宗四郎をいたわって、

「かえすがえすも残念ですねえ。最高の良縁だと信じていましたのにねえ。また日が経てば、もとに戻るという望みはないものでしょうかねえ」

とともに嘆くのであった。

役者の男女関係はふしだら、と世間から受け取られている面はなきにしもあらずだが、このようにきちんと手順を踏んで結婚式を挙げ、それを大きく披露したものがすぐさま破局に至る例というのは、この頃ほとんど聞いた例がないだけにこの噂はたちまち拡がり、宗四郎は、

「お天道さまの下は歩けねえよ」

とも、

「これからは、どうしておれが弁慶、やれるかよ」

ともいって、いたく陥ち込んでいる様子であった。

この間、一言の釈明もせず、終始無言を通してきている雪雄も、心中の打撃いかばかり、満開楼からの手強い反撃もさることながら、折角喜んでいた千崎弥五郎役をおろされた恥辱は、誇り高い雪雄にしてとうてい耐え難いほどのものに違いなかった。

満開楼は、詫び状を書かないでは籍は抜かぬといい張り、こちらは役までおろしてみせたからにはこれで結着、と考え、両者はずっと平行線のままで、進展はみなかった。

そして、自宅謹慎をいい渡されたはずの雪雄は命令を守らず、太郎は連絡のために鶴見、渋谷、山王下の三軒を駈けまわるしんどさを自ら茶化して、

「ちょいと出ました三角野郎」

など鼻唄にして飛び歩き、それでも夜は山王下へ必ず帰ってくる。

光乃は、太郎から刻々に聞く両家のやりとりのなかで、必ず自分の名が出、出ればきびしく糾明されるもの、と怯え切っていたが、太郎の話では、光乃のみの字も出ないもようであった。内心ほっとしたものの、やっぱり女中とはかげの人間、交渉ごとの表に名の出るほどの存在ではないのだとふとさびしくも思えてくる。

太郎の話では、雪雄のその後は鶴見の二階が座敷牢というありさまで、一歩も外へは出ないという。

満開楼との交渉のあいだ、圭子の存在が口の端にも上らなかった様子についても光乃はずっとこだわっているが、それについて太郎は首をかしげ、

「判らねえんだな、これが。お圭がいるために嫁さんに辛く当たったつういいかたは、楽阿弥さんこれっぽっちもしなかった。

もとよりうちの旦那だって自分からはいい出すはずもねえ。まるまる知らねえのか、知ってても触らねえのか、たぶん後のほうじゃねえのかなあ。いまさら女の話をほじくり出すのは、満開楼としても沽券にかかわるし、役者なら外に情人の一人や二人囲ってるのは並みだっていう考えは楽阿弥さんにもあったに違えねえ。

また実際に、坊ちゃんはお圭に心中立てして新嫁をいびり出したつうんじゃねえと思うよ。行き先がないからいま鶴見へ行ってるだけで、おいらの見るところ、お圭の狂乱

には坊ちゃんもほとほと手を焼いているんじゃねえのかね。お前さんは知るまいが、男は女とくっつくのはいともたやすいが、切れるとなるとこれはなかなかに厄介だ。とくにお圭は死にもの狂いで坊ちゃんにすがりついているからなあ」

と語るのを聞いていると、光乃にもその辺りの圭子の様子は何となくのみ込めるような気がする。

この家にはまだ亮子の道具はそのまんまあり、ここに戻っての逼塞生活は雪雄にとってなかなかに辛かろうと思うと、やはり鶴見に身を寄せるしかあるまいと推測できるのであった。

この年の暑さはなかなか去らず、九月も役がもらえなかった雪雄にはとりわけ過ごし難い季節であったらしい。

満開楼との話し合いはいまだつかないまま、太郎が弟子たちを召集して亮子の荷は二階一室にまとめ、ようやく雪雄を山王下に落ち着かせたのは九月半ばであった。

久方ぶりで見る雪雄は窶れが目立ち、いたいたしくて光乃は思わず視線を伏せた。太郎は、雪雄はかつて逗子でベッドに縛りつけられていたように、鶴見の二階に貼りついてる、といったが、正しくその言葉を裏書きするように気力も衰えているらしく、二階に上がるとすぐ寝転んでしまう。

十月が近づくとようやく役がつき、三カ月遠ざかっていた歌舞伎座に出ることができたが、「日蓮上人」の少輔で、ほんのちょい役であった。続いて十一月も「桐一葉」の本村清蔵、十二月は京都南座で「二人袴」の鈍太郎が振り当てられたものの、いずれも目立たない役ばかり、雪雄にとって鬱屈の思いはふくらんでゆくばかりであった。

主従

菊間家にとっては大きな痛恨事となった雪雄の結婚破局の昭和十年も暮れ、十一年が明けた。

揉(も)めごとは二年越しにならぬよう、亮子の道具は師走(しわす)に入って受け取りにやって来、番頭が立ち会ってそっくり引き取ってもらったが、詫(わ)び状については満開楼は依然強硬で、こちらが応じない限り籍はそのままにしておくというのであった。

七月以来、菊間家は暗雲垂れ込めた空気だったが、雪雄は一月の舞台が始まると以前のように深酒して戻ることは少なくなり、家にもひんぱんに客が来て、二階で長い時間、話し合ってゆくことも多かった。

客のなかにはときどきまた鎌倉の昭彦もあらわれるようになり、そのうち月の半分はこちらで泊まることになってしまい、光乃(みつの)は、太郎も加えて男三人のめんどうを見ることになっている。

その三人とも在宅の二月二十六日の朝、光乃が目覚め、戸口を掃こうとして表へ出るといちめんの雪、しかし何やら様子がおかしい。赤坂でもこの崖下はふだんから静かだけれど、この日は天地ともしんとして、いつも聞こえてくる市電の音、バスの警笛一切絶えている。

それでも光乃にはまだ何も呑み込めず、起きて来た太郎がラジオをつけてはじめて、経済市況の放送が中止という事態を知り、何事だろうということになった。

この月、雪雄は明治座で「勧進帳」の駿河次郎を勤めており、楽屋入りの時間になって太郎とともに出かけはしたが、ものの五分と経たないうちに引き返してきた。

「どこもかも銃を持った兵隊がいっぱいだよ。乗り物は何も通ってないんだ」

と、ようやくことの重大さを知り、四人とも息を詰めるようにして家のうちに籠もった。

たのみのラジオは、午後零時四十分と四時のニュースの時間に、東京大阪株式取引所の立ち会い停止と日本銀行の取引状況を繰り返しただけで他には何も伝えず、ようやく午後七時のニュースで、

「第一師団管下に戦時警備令が布かれました」

とのみの報道であった。

次いで八時三十五分に、叛乱軍の襲撃場所と蹶起趣意書が陸軍省発表として読みあげられたが、とすると、赤坂を含む永田町周辺は最も危険であり、芝居どころかもはや一

歩たりとも家から外へは出られなかった。

翌二十七日には東京市全域にわたって戒厳令が布かれ、すべての機関が停止したなかで、戒厳司令部は叛乱軍に対し、くり返し説得を続けていたが、二十九日早朝に至り、断固たる処置に出ることを決し、赤坂、虎ノ門、桜田門界隈の住民に避難立ち退きを命じた。

避難先は赤坂仲之町小学校、氷川小学校、赤坂市民館、三会堂、麴町小学校で、主として女、子供、老人を優先するという触れだしだったが、光乃はその指示に従わなかった。

男たちは残っていましばらく様子を見る、といい、そうすれば光乃も一人だけで見知らぬひとと共に逃げてゆくほうがもっと心細かった。

しかしまもなく、飛行機が数機、低空旋回して説得のビラを撒きはじめ、地上では戦車が轟音を上げてこれもビラを散布するため、縦横に走りまわり、そして窓を細目にあけてみるとアドバルーンに「勅命下る、軍旗に手向ふな」と大書されて空中にあがっている。

午前十時にはラジオを通じて、戒厳司令部の「兵に告ぐ」の全文が流され、それが拡声機で叛乱軍の頭上に伝えられると、地に伏して感泣する者もあり、この直後から続々帰順者が出て、四日間にわたる騒擾は幕を閉じた。

日頃、軍の動きとは関わりなく過ごしていたひとたちも、この事件には少なからず震撼したはずで、光乃もそのあと、長いあいだこのおそろしさが忘れられなかった。

叛乱軍の最も強硬な部隊は、すぐ近くの山王ホテルを拠点にしていた関係で、山王下の家は一入危険だったが、この経験もあってまもなく桃蔵一家は、赤坂新町へと引っ越した。

雪雄は離婚後、深傷を癒やす思いもあってか、昭彦をも含めて同性の友人たちと親交を深めるようになり、そのなかで、役者仲間の諸岡仁雀にはとくにいろいろ教わることも多く、そういう関係もあって、新居は仁雀がひとり住んでいる家の隣であった。

仁雀は、年こそ雪雄より一つ下だが、十二世諸岡徳左衛門の長男として大阪に生まれ、土方風の芸をみっちり身につけたひとで、女形を勤めており、このひとの「矢口渡」のお舟など、まことに可憐で美しい。

女形には、歌舞伎の型の基本がすべて含まれているといわれるほど、さまざまの決まりを守らねばならないが、父宗四郎も弟たちも皆立ち役ばかりの家に育った雪雄には、仁雀の説には耳を傾けるべきものが多かった。

それに、雪雄は世間並みに親の愛というものをほとんど知らないせいか、気の合う友人ができると、お神酒徳利のようにいつもくっついて離れないくせがある。

仁雀と隣同士になったのも、「いらっしゃいよ」「そうしよう」との話が簡単にまとまったもので、結果として、光乃のいる雪雄の家に仁雀がいつもいることのほうが多かった。

このせいかどうか、新町へ移ってから雪雄はすっかり元気になり、そして以前から迷っていた東宝劇団への移籍を、仁雀とともに断行した。すでに昨年、六月に関東豆助、七月に松川澄之助、そして十月には雪雄の芸仇と目されている山村ひょうたん、と続々新天地を目ざして入団しており、一人だけ取り残される心細さを感じていたものが、仁雀という友人を得、ともに手を携えて松竹を飛び出す決心を固めたのであった。

まわりがつねに雪雄のライバル、と煽り立てるせいもあるが、山村ひょうたんは偶然にも雪雄とは同年の生まれ、そして父親が向こうは茶六、こちらは宗四郎、また両者とも男兄弟揃って役者なのと共通点も多い。ただ、四角四面の潔癖な雪雄に較べ、ひょうたんの性格は飄逸で開放的、と正反対なのも、二人の反りが合わぬもとであったろうか。

東宝移籍も、ひょうたんの後についたかたちとなったのは雪雄にとっていささか業腹であったにちがいないが、それを上廻るほど、新天地を求める気持ちのほうが強かったにちがいない。

東宝との契約は三年間、これからは松竹直属の歌舞伎座を離れ、しばらく有楽座を中心に活動することになる。

雪雄の東宝劇団参加を聞き、かねてから落ち着け落ち着け、となだめていた宗四郎は地団駄踏んで口惜しがり、ただちに林を呼んで、

「久離切っての勘当だ。こんにち限り親とも思うな、子とも思わぬと、ただちに雪雄に伝えて来てくれ」

と頼んだという。

これは確かに事実ではあるが、それ以前の宗四郎の胸のうちをいえば、子役時代から育ててもらった松竹を蹴って出てゆくなら出てゆくで、も少しましな芸を身につけてからにしろ、といっておきたかったに違いなく、それに勘当の件も、先に走った関東豆助も父の七世関東六津次郎から、山村ひょうたんは兄の幸右衛門から、それぞれ勘当をいい渡されている。

いずれも松竹への義理を立てて、親や兄のとった処置だが、聞こえてくる話は、勘当とは表面だけのこと、豆助もひょうたんも、始終自分の家へ出入りしている、という事実で、その先例あるからこそ宗四郎も右にならったらしかった。

それでも林はいかめしい面持ちで勘当を伝え、

「爾今、渋谷へのお出入りはさしとめ。家うちのそろばん一切、村山太郎とご相談の上お計らい下さい」

と、絶縁をいい渡した。

太郎はいたく落胆し、離婚沙汰で世間の心証を悪くしてからまだ一年も経たぬうち、またもや親から勘当、という雪雄の身の上を嘆く気持ち一方ならぬものがあったが、当人は太郎が考えるほどそれを気に病んでいるふうには見えなかった。

この移籍の一カ月ほど前、圭子が女児出産、という知らせがあり、ちょうど三月は舞台もなく、雪雄が三日ほど家を明けたことがあった。

その留守宅で、昭彦を交えて太郎と三人夕飯のとき、昭彦が突然、

「雪雄さんもあれで案外、家庭的なところがあるんですね。昨日鎌倉への帰り、ちょっと鶴見へ寄ってみたら、驚いたことに雪雄さん、おしめを洗っていましたよ」

といい、聞いた太郎は飯がのどに詰まるほどびっくりし、

「へえ。ほんとうですかい、それは」

と、考え込むふうだったが、同座は昭彦と光乃だけなら打ち明けた話になり

「やっぱり子供って可愛いんですかねえ。坊ちゃんがおしめを洗うなんて。もっともね。渋谷の旦那にとっても、お主の産んだ子は初孫だ。『おれは知らねえよ、雪雄が始末つけろよ』としょっちゅうおいらにはいってるんだが、その実、一目会ってはみたいんだな。人のいないときを見すまして、おいらに『丈一って子は誰に似てるんだい』って聞きなさるし、口では『おれはその子にゃ会わねえよ』とおっしゃるくせに、また一方では『役者の家に男の子は宝物だ。しっかり育ててやんな』とおいらをけしか

けるときもある。

やっぱり坊ちゃんも、お圭とは別れても子供は捨てられないかも知れねえな」

「するとあの丈一くんは、将来役者になって桃蔵を継ぐってわけになりますか」

と昭彦が聞くと、太郎はぶるるると唇を鳴らして、

「そいつは判らねえ。新嫁を帰したばかりでそんなことというのも恐ろしい。桑原桑原」

で、その話は打ち切りになってしまった。

この会話は一入光乃の胸に沁みとおり、いまだ亮子の幻影におびえる身には、長く忘れられぬ言葉となるのであった。

一人のみか二人までも子を挙げた圭子は、雪雄との絆をますます深めてゆくようで、光乃の心中の悪魔も、子供の前にはもはやなすすべもないように思える。

雪雄の、給金も多いという東宝への移籍が、圭子の二人目出産と関わりがあるのかどうか判らないが、この頃から雪雄はとりわけ熱心に仁雀と芸談を交わすようになり、その果て、とうとう松竹を出て新天地を求めたのだという見かたも、できなくはなかった。

雪雄の仕事場が主として有楽座に変わり、渋谷から義絶されたあと、光乃にたったひとつよいことがあるとすれば、新町の家の台所をすっかり任されたことであった。

太郎から、

「野崎村はやりくりがうまいね」

とほめられるように、つましくできるところは出来る限りつましく、主に関わるところはそのぶん豊かにたっぷりと、という操作が巧者になって来たのは、奉公もまる三年すぎて光乃が会得した家事の技術というものだったろうか。

同時に、一日の時間のやりくりも上手になり、家に誰もいない時間が空くと、ふだん着のまま、よく芝居をのぞきに行った。雪雄が出演しているときはむろん、出ていないときでも太郎に頼んでおけば一幕は見せてもらうことができ、観たあとは面白さと美しさにすっかり酔い、まるで酔っぱらいのようにふらふらした気分で戻ってくる。

役者の家に奉公していて、芝居を知らないでは自分だけ圏外におかれている心細さもあり、またひとつには、亮子を不幸に追いやった良心の呵責と、圭子への羨望、嫉妬を、束の間でも忘れさせてくれるものがあるとすれば、それは芝居だということもある。

しかし、東宝での仕事は、雪雄の望みどおりにはうまく運ばなかった。劇団では国民劇という新しい芝居と古典歌舞伎とを併演する建前であったが、これにはさまざまな困難があった。

東宝劇団参加の雪雄の初の舞台は、「新版河内山」の直侍と出雲守の二役、夜は「吉野山道行」の忠信という大役だったので、雪雄は大いに喜び、三千歳役の仁雀とともに自宅でも時間さえあれば稽古、とばかり励んだのだったが、蓋を開けてみると有楽座の客の入りは少なく、劇評にも取り上げてもらえなかった。

いかに理想は高くても、それに興行成績が伴わなければ立ちゆかず、そのうち、先に入団した者を中心に外題を組むかたちが定まり、豆助が一番目もの、澄之助、ひょうたんが二番目もので、それに女優を交えて演じるようになると、あとからの参加者はいきおい脇役を振り当てられることになってしまうのであった。ひょうたんによい役を振り当てられ、自分はわきに廻るのは雪雄にとって耐え難い現実であったに違いないが、契約という縄目で縛られていれば我慢の他はなく、この時期離婚と重なって雪雄には試練の日々であったことと思える。

しかし、他人の飯を食ったご利益か、雪雄は外で短気を起こしてまわりに迷惑をかけるなどの行為には一度も出ず、その後も「情焔賦」の若松、「浮名巽夜舟稲妻」の清十郎、「沓掛時次郎」の百助など、旧新作のなかのあまり目立たない役を勤め続けた。

それというのも、勘当された親への手前もあり、仁雀とは互いに手をとりあって常に励ましたためもあったかと思われる。

雪雄が癇癪を起こさなければ家中平和で、ここに来てようやく光乃もくつろぎ、稀に男たちの食事どきの会話に加わらせてもらうこともある。

女中の悲しさは、奉公以来、雪雄に「とりたてのお光」の存在を認めてもらったこともなく、用事以外に言葉をかけられたおぼえもないが、東宝に移ってからは、昭彦も太郎も不在のときには、科白おぼえの相手を命じられることもある。

あるとき、芝居から戻っての夜食の給仕をしていて、雪雄からふと、

「お光はこの頃、よく芝居をのぞきに行くんだってね」

と聞かれた。

まあうれしいこと、私にお声をかけて下さるなんて、と光乃は自分でも判るほど頰を熱くさせながら、

「はい、ときどき観せて頂いております」

と答えると、今夜の雪雄は何かよいことがあったのか、さらに、

「どんな芝居が好きなんだい。いってごらん」

と聞いてくれた。

光乃ははい、とうなずき、

「私が芝居に出かけていって、何よりも彼よりもいっとうすきなものは、きのねでございます。芝居の始まる前の、あの音を聞くと身がひき緊まります。天からの合図のようでございます」

というと、

「なに？　きのね？」

と問い返し、ああ、と判ると、雪雄はけたたましく笑い出した。

雪雄はさもおかしそうに大声挙げ、身をよじって笑い、それでも止まらなくて茶碗を

置き、ハッハッハッ、ハッハッハッ、と笑い続けた。

光乃は一瞬きょとんとし、はじめてみる雪雄の抱腹絶倒の様子を目を見張って眺めていると、ようやく笑いの収まった雪雄ははあはあ、と腹を撫でながら、

「それはね、お光、きのねとはいわないの。柝は、ほんとうはたくと読むらしいが、芝居では柝を打つ、とか、柝を入れる、柝が鳴る、とかいうね。強いていいたかったら柝のおと、ならいいよ。ねというのは楽器や鳴り物の音いろ、というふうに使いなさい。

きのねっていわれたんじゃ、干支のきのえとかきのえねとか、そう思うじゃないか。或いは狐とかさ」

と笑いながら説明したが、いつも「はい」とだけの光乃がこれだけは昂然と顔を上げて、

「でも坊ちゃま、あの音は、三味線よりも鼓よりも笛よりも、もっと素晴らしい音いろでございますもの」

「確かに合図の音にしちゃ、呼び子の笛とか鐘とかよりは数段締まった音だねえ。他にも幕どやのつけ打ちがあるよ。役者の演技を殺すも生かすも、このつけ打ちの打ちかたひとつ、といわれるくらいだからね。

お光はどっちが好きなんだ」

「はい、両方でございます。拍子木の音を聞くと身ぶるいがいたします」

「じゃお前、何かい。火の用心の音でもそんなに身ぶるいするのかい」

「いえ」

と赧くなった光乃を見て雪雄は愉快そうな面持ちで、

「じゃ、お光は今日から改名だ。きのねのおきのにしよう」

と、いったところへ太郎が戻り、雪雄はさもたのしそうにいまの話を告げた。

太郎も額を叩きながら、

「こいつあいい。きのねのおきのさんか。

するってえと野崎村にきのねに、本名お光か。二つ名を持つけちな野郎でござんす、どころじゃないね。三つ名の娘とはあたいのこってさ、とこうひらきなおれるってわけだ」

と、しばらくお光の名があがり、この家に来てはじめて話のまんなかに引き出され、すっかり逆上せてしまった。

さらに太郎は、雪雄の去ったあと、茶漬けをかき込みながら、

「ついでの話で申しわけないが、おいら頼まれてたことがある、野崎村は、おっと、きのねはおぼえているかい。歌舞伎座の大道具に久吉って子がいて、つけ打ちの修行中だったんだが、ようやく来月から、一人前に打たせてもらえることになってさ。この旨、お前さんに伝えて欲しいって、そいわれてたんだ」

つけ打ちの久吉、といわれて光乃の記憶はよみがえり、初めて歌舞伎座の楽屋を訪れた日の情景が目の前に浮かんでくる。

劇場への入り口が判らず、うろうろしていた光乃を、気軽に案内してくれたたっつけ袴のひと、あのとき、首すじの剃りあとの青々とさわやかだったこと、話しながら手は始終拍子木を打つ真似をしていたこと、とひとつひとつ思い出せばなつかしく、指折ってみるとあれはもう三年前の春になる。

「一度っきりお会いしてませんのに、私のことなどよく覚えていて下さいましたこと」

というと、太郎は、ああ満腹、と箸をおいて、

「ものの始まりってのはそんなもんじゃあござんせんかねえ」

と茶化して、

「坊ちゃんはいま歌舞伎座とは縁を切っていなさるが、なに下の者のお出入りは誰も咎めやしねえ。今度おいらと大道具のたまりへ行ってみるかい。まんじゅうでも差し入れに」

と誘い、光乃も気軽にうなずいた。

それが遠い先のこと、と思っていたら、意外に早く実現し、しばらくぶりで歌舞伎座の楽屋口をくぐったのは、雪雄移籍後一年ほどのちのことであった。

舞台に近い大道具部屋の入り口に立って、太郎は中をのぞき、

「よう久吉つぁん、お目当ての野崎村を連れて来たぜ」

と声をかけると、久吉が頭を掻き掻きあらわれ、

「こいつあどうも。おいら冗談にそいっただけだったんだよ」

と尻込みするのへ、

「そう照れるなよ」

と太郎が肩を叩き、

「この娘はめっぽう柝のおとが好きなんだ。お前さんの拍子木でも見せて、講釈してやんな。おいらちょいとうちの大旦那の楽屋へ行ってくるから」

と太郎が消えると、久吉は、

「お光つぁんったっけな。おいらあんたに聞いてもらいたくて一所懸命、精進したんだよ。おかげでやっと棟梁からお許しが出て、今月から五段目の猪の出だけ打たせてもらえることになったんだ」

と久吉はバラバラ、バラ、バラバラ、バラ、と手で真似ながら、光乃を明るい陽のさしてくる窓のもとに案内し、懐から二本の拍子木を出して光乃に見せた。

「これは自前でね。おいら一年前にやっとこの一揃いが買えたんだ。白樫で、十五円もしたんだよ。ほら、全体がとろりと飴いろになってるだろう。おいらこれを片ときたりとも離さず、夜も抱いて寝て、大事に大事にしているんだ」

久吉は拍子木をさもいとしそうに撫でながら、

「最初はね、大きな音を出そうと思って、頭より高く上げて振りおろしたり、指をはさんで怪我したり、手がしびれたり、耳が遠くなったりして、もう止めようかとおいら何度も思ったんだ。だけど、数ある大道具係のなかからおいらだけが棟梁の眼鏡にかない、久吉、やってみろ、といわれ、へい、と引き受けさせてもらったからにゃ、途中で音を上げちゃあ男がすたる。石に齧りついても、と思って、家に帰ってのちもタラッタ、タラッタ、とやってたもんで、おふくろにしょっちゅう叱言いわれたものだった」

と熱心にしゃべり続け、かたわらの光乃に気がついて、

「お光つぁん、忙しいだろうが、おいらの猪の出だけはどうしても見て行って、いや聞いて行って、くれないか。あんたは三年前、おいらが拍子木握ったばかりのときに会ったひとだ。これも何かのえにしだと思って、頼みますよ、是非」

といわれ、光乃は何やら胸がいっぱいになって深くうなずいた。

三階から見おろすと、久吉は上手の幕どやに坐り、布の上に欅のツケ板をおいて、一心に舞台を見つめている。やがて、猪に扮した四つ足が駈け出して来ると同時に久吉はさっきのバラバラ、バラ、バラバラ、バラの拍子を打ち、猪が姿を消すとともに幕だまりへ引っ込んだ。

つけ打ちの名人ともなれば、指と指のあいだに卵ひとつ入るほどに軽く拍子木を持ち、

打った音の響きがむっくりと籠もるようになる、とはさっき聞いたばかりの知識だが、いまの久吉の音がそれに近いのか、或いは遠く及ばないのかは判らないまま、光乃は心のうちで拍手を送った。

どちらにしろ、芝居をひとつ客に見せるのには、舞台で演じる役者のみでなく、いかに多くの裏方の努力が払われているか、いま久吉を通じて光乃は自分がまざまざと見た思いがし、それは即ち、女中というかげの仕事にもつながるように思われ、何やらほのぼのとあたたかい気持ちであった。

この年、昭和十二年の七月には日中戦争が始まり、芝居にも戦意昂揚の意を含んだ新作物が加わるようになり、そうなると科白をおぼえる苦労も増してくるわけで、光乃は大ていい月末から初日までは、雪雄の相手をしなければならなかったが、これはまことに楽しいひとときであった。

翌十三年の七月末、年賀状のやりとりしかしない姉のたき子から葉書の便りがあり、それには弟勝年の病気が報じられてあった。

勝年は一昨年、徴兵検査に甲種合格後、入隊していたが、慢性肝臓炎で倒れ、ただいま戸山町の臨時東京第一陸軍病院に入院中なので、面会に来て欲しいとの知らせがたき子のもとに届いたという。

たき子は堀之内の上山家を昨年やめ、いまは小岩に父親と幾也の三人で住んでおり、戸山町まで日帰りは十分可能だけれども、久しぶりなので積もる話もあり、できれば光乃のもとで一晩泊めてはもらえないか、という文面であった。

指折ってみれば、阿佐ヶ谷の叔母の家を出て以来、光乃は身内には誰ひとり会ってはおらず、折ふしの葉書だけで用を足して来ている。

五年ぶりの姉との邂逅は、本来おどり上がるほど嬉しいはずなのに、光乃は葉書を手にして考え込んでしまった。

行徳の暮らし、継母との中野、大久保の暮らしを、これがすべての世界だと思って育った娘が、思いがけず役者の家の暮らしに出会ってみれば、いかに二つの家の差が大きなものか、いまははっきり判る。それは単に金のあるなしに関わらず、日々の習慣、ものの見分け、行儀作法、折り目切り目、ありとあらゆる面にわたってかけ離れており、五年の月日が光乃をすっかり菊間家に馴染ませてしまったからには、姉をこの家に泊まらせるについてはやはり心臆するものがあった。

第一無断では出来ず、雪雄の顔いろをうかがって、その旨、願ってみたところ、

「いいよ。一晩だけだろ」

とすらり応諾してくれはしたものの、少なからず心配は残る。

葉書の返事に光乃は、坊ちゃまに手土産を忘れないように、と書き、また考えなおし

てその部分を消しゴムで消した。

たき子も上山家の暮らしを見てはいるだろうが、何しろ元来質素を旨とする軍人の家ではあり、雪雄への土産を頼めば、ひょっとして下卑た柄のネクタイなど買って来はせぬかと考えたからであった。

七月は雪雄に舞台は無く、不規則な時間で出たり入ったりしていたが、たき子の到着したのはちょうど在宅の、昭彦、太郎とともに夕食を摂っていた時間であった。

玄関の声に光乃が出、たき子を茶の間へ伴って挨拶させると、雪雄は一瞥し、

「ああ」

と首を振っただけで、そそくさと飯をすませ、

「昭ちゃんも太郎しゅうも、ちょっと出よう」

と誘い、身支度して三人とも表に出て行った。

それは久しぶりの姉妹のために気を利かせてくれたのではなく、女中の身内との同座を嫌ったためだと光乃は受け取った。

以前鎌倉暮らしのとき、毎日立てさせた家の内風呂を、使うのは雪雄だけ。看護婦女中は必ず銭湯へ行かせていた話を光乃は太郎から聞いたことがあり、今日の場合も、特別にたき子を毛嫌いしたというわけでなく、これが主と、使用人とのけじめなのだと光乃は考えている。

それでも三人揃って出てゆけば、あとは何の気兼ねもいらず、久しぶりの姉妹は、

「あんた、垢抜け（あかぬ）てきたわね」

「姉ちゃん、少しふとったんじゃないの」

の話から、

「お父つぁんは相変わらず飲んでるの？」

「幾也もしっかりして来たよ。もう十七だもの」

と家族の動静に移り、そして勝年を見舞ってきたたき子は暗い面持ちで、

「もうあんまり長くは保（も）つまいって軍医さんがおっしゃってた。顔がちっちゃく黄いろくなってるし」

「どうしてそんな病気になったんでしょうね。勝年は殺されても死なないっていうほど丈夫だったのに」

「陸軍病院からの葉書が届いたとき、お父つぁんは見るなり、『古参兵に折檻（せっかん）されたに決まってる。あいつは要領が悪いから何かドジをやったんだろ』って、とっても残念そうだったよ」

「そう、何とか助からないものかしら」

と二人して気を揉（も）んでも、相手が軍隊ではとうてい力の及ぶところではない。

たき子はその夜、一つ蒲団で光乃と寝て、ほとんど語り明かし、翌朝、雪雄が起きて

こないうち小岩へ帰って行ったが、光乃は電車道まで出てその後ろ姿を見送りながら、この次いつ会えるか判らぬ名残惜しさの底に、何故かほっとした感じを抱いた。

勝年はこのあと一カ月余りして陸軍病院で息を引き取り、父親が出向いてその遺骨と、昭和十三年八月十九日、午前三時三十分、東京市牛込区戸山町、臨時東京第一陸軍病院にて肝硬変のため死亡、年齢二十二歳、と書かれた医師の診断書をもらって来た旨、光乃にはたき子から便りがあった。

離れて暮らしていたとはいえ、光乃とは年子の姉弟で、小さいころはいつも手をつないで遊んだだけに、知らせをもらってがっくりと淋しく、数日は胸に勝年のおもかげを呼び戻してなつかしんだが、しかし光乃は、このことは太郎にさえ打ち明けなかった。

話せば、葬式くらいには帰してくれるとは思われたけれど、さきごろの気配で、雪雄がたき子にあまり好感を持ってはいない様子もうかがえたし、ことごとしく自分の身内のことをあげつらうのもためらわれ、出来るならこの家の日常の流れを変えたくないと思うのは、奉公人として身についたわきまえでもあったろうか。

勝年が亡くなった同じ八月には、優が野川蝶子と飯田橋の大神宮で結婚式を挙げ、その直後の十月には応召した。

蝶子は赤坂で芸名小しんを名乗って出ていたひとで、優を迷わせるほどに美しく、それに何よりきっぷがよくて、似合いの夫婦だという評判であった。

式は近親者のみの簡素なものだったが、もちろん勘当中ながら雪雄も出席し、宗四郎とは久しぶりで言葉を交わしたという。

所属の東宝劇団はますます振るわず、戦時色は次第に濃くなってゆくなかで、いたたまれぬ思いもあってか雪雄は関東豆助の誘いに応じ、昭和十三年の十二月から翌年にかけ、海軍省づきの記者という資格で広東方面の視察旅行に出かけることになった。

豆助は若手俳優の中ではものを識っていること、研究熱心では随一で、いつも雪雄は教えられることが多いが、従軍はこれ以前、すでに上海、蒙古、と二度経験しており、いく度も家に訪ねて来ては、その血湧き肉躍るという体験を語るのを、雪雄は熱心に聞いた。

旅行目的は、慰問興行ではなく、二人だけの従軍記者としてなのだが、求めに応じて素踊りなど見せなくてはならぬため、紋どころを桜と錨のマークに替えた紋付き一枚と、ポータブル、レコード数枚を持って行くのだという。

体の弱い雪雄のために、水の悪い大陸での予防薬として目薬やらクレオソート、アルコール、メンソレ、など光乃はさまざま薬を揃え、それに氷川さまのお守り札を添えた。

留守のあいだ、太郎と光乃は代わりあって神仏に無事を祈願しにゆき、安からぬ思いで過ごしたが、その甲斐あってか、年が明けると、真っ黒に陽焼けした顔で元気に帰京した。昭彦や仁雀などを相手に、土産話を披露しているのを聞くと、兵士を慰めるため、空き地に急ごしらえの舞台を作り、豆助が踊れば雪雄はポータブルを廻し、次は雪雄がその衣裳を借りて前に立てば豆助がレコードを扱う、という、内地では味わえない俄か仕立てで、また、間一髪、という危ない目に遇ったことは数え切れず、雨のように降りかかる敵弾に、目の前でたちまち三人がやられたときには、もはやこれまで、と覚悟を決めたそうであった。

この経験は、雪雄にとって大きな転機となったと見えて、昭和十四年三月限りで東宝との契約が切れたのを境に正式に退団し、松竹へは宗四郎に詫びを入れてもらって、四月、復帰したのであった。

もとの古巣はやはり住みやすいが、他人の飯を味わってきた雪雄は至極神妙に相勤め、このあと松竹の決めた予定に従って行動していたが、夏には北海道巡業に加わることになった。

この巡業には松川六円夫妻に弟の新二郎も参加しており、太郎も供をして七月、八月と戦時下の各小都市をまわり、長丁場の旅を了えて東京へ帰って来たとき、太郎は光乃にこういう言葉をささやいた。

「おきのさんや、またお前さんの気の揉めることが起こるかも知れねえぜ」

「何でしょう？　圭子さんのこと？」

「うんにゃ、うんにゃ、それとは違う」

太郎しゅうは断言し、いま圭子は落ち着いていて、二人の子供の成長を楽しみに、店も細々続けているという。

数えてみれば、光乃がおむつを替えた丈一はもう六つになっており、聞けば昨年の七五三には父親に手をひかれて明治神宮に詣でたあと、初めて渋谷を訪れ、宗四郎に手をついて挨拶したそうであった。

まもなく古稀を迎える宗四郎は初孫に目を細めて喜び、膝の上に乗せてつくづくと打ち眺め、

「よし、この子は仁木顔をしている。いい役者になるぜ」

と、かたわらの太郎をかえりみた。

仁木顔とは、「先代萩」の大悪人、仁木弾正の面のことだが、妖術を使うだけにこの役は一きわむずかしく、目のつけどころ、衿持つ手の高さ、凄さを出す工夫に役者は苦労をするのだという。

その話を聞いたあとでは光乃の胸のうちは大波が立ち、しばらくは仕事も手につかないほどであった。

子ぼんのうな宗四郎なら、初孫を正式に認め、まもなく初舞台を踏ませる可能性は十分にあり、そうなると圭子はいきおい正妻に納まってしまう。どうしたらいいかしら、どうしたらいいかしら、と光乃は自分でも判るほど焦るものの、しかし落ち着いて考え

れば、自分が何のいら立つことがあろうか、と思う。

　雪雄が右といえば右へ、左といえば左への身分でいて、なお且つ、今日ただいま限りでも暇を出されればそれっきりになってしまう。

　ただ歯を嚙み、うつむいて辛抱するだけの自分に、果たしてよい日がめぐってくるか、と占っても、一寸先は何も見えないいま、なのであった。

　太郎は、気の揉める話を、もったいつけてなかなか明かさず、

「じゃおきのさんは、おいらの頼みごと聞いてくれるかい？」

　と気を持たせ、できることなら何でも、ただし太郎しゅうさんのお嫁さんにはなれないけど、とだけの冗談は光乃にもいえるようになったのを、太郎は聞いて大口あけて笑い、

「おいらは女は要らねえよ。坊ちゃんひとりに操を捧げてきたからね」

　とは半ば本音の響きがあり、頼みごととは、

「ほら、大喜利によく長唄の『供奴』を踊るだろ。あの奴のはいている紫繻子の足袋をおいら、前から欲しくてたまらなかったんだ。おきのさん縫っちゃあくれめいか」

「ああ、あの、甲のみえるくらい浅いのね」

「すねから下は、裏に紅をつけた丸形の三里あてをはき、その上から浅い足袋をはくんだが、こんなのはどこにも売ってねえ」

おやすい御用ですよ、繻子でも緞子でも、布さえみつけて来て下されば、足袋くらいいつでも縫ってさし上げます、と光乃が受け合うと、ひきかえに太郎が打ち明けてくれたのは、このたびの夏の巡業中、同行の松川六円はずっと雪雄の芝居や、振る舞いを眺めていて、是非当家の養子に、と望み、帰京後、松川家の番頭から菊間家の林に打診してきたのだという。

何しろ松川家とは、松川系歌舞伎役者の宗家であって、明治年間に亡くなった九世玄十郎まで、斯界に残した功績は他を圧して大きく、七世が選定した歌舞伎十八番はこんにちなお、絶大な人気があり、その上、当代には雪雄の結婚の際には多大の迷惑をかけているのに、その罪をあっさりと流したばかりでなく、

「豚児雪雄を養子にまでお望み下さるとは」

と、宗四郎は恐懼感激しているという。

しかし雪雄は、菊間家の長男であり、松川家がいかに名家でも長男を養子に出すのは少々ためらわれ、また六円のほうでも強くは押せず、交渉はただいま一休み、という有り様だそうであった。

光乃は何より雪雄の住み処が気になり、

「ご養子ならば、ふだんの暮らしも松川家へお引っ越しになるのでしょうか」

と聞くと、

「おおかたそうだろうよ。お前さんもおいらもクビってわけだ。いやなに、渋谷へ帰ることにはなるだろうが」

と、太郎はわり合いに落ち着いており、それというのも、起き臥しは別になっても、雪雄が役者を続ける限りは縁切れとはならぬ、と見ているためだが、光乃の場合はそうはいかず、たちまち不安の闇の底へ突き落とされることになる。

「それで渋谷の旦那さまはどんなご様子なのでしょうか。最後にはお断りになるのでは」

「それはできねえな。長男がダメなら次男を、とか、双方顔の立つように収めなくちゃならねえ。げんに渋谷へは坊ちゃんも新二郎さんも、それにいずれ新二郎さんの舅になる幸右衛門さんもしょっちゅう集まって、談合らしいよ。優さんは応召中だしね」

といい、また、

「役者の世界は、名跡を絶やさないためやら、門閥のない者を引き上げるためとか、始終養子の話は耳にするが、内実は養子に行くのもなかなか大へんらしいぜ。親子、師弟の礼がとりわけきびしいところだからね」

ともいって、太郎の話はいっそう光乃を落ち着かなくさせるのであった。

こんなとき、どうすればいいのやら、光乃は習慣で二階の窓を開けてみたが、それは引っ越しの日から判っているとおり、新町のこの窓は方角違いであの霊南坂教会の尖塔は見えなかった。

どうぞ坊ちゃまと離れ離れになりませんように、と光乃は夜ねる前丘の上の教会の方向に向かい、どれだけ祈ったか、あのとき聖壇の上にはキリストの姿は何もなかったが、荘厳の気に満ちたステインドグラスの窓を目の前に思い浮かべ、手を組んで頭を垂れていると、少しは心が安らいでくる。

渋谷の談合はその後も続けられ、その結果、六円の申し出を受けて雪雄の養子入りが決定したのは、十一月初めであった。

いつの話し合いの場でも、最初から終いまで少しも迷いを見せなかったのは雪雄自身だったそうで、それというのも、松川家を継げば努力次第で将来どんな地位が得られるかよく判っているためで、父親としては、息子のその芝居への意欲を買ったかたちとなった。

長男が他家に出れば、竹元宗四郎を継ぐのは残る二人のうち、優は踊りの菊間の家元に早くから内定しているとなればあとは新二郎だが、これも結婚相手の明子は幸右衛門の一人娘とあって、入り婿が欲しいところ、しかし百歩を譲って、宗四郎の名はいずれ新二郎が引き継ぐ話で皆収まり、そうと決まれば御意の変わらぬうち、とこの月の十八日に、両家固めの盃を行なうことになった。

宗四郎は、「長男を養子に出すなど、疎略に扱えば必ず報いが来る」という故ない誹謗や、「子福者はいいね、大根ばかりでも三人も役者に育ってりゃ、松川宗家と縁続きになれる」と嫉妬に満ちた言葉を聞いても動じず、その代わり、雪雄にはそれを踏まえて懇々説諭した。

「芝居者はいうに及ばず、世間さまもお前をしっかりと見ている。何よりも六円さんご夫妻を親として崇め、孝養を尽くすことを第一に。これは役者以前の、人間としての心得だ。

次に松川宗家の名を辱める役者であってはならぬ。松川家歴代の方々の芸をようく研究し、それを上越すものを自らに課して励みなさい。

今度ばかりはしくじりは許されないぞ。嫌になったから戻るつったって、家には入れねえからな。腹くくって行けよ」

としっかりいい渡し、雪雄もこれはしかと肝に銘じたらしかった。

松川家は築地にあり、この家へ雪雄が正式に引っ越すのは翌年春、と約束が決まってのちは、雪雄は目に見えて稽古に励む様子であった。

松竹復帰後すぐにいい役をもらえるはずもないが、十月には「紅葉狩」の従者を、十一月には「竹中砦」の四宮源吾を、身を入れてつとめている様子はそばからも見てとれる。

この次第の決まったあと、光乃はかねて覚悟していたとはいえ、深い悲しみに打ちひしがれ、いっそう無口になってゆくばかりであった。

雪雄が松川家へ入っても、太郎は寝泊まりは渋谷として、他はいままでどおりでいいらしいが、光乃はこれが永の別れとなることは判っており、渋谷にいればなまじその後の消息も聞こえてくるだけ、こちらの胸が苦しくなるのは目に見えている。

考えれば考えるほど、気持ちは沈み、何も手につかなくなってしまって、家に誰もいないときは半日、ぼんやりと坐っているときもある。

来年春になれば、また荷物をまとめて渋谷のあの女中部屋へ帰らねばならないが、ふと思いついて押し入れを開けてみると、来るときはトランクひとつだった荷物が、足かけ五年のあいだには小さな柳行李二つになっている。

蓋を開ければ、女中に派手な装いは禁じられているため、いずれも地味ではあるものの、お召し銘仙のたぐいも少しずつ増え、それにいつのまに買ったのか、化粧品の箱もいくつか溜まっているのであった。

奉公に入って以来、自分に紅白粉は似合わないもの、と決め、渋谷の家の朋輩たちがパタパタと揃ってパフの音をさせていても、横目で見過ごしていたのに、ここに来て、ひとつずつ買い揃えていたのは、暗黙のうちに亮子を意識していたのではなかったろうか。

しょせんは雪と墨だけれど、心の深奥を引き開ければ、せめて自分も紅などつけて装い、それを雪雄に見てもらいたいという悲しい願いもある。

亮子の鏡台のなかのコティには及びもつかないが、ルージュをひとつ箱から取り出し、ぐっと唇にひいてみると、鏡のなかの顔は急に女っぽく見え、光乃はしばらく見とれた。

そうだ、来年春まで、せめておそばにいられるあいだだけでも、この白粉をつけて装ってみよう、と思い、しかしすぐ赧く（あか）なってちり紙で紅をふきとり、また思い返して塗りなおす、と繰り返しているうち、ようやく大胆になり、翌朝から朝食の支度にかかるまえ、柱鏡の前で薄化粧をするようになった。

が、これは匂い（にお）に敏感な雪雄のただちに感じとるところとなり、眉（まゆ）をしかめて、

「おいきのね、化粧はやめてくれないか。味噌汁（みそしる）も飯もクリーム臭くっていけねえ。おれたちは楽屋で毎日白粉につかっているからね。うちでもその匂いを嗅（か）がされるのはうんざりだ」

といわれ、光乃はすぐ紅をふきとり、

「気がつきませんでした」

と手をついて詫びた。

亭主の好きな赤烏帽子（あかえぼし）、と太郎はいうが、雪雄が素顔を好むならもとより光乃も素顔が好きになり、このときを限り、化粧品は光乃にとって無縁のものとなってゆくのであった。

光乃の苦しい絶望感を束の間でもまぎらせるものといえば芝居よりなく、いままでよりいっそう歌舞伎座へしげしげと出入りしては大急ぎで一幕のぞき、戻ってくる。下足番ともすっかり顔馴染みになり、光乃が下駄を預けず、抱えて通ろうとすると、にやりとして、

「お光さんか、しっかり観てきな」

と見逃してくれるのであった。

毎度舞台裏を通り抜けてゆけば、芝居ができ上がって客に見せるのには、役者だけでなく、ずい分たくさんのひとたちが裏で働いていることが、光乃にもよく判ってくる。

何気なく聞き流す舞台の囃子も、舞台に出て語る義太夫、長唄、常磐津、清元などの他、御簾うちの一中節、荻江節、宮薗節、新内、と種類多く、他に下座のひと、太鼓打ち、釣り鐘などおぼえられないほどの数あり、また、大道具、小道具、床山、衣裳など、まことに綿密な仕事に黙々と打ち込んでいる姿が随所に見られるのであった。

光乃はときどき立ち止まり、そのひとたちの手元をのぞき込みながら、自分の仕事のほうがまだ気散じなのかな、と考えたりする。

光乃がとりわけ感じ入ったのは、床山のひとたちで、いままでは単に髪を結うひと、とだけ考えていたのが、よく見ればまことに綿密に微細な仕事であることが判る。役者の頭の型をとり、それに毛頭をピンセットで一本一本植えつけてゆくのだが、見ている

と気の遠くなるほどめんどうなもの、しかもそれは役ごとに新しく作らなければならぬ。見ているとこちらのほうに汗がにじんで来、自分などまだまだ我慢が足りないのではないかと反省もさせられる。

このひとたちはきっと、自分の作ったかつらや着物や、また役の上の小物などで、役者が立派にその勤めを果たすのを見るのが無上の喜びなのだと察せられ、ごくろうさまと心のうちでねぎらって通りすぎるのであった。

久吉とは会うときも会わないときもあり、ちょっと舞台裏に寄りみちして、大道具のひとたちの、塗ったり組み立てたりを眺めていると、折よく通りかかって言葉を交わす折もある。

師走の一日、奈落(ならく)へ伴われ、梁(はり)に手をかけた久吉から、

「お光さん、休みの日、あるかい？」

と聞かれ、首を振ると、

「おいら、中日(なかび)あたりにいつも一日、休みが取れるんだ。その辺り、旦那(だんな)に何とか暇がもらえねえもんかい？」

といわれて光乃は察しが悪く、

「お休みに何かあるんですか」

と問い返すと、久吉は草履の先で床板を蹴(け)りながら、

「いや、なに、その、浅草へでも一日、おいらが案内してあげようかと思って」

「浅草？」

「ああ、浅草の六区には軽業だってパノラマだって、活動だって、ありとあらゆる面白いものが集まってる。観たり食べたり、ずい分たのしいぜ。一日遊びに行かないか」

と誘っているくせに照れて、目をあらぬ方向にそらせ、

「いや、無理にとはいわねえぜ。ちょうどからだが空いてたらってことだよ」

と強引に引っ張ってゆこうとはいえないらしい。

光乃は浅草と聞いて、ふわっと心が浮かれ、

「あたし浅草って、まだ一度も行ったことないんです。賑やかなところでしょうね」

と率直に口に出すと、

「じゃ行ってみないか。旦那に一日だけそういって、いや半日でもいい、お許しをもらっておいでよ」

とさらに誘われ、光乃はええ、とうなずいたが、すぐそのあと、いいえ、いけない、と内からの阻止の声があった。

首を振りながら光乃はあやまり、

「やっぱり、家は私がいないと駄目なんです。坊ちゃまはもののありかもお判りにならないし、召し上がりものだって、お嫌いなものが多い方ですから」

あとで考えれば、雪雄は毎日家に帰ってくるわけではなし、半日ほどの時間、芝居を見せてもらっていましたといえばそれですむものを、と光乃が悔やまなかったといえば嘘になる。

生まれてはじめて、男から誘いを受け、それもつねづね話に聞いている浅草の賑わいを見せてやろうといえば、心躍らないはずはないが、また一方で、雪雄との別れが近づいている今、たとえ半日たりともあの家を離れ、遊ぶ気持ちにはなれなかった。

昭和十五年は紀元二千六百年とて、年初からさまざまの奉祝行事があり、雪雄以下、赤坂新町の者も元旦には渋谷の家へ打ち揃って正月礼に行った。

久しぶりに渋谷の台所へ入ってみると、お種、おつぎは健在だが、お由はやめて新顔が二人入っており、春からはまた、これらの朋輩とともに、女中部屋で寝起きする毎日だと思うと、光乃の心は正月早々から底なしに沈んでゆくばかりであった。

芝居を見にゆけるのもいまのうち、渋谷へ帰れば勝手は許されぬ、と歌舞伎座の三階へ上がれば、この一月、雪雄は「先代萩」の渡辺民部を勤めており、裃姿のそのさわやかさ、凛々しさは光乃をいっそうせつなくさせる。

その一月半ばの夜、太郎が玄関から呼んで、

「おーいおきのさん、今夜はつもるぜ。坊ちゃんの戻らないうち、熱燗でいっぱいやり

てえ。たのみますよ」

と両手をこすり合わせながら入って来、粉雪の降りかかった古びたオーバーを脱いで壁にかけた。

「太郎しゅうさん、ご機嫌ですね。何かいいことあったんですか」

と光乃もつい声をかけると、

「おうさ」

と応じ、ハ、ツンテン、と口三味線で、

〽因果同士はどんなもの、好きな同士はどんなもの、いっそ添われぬ縁ならばあ、

と小唄(こうた)を口ずさみつつ、

「今日は目出度い日でね。いや、目出度いのはおいらじゃねえ。おいらの鼻のさきに坐ってござる娘っ子だ。お前さんに縁談があったんだよ」

と、猪口(ちょこ)をあけて、

「ご冗談ばっかり」

と取り合わない光乃に、

「久吉どんだよ。久吉。芝居でいえば法界坊のくどき文句だね。『うつつ他愛(たわい)にのぼせ上がり、堕落の起こりはおきのさん。それからしては阿弥陀(あみだ)も釈迦(しゃか)も観音も、みんなお前の顔に見え、寝ても覚めても覚めても寝ても、忘れがたないその姿』、とこうくらあ」

と、元来弱いのが一杯入ると太郎の口はなめらかになる。

「で、真面目な話だがね」

と太郎は改まり、

「久吉どんは当年とって二十六歳、そろそろ身を固めてもいいころだって、親御さんたちもすすめてくれるらしい。

家は、もとはといえば大島の出なんだそうだが、お父つぁんはいま、小石川の掃除町で床屋をしている。久吉どんは男の子ばかり五人兄弟の三番目だから、ゆくさき親を見なきゃならねえってこともねえ。いわばまあ気楽な身分だ。

徴兵は第二乙だそうな。あんな堅い体していて、甲種のパリパリかと思ったら、子供のころ、怪我して右足に故障があるらしい。いやなに、ただ、右と左のふくら脛の太さが少々違うだけだって本人はいってるんだがね。

どうだね、お光つぁん、焦がれてもらってもらうは、女のいっとうのしあわせだ。一生涯大事にしてもらえるよ。

ただ、やつのいうのには、ご承知のようにこんな仕事は給金が安くて申しわけない、っていうんだが、これはまあ、一人口は食えねえが二人口なら食えるってこともある。つまり、しまり屋の女房がいれば、一人分の給金で十分食って行けるってことだ。

お前さんも、坊ちゃんが松川へ入りなすったあとは渋谷だから、食いっぱぐれってことはねえが、ちょうどいまは境目だし、こんなにおあつらえ向きに降ってわいたようないい話は、またとあるもんじゃねえ。久吉どん、自分の口からじかにお前さんを口説きゃいいのに、廻りくどくおいらに持ちかけやがった。しかしいまどき、当人同士知り合っているのに、仲に人を立てるとは、なかなかみどころのある男じゃねえか」

という説明であった。

光乃は聞いているうち、頬がぽっと熱くなり、心地よい夢を見ているような気持ちになって来てじっとうつむいているのへ、

「おいら、お前さんの家の話はこれまでこれっぽっちも聞いたことはないが、何かい、嫁入りして都合の悪い事情はあるのかい？」

とたずねられたとき、たったいままで、結婚について考えたこともなかっただけに急に混乱し、

「いえ、べつに」

といっておきながら、あわてて、

「父がいるものですから、相談しませんと」

と訂正した。

「そうだろうとも。こんな話は二束三文に片付けちゃいけねえ。相談すべき身内には相

談し、場合によっちゃあ久吉どんにも会ってもらって、しっかりと決めな。その上でいい返事となったら、おいらが仲人（なこうど）勤めさせてもらうぜ」

と太郎は独身なのにもう自分がさきまわりして月下氷人を買って出ている。

このあたしをお嫁に欲しいといってくれるひとがいる、と思うと、光乃は春風に吹かれているようなうれしい気分になり、まるでとろんと夢見るようなまなざしになってしまう。

実科女学校卒業のとき、阿佐ヶ谷の叔母が、

「こっちまでうるおうような、玉の輿（こし）ってのはないもんかねえ」

といいいいしていたが、それがとうていあり得べくもない夢、と考えていただけに、いまここに来て、自分を是非に、と迎えてくれるひとが現れたのは、何にもたとえ難い喜びであった。

久吉は決して玉の輿ではなく、むしろ手鍋（てなべ）さげての生活になりそうだけれど、太郎も保証するとおり身持ち固く、飲む打つ買うは見向きもせず、まるで亭主の鑑（かがみ）みたいなひとだと聞くと、それは何よりの条件だと光乃にも判る。

自分も明けて二十五、いささかとうは立ち過ぎ、これを逃せばもはや再び、縁談はあろうとは思えなかった。

いまもし、この縁談を断るべき障害があるとすればただひとつ、やはり父親が気がか

りで、姉にばかり世話をかけてはいけないという思いはある。清太郎は相変わらず手配師などの真似ごとをしてはいるものの、本卦がえりは二年前に過ぎ、勝年は亡くなり幾也はまだ徴兵前ときては、酒手をねだる相手はたき子だけなのであった。

光乃は奉公して以来、二年近くのあいだは、毎月給金をもらったその足で郵便局へ走り、小為替を組んで叔母に借りた金の返済をしていたものだが、いまやっと身軽になり、ぼちぼちと身装もととのえるかたわら、とき折たき子を助けて父親に小遣いを送ったりもしている。

いまの光乃の送金はべつに義務づけられているわけではないけれど、まさかのときの頼みの綱が嫁入りしてしまえば、たき子の肩の荷はいっそう重くなるのが目に見えているのであった。

しかしもともとは塩焚きの家、財産などあろうはずもないし、子供たちはそれぞれ自分の力で生きてゆかねばならぬとすると、父親には働けるうち働いてもらい、いずれ幾也が成長したあかつきはそちらに肩代わりしてもらえば、女二人はいずれ世間なみの道を歩けるというものであった。

小さいときから継母の手にかかり、肩をすくめて生きて来た自分だけれど、やさしい久吉さんにもらってもらえば、やっと安住の座が得られると思うと胸もいっぱいにふくらんでくる。

が、これは表向きの感情であって、明日にでも独断で太郎を通じ、久吉に応諾の意を伝えてもらおうと弾んでいても、雪雄の顔を見、脱いだものを畳み、茶を入れてすすめたりしていると、このひとのそばを去って別の男にかしずく自分がたまらなく悲しくなり、大声あげて泣き出したくなってくる。

しかしいずれにしろ、たき子に相談しないわけにいかず、光乃は長い手紙を書いて委細を説明しようといく度も便箋(びんせん)に向かったが、やはりこまかな心のひだは書けなかった。

太郎に相談して二月の某日、三時間の暇をもらい、日比谷公園の噴水前で落ち合うようたき子に葉書を出しておき、返事はもらわないままその時間に出かけてゆくと、たき子はすでにベンチに腰かけて待っていた。

雪もよいの寒い日だったが、二人とも喫茶店へ入るなど思いもよらず、光乃は並んで腰をおろすと、たき子はショールの下から、

「ほら」

と何やら手渡してくれた。

みれば焼き芋の包みで、これを着物の上からおなかに当てていると、懐炉代わりにほかほかとあたたまってくる。

「姉ちゃん、頭がいいね」

と笑いあい、光乃が縁談を打ち明けたところ、たぶんたき子のことなら喜んでくれる

であろう、という予想に反して、たき子は暗い顔になり、目を落として、

「そう？　大道具さん？　拍子木打ってるひと？」

と、なぞりながら、

「ねえみいちゃん、あんたそんなひとのところへ行って、やっていけるかい？」

と聞いた。

「大丈夫よ。私は貧乏な家に育ってるから」

というと、たき子は地面をみつめたままで、

「この前赤坂新町の家に泊めてもらったとき思ったけど、役者の家ってずいぶんぜいたくだね。家具調度から食べものまで、殿さま暮らしだよ。あんたはご贔屓さまからの頂きものばかり、といってたけど、お箸から手拭いに至るまで、そこらで売ってるものとは違ってみんな曰くがついてる。

　御飯のおかずだって、三品がふつうと聞いて私ゃたまげたねえ。前の上山さんちだって一汁一菜はごちそうで、一汁か一菜か、どちらかがふつうなんだよ。

　あんたももう足かけ八年、有り難いおこぼれを頂いて暮らして来て、いまさら一丁のお豆腐を二度にも分けて食べなきゃならないような、そんなつましい生活が出来るわけはないんだよ。一時の迷いで嫁ったって、続かないんだから」

「そんなことないよ、姉ちゃん」

光乃は激しく否定した。

「坊ちゃまはぜいたくかも知れないけど、私はずっと女中よ。いつまでたっても女中よ。久吉さんのお給金が少なけりゃ、私、何でもして働くわ。やって行けないことはないと思うの」

「そう？　そんなにあんた、久吉さんのこと好きになっちゃったのかい？」

たき子にずばりとそう指されたとき、光乃はふっと目を上げて遠くを見た。

ほんとうに久吉を好きかといわれれば、いいえ、と強く打ち消すものが胸の奥底にある。では何故、この縁談を受けようとするのか、と自問すれば、行きつく果て、こうすれば雪雄のことが忘れられるだろうという、苦しまぎれの逃げみち、と考えている卑怯さがある。

急にさびしい顔つきになった光乃を眺めて、年の功でたき子は見抜き、

「あんまり進んでないのならおやめよ。私もお父つぁんも、あんたがいまより苦しい暮らしに落ちるのは、うれしくないからね。金満家とまではいかなくとも、せめて少しは楽な家にもらわれれば、喜んであげられるけどね。

それに、もひとついえば、あんたは菊間家からは遠ざからないほうがいいんだよ。こんなことといえばこすっからく聞こえるかも知れないけど、あんたが宗四郎さん家にいることは、うち中の自慢なんだよ。お父つぁんも鼻高々と、娘は白木屋さんに気に入られ

て、もう年頃なのに離してはもらえねえんです、なんて吹聴して歩いてる。私だって幾也だって、出入りこそできないけれど、あんたが桃蔵さんのもとにいることでどれだけ肩身が広いかしれやしない。

中身は女中でも、世間には白木屋さんへ行儀見習いに上がってますっていえば、うちの格も上がるってもんだよ。

たとえ一生奉公になっても、私はその大道具さんと世帯持って苦労するよりはあんたのためにもずっといいと思うね」

と説き、たき子もしみじみと、

「あたしもね、今年は三十二なんだよ。もの心ついたころから家のために働き続けてきて、気がついたらもう前厄にもなってる。

人並みに結婚もし、子供も育てたいと思っても、いまのところがんじがらめだもんねえ。うちの家族には、結婚なんてしあわせは縁のないもんかもしれないね」

と身の上を語ったが、それは光乃がはじめて聞く姉の述懐であった。

二月の寒さで噴水は止まり、池の面はいちめん薄氷が張っているのを、姉妹はそのあと無言で長い時間みつめていたが、結局は話も固まらないまま、立ち上がって右左別れた。

よく考えてみれば、父と弟妹を捨て切れず、三十二までなお独りでいる姉の反対をふり切ってまでいま光乃は嫁ぐとはいえず、また、道理をさとされれば無理に、というほどの情熱もなかった。

やっぱり久吉さんとは結ばれるさだめではなかった、といままで弾んでいた気持ちがすうーっとしぼんでゆくのを自覚すると同時に、これから先も、雪雄のいない菊間家で辛抱の月日を重ねなければならぬと思うと、自分の歩く道はしょせんおぐらい陰ばかり、という気がする。

父も老い、弟もまだ小さいし、当分は家族のめんどうをみなければならないので、とっても残念ですが、と久吉さんにそうお伝え下さい、と太郎に断ったあと二、三日、光乃は気が抜けたようになって過ごした。

太郎は深追いもせず、

「そうかい。そいつは惜しかったな。おいらも一生に一度くらいは、高砂(たかさご)やあの仲人をしてみたいと思っていたのに」

とあっさり退(ひ)いてくれたが、このひとも考えてみれば、夫婦のしあわせを求めるよりも、雪雄の役者としての大成に己(おの)が人生を賭(か)けているだけに、この場合、どれだけ光乃の心の救いになったか知れなかった。

そして、家を畳む段取りとして、

「四月十二日が松川家への婿(むこ)入り、じゃねえ、養子入りの式だそうだ。婚礼と同じように結納と誓紙を取り交わすそうだからね。ついては、坊ちゃんは渋谷の本家から出るようにするってことで、この家は三月末限りで閉める手はずになった。そのつもりでぼちぼちと要らないものは箱に詰めてくれ」

と太郎からいい渡され、光乃はそれを悲しい思いで聞いた。

坊ちゃまは、ハンカチはいつもまっしろに、それに糊をつけて角をピンとのしておくのがお好き、靴は必ず水の垂れるようにピカピカに輝いているのがお好き、鏡は曇りなく、髭をあたるときの石けんはジャン・パトゥのジョイでなくてはならず、それも香りはチベルーズと決まっており、うっかり切らして日本製のものを置いておくと、叩きつけるほど怒られる、と光乃がすべて心得ていることを、いまのうち、手を足しておかねばならぬ。

三月三十一日の別れまで、光乃には一日一日がいとおしく、大事に大事に時間を過ごしたい気がする。一分一秒でも長く雪雄のそばにいたく思うのに、雪雄の三月は東京劇場で新作の軍隊ものに出ており、翌四月は歌舞伎座の「御所五郎蔵」とあって、バタバタとせわしなく、そして鶴見と思える外泊もときどきはある。

いったい圭子母子のことについて、このたびはどうするのだろうかと、光乃の頭の隅にはそれが離れないが、太郎はあきらめている様子で、

「男の子がいるからにゃあ、誰も手の出しようがねえ。時節を待って考えることだ。六

円さんだってうすうすはご承知だと思うが、何にもおっしゃらねえらしい。役者にはありがちのことだと大目に見て下さっているんじゃねえのかねえ」

と、いまはなりゆき任せのつもりらしかった。

三月も二十日を過ぎると陽気はすっかりよくなり、ときには羽織も脱ぎたくなるような日が続いたりする。陽ざしが光を増すにつれ、逆に光乃の心は暗くなりまさり、ある日、買い物に出たついでに赤坂の本屋に立ち寄ってみた。

苦しくて耐え難いとき、あの霊南坂教会の牧師の、眼鏡の奥のあたたかい瞳（ひとみ）を思い出すと、いく分慰められ、できればもう一度訪れたいとたびたび考えたが、それはできなかった。

亮子を不幸に導いた罪の重さはなお重く光乃の胸の底にわだかまっており、いまごろそしらぬ顔してあの教会へ顔を出すのは、あまりに恥知らずの行為ではないかと思っている。

ならばせめて、聖書なりと身のわきに置き、その一章を読み上げることで、雪雄と別れるつらさを少しでも紛らわしたいと思い、本屋をのぞいてはみたけれど、そこに聖書はなかった。

本にハタキをかけている店先の親爺（おやじ）に、教会以外で、どこへ行けば買えるでしょうか、

と聞くと、

「さあねえ、判らんねえ」

と一度はつれない答えだったが、ふと思いついたらしく、

「そうだ、丸善はどうかな。あそこは唐物屋もやってるから、聖書もあるかも知れないよ」

と知恵をつけてくれた。

唐物屋とは、宗四郎がよくいう船来ものを扱う店のことで、げんに雪雄の持ち物は中折れ帽子から万年筆に至るまで、ここの品が多い。

聖書は西洋渡来だから、唐物屋へ行けばよい、という親爺の思いつきは、あながち的はずれではなく、翌日、ひとりで電車に乗り、日本橋まで出かけて行った光乃は、ここで聖書を手に入れることができた。

牧師のそれのように、革表紙ではなく、両てのひらで挟めるほどの小さな判だったけれど、定価二円という、光乃にしては高価な買い物ではあっても、すこしも惜しいとは思わなかった。

惜しいどころか、小豆いろの布貼りの表紙の、この小さな一冊は、これ以後、光乃の心の唯一のよりどころとして、常にかたわらに侍り、波立つ思いを慰撫してくれるのであった。

その帰り、光乃は家の近くの工事場で、積みあげられている石材と石材の、ほんのわずかな隙間から茎をのばし、一輪咲いている小さな紫のすみれを見つけた。

よくよく捜さなければみつからぬような陽かげに、長いあいだ石に押しつぶされていた蕾がようやく伸び上がり、いませいいっぱい花をひらいたその姿に、光乃は涙の出るほどの感動をおぼえ、近寄っていってじっとみつめた。自分も、辛抱していればいつか花咲く日もくるかも知れないと思いながら。

そして聖書を手に入れた日からふしぎに光乃は落ち着き、以前のように、「これがあたしの運命、なにごとも辛抱」と、少しずつ考えられるようになってきている。

世のなかには圭子のように、愛するひとには進んで近付き、身を挺して愛をかち得るひともいるが、光乃のように向こうからやってくる運命を黙って甘受するだけのひともある。

もとはといえば、雪雄のそばにも近寄れなかった身が、女中という職のおかげでこの七年近く、ぴったりとそばに付いて世話をさせてもらったのを、いまは稀有なる果報と考えて別れてゆくより他ないと思えるのであった。

引っ越しも間近に迫った三月二十八日、この日は東京劇場の楽の日で、芝居のはねたあとはいつものように弟子たちをつれて飲み歩くため、きっと帰りは遅いもの、と光乃は考えていたが、十一時ごろ、しっかりした足どりで雪雄は帰ってきた。

養子入りの日も近くなれば身を慎む思いもあるらしく、階下で光乃とラジオを聞いていた太郎が、

「よう、お早いお帰りで」

と迎え、二人連なって二階へ上がったあと、光乃は茶漬けか、茶だけか、と迷った。もうほとんど荷は箱詰めにしてあり、急にいわれても間に合わなければまたご機嫌を損じる、と考え、まずお伺いをたてよう、と階段を上がりかけた。

二人は、階段のとっつきの部屋で話しており、二人ともに日頃から声が大きいので、内容は筒抜けに聞こえてくる。

「松川家もやっぱりあれこれ心配なすっておいでの模様でござんすねえ。お供の女中の件は、こちらから連れてゆくといえば、向こうのやりかたが気に食わないため、と受け取られるし、一人で行けば向こうは家内一同、瘦せるほど坊ちゃんの扱いに気を遣うに決まってる。

どうしたらいいもんか、と大旦那と頭捻っていたら、今日渋谷のほうにご沙汰がありましたぜ。口上は、『もし菊間家にお手がございましたなれば、桃蔵丈のお気に召した召使ご一人お連れ下さいましても苦しゅうはござりません。当方も安堵いたします』てなおもむきでした。

坊ちゃん、そのほうがようがすね」

と太郎がいえば、雪雄はあっさりと、

「そう」

とだけで、続いて太郎が、

「それなら、どの子をお連れになりますか。渋谷に四人、こちらに一人おりますが」

といったとき、雪雄はすぐさま、

「そうとなりゃ、決まってるじゃないか。おれのパンツをずっと洗ってるのが、こっちにいるじゃないの」

雪雄の返事を聞いたとたん、太郎はポンと手を叩き、

「そうこなくっちゃあ」

と喜んで、

「実を明かせば、おいらもそうしちゃあもらえまいかと、松川家の方角向いて手を合わせていましたぜ。

きのねなら賢いし、口は堅いし、向こうの家へ行っても、朋輩たちと悶着起こす心配はこれっぽっちもありゃしません。こいつあ万事目出度い。おいらも安心だ」

とそこまで聞いて光乃は、階段の下から三段目にへたへたと坐りこんでしまった。

うれしいというよりは、夢のなかにいるような心地で、一瞬放心し、目を宙にさまよわせていたが、すぐ気がついて茶の間へと下りた。去年秋の松川家との固めの盃のあた

りから苦しみ続け、ようやっと心に平安の兆しを見たとき、いままでの思いがすべてふっ飛んでしまうような、有り難くももったいない主命が天から降ってきたという感じであった。

歓喜の頂点には、容易に笑みはこぼれないもので、光乃が表情をこわばらせたまま坐っていると、しばらくののち太郎が着物の両袖口をハタハタさせながら、

「聞いたか、聞いたか」

と、「道成寺」の所化の科白をいいつつ下りて来、

「聞いたか坊主、知ってるかい」

と光乃の前で、一人でかけあい、

「聞いたか、聞いたか」

「聞いたぞ、聞いたぞ」

「なにを聞いたぞ」

で気をもたせて、間をおき、やおら、

「お昼の惣菜、芥子が利いたぞ」

といったとき、はじめて光乃は顔のこわばりが解けて、小さな声を挙げて笑った。

太郎もハッハッハッ、と笑いながら、

「おきのさんや、お前さんこれからずっと、主従は三世、を地で行かなきゃならないよ

うになったぜ。坊ちゃんについて松川家へ行くことになったんだ。坊ちゃんのお名指しだよ」

と勿体をつけてそう告げたとき、いまこの言葉をはじめて聞くふりのできぬ光乃は思わずうつむき、せき上げて来て膝にぽとり、としずくをこぼした。

「そうかい、そうかい、喜んでくれるかい。お前さんについていてもらえばおいらも大船に乗った気持ちだ」

と、太郎はあぐらをかいて、

「なあおきのさん、こうなりゃ、久吉どんの話は断ってよかったな。もっとも、先になってみりゃ、やっぱり片付いておいたほうが無難だったってことになるかもしれねえが。当分はどこへも嫁かないで、坊ちゃんのそばにいてやってくれよ」

雪雄が光乃を、と望んだことはさっそく渋谷に伝えられたが、むろん宗四郎夫妻とも異存はなく、

「お光ならば、向こうのひとたちといざこざ起こす懸念もなし、陰日向なくよく働くからかえって喜ばれるだろうよ」

と、ただちに本決まりとなった。

話は太郎を通じて正式に光乃に伝えられ、光乃は襷をはずし手をついて、

「松川家へお供仰せつけられまして、有り難うございます。一所懸命相勤めさせて頂き

ます」

と雪雄に挨拶したが、手放しで喜んでばかりもいられなかった。

それよりも、まだ見ぬ松川家の内のもようが案じられ、果たして自分がやってゆけるだろうかと、不安感のほうがはるかに大きい。主について他家にはいる使用人は、家風の違いにずいぶん苦労するといわれ、実際、亮子についで来たばあやのやり方を見ているだけに、心配は果てもなく拡がってくる。

ようやく心が弾んできたのは、引っ越しの日、渋谷からも大ぜいの弟子たちが手伝いに来て、箱詰めの荷物を運びはじめたとき、雪雄の松川家への持参品と、親のもとに残すものとの仕分けが判らず、雪雄はたびたび、

「おーい、お光」

とも、

「おーい、きのね」

とも呼び、いちいち光乃の指図を仰ぐのであった。

夫婦、とはもったいないが、こうして二人の荷物を運び出していると、手に手を携えて見知らぬ世界に船出してゆくような感じがあり、さらにいえば、二人とも決死の覚悟で敵中に乗り込んでゆくような、悲壮感さえなきにしもあらずであった。

もっとも雪雄自身には、名家を背負う緊張感が漲っているようで、このところ顔つき

さえすっきりと変わってきたように見える。

　無事渋谷へ荷物を移したあとも、まっすぐに家に戻り、父宗四郎と差し向かいで盃のやりとりをしつつ、松川家についての話を聞くことが多い。

　十二日の式まで、光乃は以前の女中部屋で仲間とともに寝起きしているが、まもなくこの家を去る身とて、女中頭のお種はきりきりいわず、二階の雪雄の居間の片付けなどしていることが多かった。

　ある一日、雪雄の机の上に上下二冊の立派な帙入りの本が置かれてあるのを見、手にとってみると、伊原青々園というひとが著し、大正六年に刊行されたもので、「松川玄十郎の代々」という題名がついている。パラパラとめくってみると、初代から九代目までの略伝や写真、筆跡などが克明に記されてある。

　光乃はそれを見て、

「やっぱり本が出るくらいの名門なのだな」

　と感じたが、演劇史一般のなかで取り上げられるのは別として、一家門の歴史が単行本になっているのは、このころまだ珍しかった。

　初代は遠く元禄以前にさかのぼり、わずか十四歳にしてのちに伝えられる荒事芸を創始したひとで、最盛期には江戸第一の人気と、年俸二百五十両を稼いだという。

　不幸にして初代は、中村座の「移徙十二段」に佐藤継信役で出演中、頭取の生島半六に横腹を刺されて花道近くで倒れ、ついにこときれたそうで、ときに四十五歳であった。

二代は初代の長男で、十七歳で襲名以降は研鑽を積み、江戸立ち役、名人無類とたたえられ、七十二歳で没するまで結構の生涯であったと伝えられる。

三代は、初代の弟子の子として生まれ、五歳で二代目の養子になったが、大成の日を見ることなく二十二歳で夭折してしまった。

四代は、出生定かならず、芝居茶屋の主か狂言作者かの子が養子に入った説と、実は二代目が外にこしらえた子だという説と二通りある。発奮して励み、およそ五十年にわたって歌舞伎界に君臨した偉材であったようで、このときから玄十郎の名は不動のものとなったという。

五代は、四代目の実子であるが、多病で神経質、謙虚恬淡の芸人らしからぬ人がらで、文人墨客と交わり、早くに向島の庵に隠棲したものの、なおときどきは舞台にも引き戻されることもあった。没年六十六歳。

六代は、五代目の養子で、二十一歳で中村座の座頭を勤めたが、心労重なり、三代目と同じく二十二歳で病没した。

七代は、五代目の娘が養女に行った先で結婚し、挙げた子で、十歳で襲名してから六十九歳で他界するまで、東西の大舞台を制覇するほどに力があったという。しかし不幸にして奢侈僭上という理由で江戸十里四方追放の刑に処せられ、下総成田の延命院に謹慎生活を送り、のち赦され、江戸中村座の舞台を最後にその生涯を閉じた。八代は、七代の長男で、たぐい稀な美貌の持ち主だといわれ、江戸歌舞伎はじまって以来の人気役者となったが、嘉永七年、大坂の旅宿で自殺して果てた。ときに三十二歳であった。

光乃は熱心に読みふけっていて、ここでふと胸さわぎをおぼえ、本を下においた。どの家系でも、遠くさかのぼれば罪人の一人や二人、出ていない家はないといわれるが、人気役者の自殺とはおだやかならぬ話だと思った。

しかも嘉永七年とは話も近寄っている。

短い時間をぬすんでのほんの拾い読みだけれど、松川家歴代の残した実績は凄いものだと光乃は思った。

およそ二百五十年にわたって、常に歌舞伎界に睨みを利かし、ために一門繁栄して、こんにち松川の門系には多くの名優が輩出しており、その宗家を継ぐ役者として迎えられる雪雄の任務の重さと、つき従う自分の責任がいまさらのように感じられる。

ただ、初代から七代あたりまでは、遠い時代の話ではあり、あまり身近なひととは感じられないが、自殺したという八代から急に生々しい出来ごととなり、さらに九代に至っては、この渋谷の主宗四郎が十一のときから弟子入りしていたひとだけに、何かといえば、「師匠が、師匠が」を聞き馴れている。

宗四郎の口ばかりでなく、九代は劇聖といわれ、いまも至るところにその舞台写真が飾られていることから推して、このひとがいかにこの世界の内外から厚い人気と憧憬を集めていたかは素人目にもよく判る。

九代は明治三十六年、六十六歳で没、とあるが、そのあと宗家を引き継いでいる六円は、もうあと少しで還暦を迎えるという年になっているのに、なぜ十代目を襲名しないのかと、これは光乃にさえ起きる疑問だけれど、手にした本のなかにそのことは触れていなかった。

松川家はこれから先の自分の奉公の場所であり、それを太郎に糺そうと思っているうち、まもなく機会があって、二人で二階の雪雄の部屋の最後の片付けをいいつけられたとき、光乃はそのことを聞いた。

「そうさなあ、お前さんにも話しておくべきだった」

いやなに、べつだん深い事情があってのことじゃあねえ、と太郎は首をふりふり、

「六円さんは結構なお方だ。お人がらよし、学はあり、何ひとつ申し分のないご仁でいらっしゃるが、口惜しいことに肝腎かなめの芝居は巧くねえ。いや、これも、無理のない話じゃああるが」

というのは、九代玄十郎は男児に恵まれず、弟の子銀次郎を養子としたが、十三歳で病没してしまい、翌年には長男護が生まれ、喜んだのも束の間、わずか五カ月余で短い

生涯を閉じてしまった。

そのあとに生まれたのはまり子、うめ子の二人だけで、ならば長女に名門よりしかるべき婿を取り、名跡を譲るべく物色したが、これという人物はみつからぬ。たまたま、九代目の隣家の友人から紹介されたのが日本橋本材木町の下駄問屋で、その家の二男坊、利三郎をもらい、まり子とめあわすことになった。

利三郎は慶応義塾卒業後、実父の関わっていた日本通商銀行に勤めており、芝居とは全く関わりのない純然たるサラリーマンであった。

このとき九代目は、利三郎、まり子のあいだに男児が生まれたなら、この子に十代目を襲わせようという腹づもりであったらしい。

利三郎は温厚篤実な気質をもち、素直で養父母を心から敬い、その希望に従って書画、俳句、骨董の勉強に励んだが、周囲の期待を裏切って子供は生まれなかった。

そして婿入り二年目に、尊敬する岳父九代目を失い、その没後七年目、齢二十八歳にして俄かに役者を志し、舞台に立つことを望んだという。

一サラリーマンから突如、劇界入りした利三郎の心境は、その後も、誰にも解けない謎とされているが、憶測の筋によると、大阪の山村雁治郎のすすめにより、十代目玄十郎を継ごうとする固い念願を立てたのではなかったろうか。

事実、初舞台は大阪の中座で踏み、その後も「松川宗家の看板が魔除けになって」とまでいわれるほど厚遇され、初舞台以来八年目、三十六歳にして松川六円を襲名した。

中年からの役者はいかに努力しても大成はしないという定説どおり、その後、松川の家名は尊ばれても、敬して遠ざけられるという地位におかれたまま、今日に至っている。ただ、六円の功績は、九代目の追善興行などを機に、歌舞伎十八番を復活させ、自らも出演して「解脱(げだつ)」「不破(ふわ)」「象引(ぞうひき)」「嫐(うわなり)」「七つ面(めん)」「蛇柳(じゃやなぎ)」などの、ともすれば埋もれようとしたものを舞台で再現させたということがある。

やはり歌舞伎芝居とは、子供のころから基礎の芸を叩(たた)き込まれ、その世界に身をおいて育たなければ役者としては成り難し、といういい伝えを、六円自身地でいったような形となり、松川玄十郎の名は、九代目の没後、ずっといままで空白のままなのであった。

では、全く血筋が無いかといえば、妹娘うめ子が迎えた婿とのあいだに、一粒種の女の子がいる。

婿は松川系の門人で、子供芝居から勤め、宗家に入ってのちは代々玄十郎の幼名になっている勘之助を襲名、美男で芸風高いとの評判だが、義兄六円をさしおいてこのひとが十代目を継承するわけにはいかず、また芸の質からしても、宗家を代表するものとはいえなかった。

玄十郎存命のころは、娘まり子うめ子を舞台に出し、それぞれ麗扇、白梅という芸名で仕込んだこともあったが、いつとはなし遠ざかり、その後はうめ子の一人娘、寿子を麗扇と名のらせていまは女優の道を歩ませている。

とこう聞けば誰しも、この麗扇と雪雄を結婚させれば松川家は血筋正しく存続してゆくと考えられ、光乃も麗扇の名は聞き知っているだけに、そのことをまず太郎にたずねたところ、

「二人が夫婦になるとは聞いてねえなあ。

何しろ麗扇さんは、宗家一同が待ち焦がれた末に生まれた一人っ子だからね。周囲の期待も大きくて、ゆくゆくは大きな役者にすべくみんな『坊や、坊や』と呼び慣わして育ってきている。

気立てはいいひとらしいが、人の女房が勤まるような柄じゃあねえらしい。早い話が、銭ってものは、神さまへのお賽銭用だとばかり思ってるっていうからなあ。

しかし本人同士は昔からの顔見知りで、向こうもお兄ちゃんって呼ぶし、こっちも坊やってからかう仲だ。そこは六円さんも肚に一物でこの話を持ってきたかもしれねえし、大旦那とのあいだでひそかに約束は交わされているかも、それはおいらの推量の限りじゃあねえ」

という太郎の話を聞いていて光乃は、不安が胸のうちにむくむくと暗雲のように拡がってくるのを覚えた。

その坊やこと、麗扇さんと結婚し、めでたく松川玄十郎を継げば、雪雄としては上々

吉ではないか、と思うのに、またもや悲しさは重みを増してくる。

いよいよ式の日が近づき、家中緊張が高まってくるなかで、光乃は台所を手伝いながら、お種に、

「当日、お供の私も紋付きを着るべきでしょうか」

とたずねると、お種はハッハッハッと男みたいな笑い声をあげて、

「誰もあんたには目もくれやしないよ。召使はお駕籠のうしろに隠れてこっそりついていけばいいいんだよ。ふだん着で結構」

といい、さらに、

「夫婦じゃあるまいし。紋付きなんて」

と笑い続けるのであった。

そうかしら、本で読んだ松川家は古式を重んじる家だし、女中の私が礼をわきまえなければ坊ちゃまに恥をかかせることになる、と思うと、お種の言葉は聞かなかったとして、かねて用意の、黒紋付きの羽織を、当日手荷物の風呂敷包みのなかに入れた。

紋どころは、よほど白木屋の四つ花菱か、松川宗家の六つの円を頂きたかったけれど、光乃にそれは許されておらず、無難な女紋の桐を染め抜いてもらってある。

花も散りがての四月吉日、夜の舞台にさし支えぬよう、はやばやと午前九時、門前に黒塗りのハイヤーが止まり、下り立ったのは「象引の源内」とあだ名のついた、雲つく

ばかりの大男玄右衛門、玄関にはいり、
「これは松川宗家よりつかわされまいたる、使者にござる。松川玄右衛門、参上仕り
ました」
と大音声に呼ばわった。
チョン髷、裃こそつけていないが、玄右衛門の使者は芝居もどきで、応対に出た弟子
もつい、
「そこは端近、いざまず奥へ」
などといいそうになる。
しかし決して堅苦しい雰囲気ではなく、宗四郎から、
「使者殿に一献」
とねぎらわれてのち、玄右衛門が先導して雪雄とその供の者たちを伴い、いよいよ築
地の本邸へ帰ることになる。
ひゃあパッカードだぜ、と太郎のいうハイヤーへは玄右衛門と雪雄、林が乗り、あと
は円タクで渋谷の家を出発した。春光さんさんたるもと、黒紋付きの人たちが群れ、互
いに挨拶を交わして磨き立てたハイヤーに乗るさまは、通行人の目をひき、婚礼だ婚礼
だ、撒きものがあるってさ、とたちまち人だかりが出来る。
ハイヤーが出たあと、太郎と光乃はおいかけて電車で行くことになり、見れば太郎は

いつもどおりの唐桟（とうざん）の着物に白木屋の袢纏（はんてん）、という装（なり）で、とすればやっぱり女中の身で紋付き羽織などは僭上の沙汰と気がつき、光乃は自分のさし出た気働きを恥ずかしく思い、風呂敷包みは解きもせず、そのまま胸に抱いて、これもふだん着のままで築地へ向かった。

経帷子

築地の松川邸は、表門が築地小劇場と並び、敷地四百坪以上もある豪壮な構えで、邸内には鬱蒼と樹木茂り、夏には弟子たちを集めて胆試しの催しができるほどだという。亡き九代目がこよなく愛した邸だけに、至るところその足跡は残されており、まず西南の隅に八百よろずの神を祀った美々しい神殿が建っていて、とりわけそのなかの稲荷大明神の祭礼には弟子たち一同、歌や踊りを奉納して大そう賑やかな一日となるのであった。

水の澄んだ青柳の井戸のまわりは野菜畑で、それに続く花畑には梅、牡丹、あじさい、椿、つつじなどの花木の他に四季の草花をも丹精しており、これらに取り囲まれるように六円夫妻の住む母屋、少し離れて麗扇一家の住む家が建っており、その母屋の広間で、いまこれから養子の結縁式がはじまろうとするのであった。

さすがに、元禄のころから連綿と江戸歌舞伎界に君臨してきた松川家の継承者の披露ともなれば、譜代の弟子、奉公人らは広間を埋め尽くして集い、太郎と光乃は敷居の外に出てかしこまり、人の頭のあいだからところどころ、雪雄のうしろ姿をのぞむばかりであった。

床前に居並ぶ一族のなかの麗扇だけはすぐ目についたが、ふっくらとした顔つきの大柄なひとだと判り、やっぱり光乃は何となく平静でいられず、じっとみつめ続けている。

盃のあと、今日を限りに菊間雪雄から堀留雪雄となった松川家の後継者を囲んで、身内だけで昼の祝い膳を囲むと、雪雄はすぐ衣服を改め、歌舞伎座に出演のため、太郎とともにこの家から出勤して行った。

光乃の身柄は、この家に着いたときから女中頭のしのに引き渡され、とりあえずの手順を教えてもらったが、それは光乃が夜の目も寝ずに案じていたのと違い、至極のんびりとした運びであった。

こちらは使用人も弟子も、数は菊間家より多いと思われるが、踊りを教えていないことや、子供は麗扇ひとりという事情もあって、家中静かでしっとりと落ち着いている。雪雄の居室は二階で、光乃は階下の女中部屋に住むことになるが、用があるときは雪雄がベルを押せば、光乃がすぐ上がって行って、伺うようになっているのであった。

こちらは、渋谷ほど忙しくはないのと、光乃は最初から「若旦那づき」という触れ込みもあって、ずい分体はらくだけれど、それでもしようと思えば雪雄の身の廻りの仕事はいくらでもあり、従ってこの家の女中たちとは親密になるというほどにはなかならなかった。

光乃のみるところ雪雄は養父母に気の毒なほど気を遣い、食事も二人がすませたあとで、と尻込みするのへ、まり子からたって、と乞われ、それならば、となお一段下座でつつましく箸を取るというかたちとなる。

大体昔からの内弁慶が、ここでは弁慶ぶりを発揮せず、何をいわれても、

「へい、そうです」

「へい、そのとおりです」

と親を伏し拝んでいては、坊ちゃまどこかで爆発するのでは、と光乃がはらはらして見守っているとおり、今度はその当たりどころがどうやらまっしぐらに、手近の光乃にやって来そうな気配であった。

もともと雪雄がこちらへ入るときの条件として、まもなく玄十郎の前名、由緒ある松川鶴蔵を襲名する手はずになっており、演し物は「外郎売」とすでに決まっている。

この芝居は歌舞伎十八番のひとつ、本来をいえば、「助六」のなかに含まれていた役を取り出し、松川系の子役にやらせるのが慣例になっていたが、このたび新しく川尻清潭に構成をたのみ、一幕で、中幕に上演するという。

松川家に入った最初の芝居として、当代名優の先輩たちがずらり総出演して華々しく首途を祝ってくれることになっており、雪雄にすれば、気の遠くなるほどの緊張感を強

いられることになる。

しかも外郎売の科白ときたら、舌口芸といわれるとおり、早口言葉のつらねで長く長く、覚えるだけで死にもの狂い、その稽古の相手を光乃はいいつけられた。

築地という町には独特の美しい情緒があって、朝の早い魚河岸や、居留地の名残の明石町界隈、本願寺に群れる鳩も、ときに松川家の近くまで飛んでくる。山の手の渋谷とはがらり変わり、御用聞きたちのイキのよさ、耳を澄ませると、隅田川を上下するポンポン蒸汽の音も聞こえてくるような気がする。

雪雄の居室からも、障子を開けるとすぐ近くに聖路加病院のとんがり屋根が見え、吹く風にも潮の香が漂って気分も伸びるが、いま雪雄はそれどころではなく、光乃を相手に外郎売の科白と必死で格闘しているのであった。

抜き書きを手に、部屋の隅に控えている光乃の前を、雪雄は行きつ戻りつしながら、

「狸百疋箸百ぜん、天目百ぱい棒八百ぽん、武具馬具武具馬具三武具馬具、合わせて武具馬具六武具馬具、菊栗菊栗三菊栗合わせて菊栗六菊栗」

と声高に唱えるが、ときどきつまり、光乃が、

「あのなげしの長長刀は誰が長長刀ぞ」

と次をつなぐと、機嫌のいいときは、

「向こうの胡麻がらは荏の胡麻がらか真胡麻がらか、あれこそほんの真胡麻がら」

とすぐ続けられるが、少し調子の悪いときは、

「ええ、判っている。教えるな」

と足を踏み鳴らして怒る。

何しろ早口言葉の連続なので、

「がらぴいがらぴい風車、おきゃがれこぼしおきゃがれこぼしゆうべもこぼしてまたこぼした。たあぷぽたあぷぽちりからから、すったっぽたっぽたっぽ一干だこ」

と繰り返すうちたちまちこめかみから汗がしたたり落ちてくる。

「手拭い」

といわれるまでもなく濡れタオルをさし出すと、再び、

「手拭い」

と怒鳴るが、ここで再びタオルを出してはいけない。乾いた日本手拭いを折って渡すと、それできりりと向こう鉢巻きを締めるのである。

そうして気をとりなおし、

「煮ても焼いても食われぬ物は、五徳鉄灸かな熊どうじに石熊石持虎熊虎きす、中にもとうじの羅生門には」

と、続いてゆく。

なめらかに流れる日は、これでもう仕上がり、と思っていても、つまり始めるとつぎ

つぎ引っかかり、そんなとき雪雄はすっかり苛立って、ものを蹴っとばし、光乃が助け舟に次の科白をいおうものなら、頬を張りとばされたり、背中を蹴られたりする。最初平手で頬桁を張りとばされたときには、光乃はくらくらとし、思わず畳に突っ伏した。頬はみるみるうちに腫れて来、片目はつぶれたようになって、女中部屋の朋輩たちが、

「あらお光さん、どうかなすったの？」

と聞いてくれたが、

「いえ、自分で粗相してしまったんです」

とだけしかいわなかった。

が、翌日あらわれた太郎はそれとすぐ判り、

「今度の舞台は坊ちゃん死にもの狂いだからなあ。それに六円さんご夫妻にはいまだに『おじぎの銀ちゃん』よろしくずい分遠慮してるっていうじゃねえか。こうなりゃあ当たる先はおいらか野崎村だけだ。おいらにゃ手は上げねえが、お前さんはえらいご難だよ」

といいつつも、

「まあかんべんしてやってくんな。坊ちゃんあれで、お前さんにゃ重々申しわけないと内心思っているんだ」

と宥めてくれ、それは光乃にもよく理解できるだけに、じっと我慢するより他ないのであった。

考えてみればあたしは太郎しゅうさんの愚痴をぶちまける穴、坊ちゃまの憂さの捌けぐち、いまに体中傷だらけになって倒れてしまうかもしれないという恐怖はあるものの、しかしいまは何より、雪雄の襲名の舞台を成功させてやりたいという気持ちのほうが強かった。

雪雄の手の早いくせを、太郎は「親父さんゆずり」ともいうが、しかしどの男を見ても、生涯人を殴らずにすんだというひとは先ず無いし、早い話が光乃の父親も、女房の折檻は日常茶飯事、子供たちはそれを見馴れて育って来ている。

雪雄にぶたれて決してうれしいことはないが、いま、雪雄の心中はほぼ手にとるように読めるし、口数の少ないぶんだけ、すぐ手を出すお方だと了簡していれば、忍べないこともないと思うのであった。

次の初日が近づくと、いま演じている芝居の科白が乱れてくるのは雪雄の気質をよくあらわしているが、四月の「御所五郎蔵」をようやく打ち上げると、寝食忘れるほどの熱心な稽古に入り、やがて五月二日、「ういろう」の幕が開けた。

雪雄は新しい下着を着けて邸内の神殿に詣り、六円とともに徒歩で歌舞伎座の楽屋入りをしたが、光乃もじっとしてはいられず、追いかけるようにしていつもの三階に上がると、今日は太郎もついそばに陣取っている。

幕が開くとこれはまた一段と豪華な舞台で、当代人気の幹部役者たちが端役に至るまで付き合って並び、口上は美男の誉れ高い喜左衛門が、持ち前の名調子で「隅から隅まで」を朗々と述べ、且つ、「ゆくゆくは松川玄十郎を襲名させる所存にござりますれば」と劇中で明確に公約してくれた。

さて舞台はいよいよ早口言葉にかかり、光乃は膝に手を組み、一心に祈っているとその耳に、第一難関の、

「菊栗菊栗三菊栗」

の個所は無事通過、続いて次の難所の、

「鮒きんかん、椎茸定めてごだんなそば切、そうめんうどんかぐどんなご新発知、小棚のこ下に小桶にこみそがこ有るぞこ杓子こもってこすくてこよせ」

も、息をつめて聞いているうち、障りなく流れ、最後の、

「ホホ敬って、ういろうはいらっしゃりませぬか」

が終わったとき、光乃はほうーっと肩の力を落とし、隣の、これもコチコチになっていた太郎も、

「おいら、危うく奥歯を嚙み砕くところだったぜ」

と、唇をあんぐりと開き、息を吐いた。

この舞台は日替わりで宗四郎、六円が、重忠役を勤めており、雪雄は毎日、実父と養父に背後から監督されているような按配で、緊張も極度に達していたことと思われる。

この月の歌舞伎座は、六代目をはじめ、名優キラ星の如く並んで賑わい、あとから考えれば、まもなく戦時体制に入る前の、最後の輝きのようなおもむきがあった。

雪雄は毎日、全力をふりしぼって外郎売を勤め続けたが、古豪揃いの舞台ではまだまだ小さく、好感は印象づけられたものの、先輩から揃って讃辞を頂くというほどには至らなかった。

養父の六円は、雪雄の芸についてはほめもせずけなしもせず、かといって無関心ではなく、食事どきの話題には必ず、代々の玄十郎が演じてきた「外郎売」の挿話など、ものやわらかな調子で静かに語り聞かせてくれる。

その昔、江戸と上方の芝居が激しく対立していた時代、大坂へ乗り込んで行った玄十郎の「外郎売」は、観客によって先ず舞台に半畳を投げられ、続いて科白を全部先取りして客席から唱えられ、危うく立ち往生、というとき、玄十郎は舞台に手をついて、

「半畳賜り有り難うございます」

と礼をいったのち、心ばかりのお返しにと、この早口言葉を逆さからあざやかに唱え、客の度胆を抜いたという。

こういう話を聞くと雪雄は、自分の科白の入りかたがまだ浅いのを責められているの

かな、と思うし、また、自殺した八代目は年少の故に「外郎売」の舞台では先輩たちにさんざんいじめられ、科白を間違えるよう背後でわざと聞こえよがしに、悪口をいわれたそうで、その話も雪雄にとっては、老練な名優の後ろ楯によって押し出されている自分に、身の果報を知るように、と戒められているような思いがする。

「ういろう」が開いてしばらくは、舞台から眺める客席はただ真っ暗闇、どこにどんな客がいるやら皆目判らなかったらしいが、それが少しずつ見えて来たのは中日辺りからだと雪雄はいう。

というのは、僅かながらも余裕が出て来た証拠だけれど、気を許せば舌が廻らなくなるため、千秋楽の幕が下りるまでは依然、張り詰めていなければならなかった。

雪雄は初日からずっと、養父に従って早々と楽屋入りし、座頭をはじめ先輩たちに「お早うございます。本日もよろしくお願い申し上げます」と挨拶して顔にかかり、終わるとまっすぐに帰って来て、養父母とともに食膳を囲んで亡き九代目の思い出話などを聞いてすごすという、まるで絵に描いたような、満点の毎日を送っている。

ご贔屓の席には顔を出すだけで盃は手にせず、楽屋見舞いの顔馴染みの芸者たちの誘いにも乗らず、ひたすら精進の様子を太郎はひやかして、

「この挙げ句がおそろしいってんじゃあありやせんかねえ」

というが、雪雄は笑って取り合わぬ。

何とか大過なく進んで、楽(らく)はもうあと一週間という日の午後、六円の弟子の一人が女中部屋をさしのぞき、

「お光さんというおひとえ」

と声をかけて、

「太郎さんが呼んでいなさいますよ。すぐ若旦那の楽屋に来て欲しいって」

と伝えてくれた。

木挽町(こびきちょう)と築地は目と鼻の先、弟子たちはいつも往復しているし、大した用事でもあるまい、どうせ六代目初役(はつやく)の、「太十(たいじゅう)」初菊がこいつあ絶品だ、のちの世の語りぐさにお前さんぜひのぞいてみなよ、というくらいの話ではないかしら、と思いつつ、それでもすぐ身支度して光乃は歌舞伎座に駈(か)けつけた。

ちょうどいま雪雄は出番の最中らしく、楽屋には太郎が膝のあいだに両掌(りょうて)をはさみ、何やら思案のていで、ぽつねんと坐(すわ)っている。

「お、きのね、来てくれたかい」

とすぐ立って来て、光乃を廊下の隅に引っ張ってゆき、葛籠(つづら)のかげに隠れるようにして、

「困ったことが出来(しゅったい)だ」

と腕を組み、

「どうしたらいいかねえ。実はな、たったいま使いが来て、お圭の子が死んじまったっていうんだ」

といった。

まあ、と口を開いたきり、光乃も言葉がなく、

「坊ちゃんに知らせるべきか、それともおいらの手前で始末するのがいいか」

太郎はしんそこ困惑しきっている様子で、

「何しろ大事な襲名の舞台だし、知らせてこのあと科白をとちったりしちゃ元も子も無くなっちまう」

「それで太郎しゅうさん、亡くなられたのはどちらですか。丈一くん？　それとも下の女のお子さん？」

「笑子ってんだ。その子らしい。使いのばあさんの話じゃあ、ひきつけを起こして、医者も間に合わなかったって」

「じゃあ丈一くんはお元気ですね」

「いやそれが、二人とも同じ容体だっていってたから、ひょっとすると丈くんはもう入院でもしてるかも知れない」

と太郎も少なからず混乱しており、ようやく、

「とりあえずお前さんだけでも、鶴見へ行ってやってはくれめいか。使い寄越したのに誰も行かないんじゃ、お圭のやつ、逆上して火つけなり母子心中なりしでかすかもしれねえから」

といわれて光乃もたちまち困り、

「あたしのようなものが伺っても、お手伝いになりますかしら。何をどうすればいいのか」

と、汗が噴き出てくる。

「こんなときゃ、お圭の在の者が来て葬式一切やってくれれば表沙汰にもならねえですむんだが、身内とは付き合いはねえし。

ともかく、お前さん助けてくれよ。行ってお圭と相談してくれよ。そうだ、おいらは林さんに持ちかけてみる手だ」

と直ちに宗四郎の楽屋へ行こうとして、ズボンのポケットをさぐり、生あたたかい十円札を一枚、裸のまま光乃に握らせ、

「おいらもすぐ行く。むこうで坊ちゃんのことを聞かれたら、そうさな、来月の演し物の打ち合わせもあるから、話はまだ届いてないらしい、とでも繕っておくか。頼むよ」

と太郎は片手で光乃を拝み、番頭の林を捜しにその場を離れた。

ときは五月、指折ってみればちょうど六年前のこの日、この歌舞伎座ではじめて「矢

の根」を見物し、その足で赤羽橋に行って、圭子と生まれたばかりの丈一に会ったっけ、と記憶を手繰りながら、光乃は有楽町の駅の方に向かった。

　真情をいえば、圭子には会いたくはなく、その子供が死んで何で自分が行かなくてはならないのか、という反発もふつふつと胸にある。

　しかし一切合財、圭子を拒んでいるかといえばまことに微妙な心の動きがあり、その根もとを掘ってゆくと彼女ももとは女中、自分も同じという、不思議な共通感がある。

　これを親近感というには程遠く、むしろ逆かもしれないが、元女中の圭子が辿る人生を、いま女中の自分がじっと見つめていたいという、いわば執念に似た思いも全くないとはいえなかった。

　雪雄との仲が、子供二人によって繋がっているとすれば、その一人が亡くなるのはどれだけ圭子にとって打撃であろうかと思うものの、鶴見に着くまでその感覚は光乃にはまだよく判らなかった。

　駅の界隈はここ五、六年のうちずい分賑やかになっていたが、そのなかの白木屋の文字染め抜きの藍のれんはすぐ見つかり、戸を開けて訪うと、家の中はひっそりとしている。さぞかし人集りし、葬式の段取りにざわついているかとは思いの他の静かさに、光乃はいぶかりながら二階へ上がると、思わずその場に棒立ちになった。

　部屋のなかは、葬式の段取りどころかふだん通りの様子で散らかしてあり、そのなかに敷いた蒲団には、青ざめた顔のおかっぱ頭の女の子が仰臥していて、そのわきに圭子は丈一らしい男の子を膝に抱いたまま、うつろな目ざしで身じろぎもせず坐っているのであった。

部屋の隅では、通いのばあやらしいひとがこれもなすすべもない、といった恰好でうなだれており、一瞥した瞬間、ここだけ化石のように凍りついてしまったのではないかと思ったほどであった。

光乃が手をついて挨拶すると、圭子は視線も動かさず、ばあやだけ、

「丈くんも、私が歌舞伎座へお使いに出たあいだに、こんなことになってしまいまして」

と鼻をすりあげた。

光乃は頭を殴られたような衝撃を受け、改めて目を据えてみると、寝ている女の子も、圭子が抱いている丈一も、すでに息絶えた亡骸なのであった。ここへ来るまで、死の姿を見ていなければさしての思いもなかったけれど、いまこうして、死の魔神に一人ならず二人まで連れ去られたなまなましい現場に遭遇してみれば、その凄惨の情景はたとえ難く、光乃もとたんに足の力が脱け、その場に坐り込んでしまった。

何ということ、何ということ、と呟きながら、笑子と呼ぶその女児に近寄ってみれば、もはや唇のいろ褪せて死に顔にはなっているものの、いかにも安らかで、ひょっとして、

いまに、その閉じている瞼をパッチリと明けるのではないかという気さえする。

同様に、圭子の懐に抱かれている丈一も、こちらは遅れて旅立っただけに、まだ生きているという見紛うほど、頰に赤味がさしているのであった。

光乃もようやく気がついて、

「ばあやさん、白い晒か、なければハンカチでもありませんか。二人のお顔にかけてあげないと」

というと、ばあやは手を振って、

「怒ってはねのけるんですよ、おかみさんが。死人の真似はよして頂戴って」

というのは、圭子は錯乱の果て、どうやら正気を失っているらしく、どんなに勧めても丈一を胸から離そうとしないという。

光乃は死者の扱いや葬式の段取りなどについては全く知らないけれど、冷たくなった亡骸をいつまでも抱き続けていれば、棺に納められなくなるのは判っており、まず丈一を離すべく、圭子のそばに寄って肩を叩いた。

「もしもし、光乃でございます」

といっても何の反応も示さない圭子の耳に口をよせて、

「丈くんもよく眠っておいでですから、お蒲団のなかに入れてあげましょうね」

と話しかけると、圭子はきょろきょろしながら、

「え？　丈くん？　丈くんはどこ？」

と呟いて、意外にもあっさりと手を離した。

兄妹枕を並べて横たわっているのを見ると、いっそう哀れが増し、見ている者の胸に鬼気迫る感じがある。丈一は坊ちゃん刈り、笑子はおかっぱで二人とも髪黒々と、まるで市松人形のよう、ばあやはそれぞれの顔を清めてやりながら、

「昨夜私が帰るときには二人ともとってもお元気だったんですよねえ。何てことでしょうねえ」

と、日頃から子守りもしていただけに一入の思いらしく、ひっきりなしに洟をすりあげているのであった。

こういうときは年の功がものをいい、ばあやが表にまず忌中、の貼り紙を出し、ぼちぼちと集まって来た近所のひとたちと手分けして、葬儀屋をたのみ、また知らせるべき筋には電報を打ちに行ってもらったりして少しずつ段取りがすすんで行くなかで、圭子はやはり口もきかず、ぽつねんと坐っているばかりであった。

ばあやの話では、今朝陽が高くなるころ店に来ると、笑子は少し元気がなく、下痢気味だといい朝食もほとんど食べず、熱をはかるとすでに九度もあったという。圭子はそれでもまだ、

「寝冷えでしょ。奇応丸でも飲ませて寝させておいてよ。私は髪結いに行ってくるか

ら」

と支度していると、笑子は突然、ばあやの膝に食べたものを全部吐き、激しくけいれんしはじめた。あ、口へ何か、何か、と圭子が叫びながらあわてて、舌を噛まないよう手近の手拭いを押し込んだが、そのときは笑子はもう目を吊り上げ、意識はなかったという。

疳の強い子は、熱を出すとひきつけを起こすことがあり、丈一も笑子も過去に経験はあるが、このときはただごとでないと感じられ、ばあやはどんなにあわてて医者へ走ったことやら、それでも医者はすぐには来てくれず、ようやくあらわれたときには、笑子の心音はすでに止まったあとであった。

圭子が笑子を抱えておろおろしているうちに、次いで丈一が全く同じ症状となり、吐きながら、「お母ちゃん、お母ちゃん」と呼び続けたが、圭子はどうすることもできなかったらしい。

ただ丈一のほうは、医者が来たときはまだ息はあり、注射で一まず落ち着き、医者も帰り、ばあやを使いに出したあとで再びけいれんが来、それっきり戻らなかったという。

疫痢は子供のかかる急性伝染病で、一名疾風ともいわれるほど急激に症状が進み、死亡率は非常に高いが、このように兄妹揃って短時間のうちに極めて呆気なく果てる例は珍しいだけに、近所のひとたちも、

「まことにはや、何とも」

と、挨拶の言葉もないのであった。

数え年で兄は七歳、妹は五歳、二人とも両親の血を受けて美しくととのった顔立ちをしており、兄妹並んだ寝姿を見て、涙しない者はいなかった。

光乃は、雪雄の心中を思いやり、太郎から預かった十円をまずばあやに渡して、

「お葬式は、子供だからといって簡略にしないで、きちんとしてあげて下さい」

と頼み、そして後は太郎の到着するのをひたすら待った。

圭子はもはや何の役にも立たず、部屋の隅に斥けられたまま、うつろな視線をさまよわせているばかり、光乃はそのそばで、二人が着て旅立つための小さな経帷子を、一心に縫っている。

柱時計が十時を指したころ、階下の戸が荒々しくひき開けられ、どどっと階段を踏み鳴らしながら上がって来たのは、思いがけなくシャツ姿のままの雪雄で、うしろに太郎も従っている。

雪雄はまっすぐ二人の亡骸の足もとに坐り、かけてある蒲団をめくって、

「丈一、丈一、笑子」

と大声で呼び、体を激しくゆすぶった。

兄妹の体はもう冷たくなっており、呼べど答えぬのが判ったのか、雪雄は頭を深く深

く垂れ、嗚咽をこらえている様子だったが、突然立ち上がると、圭子の前にゆき、

「このばかやろう」

と、叱咤とともに手を上げて左頰を力いっぱい殴りつけた。

圭子の頰には、みるみるうち、雪雄の指のかたちに赤い痕が浮き上がって来たが、圭子はうっすらと目をあげて、自分を殴ったひとを、他人のように眺めただけであった。

店に出入りの者、近所のひとたち、皆、雪雄と圭子の関係はよく知っており、また顔見知りでもあって、小さな棺二つに遺体を納めたあとは、灯りと線香をつぎ足しつつ、皆しばらく悔やみの言葉を述べて行く。

俯いたまま、一人一人に丁寧に挨拶している雪雄に、それぞれ、

「いい子は早くに取られるっていいますが、丈くんも笑子ちゃんも、ほんとにかしこいお子さんでしたねえ」

と口を極めて褒め、なかでも、

「丈くんはお父ちゃんに買ってもらったという玩具の刀が大好きでしたねえ。いつも腰から離さなかった。チャンバラごっこでも、そいつを抜いて見得を切ると、ちゃんとキマっていましたよ。さすが白木屋さんの跡取りだって、我々感じ入ったもんです」

という言葉に雪雄はこらえ切れず、ハンカチで鼻をおおうと、そばからばあやも、

「刀はね、丈くんのお棺に入れました。毎晩必ず枕もとに置いて寝ていたもんですか

ら」

と口を添え、いっそう雪雄を悲しませるのであった。

雪雄はその夜、棺を守って耐え難い一夜を明かし、翌朝、葬式を見ずしてまっすぐ楽屋へ直行した。大事な襲名の舞台のこと、昨日太郎は迷いに迷って林に相談したところ、林も隠しおおせる自信は無く、結局は宗四郎まで話は届き、

「役者はな、親の死に目にゃ会えぬとしたもんだ。親に限らず、子供が死んだってどれほど立派に舞台が勤められるか、これは雪雄のいい試練だ。知らせておやり。せめて死に水でもとってやりたかろう。今夜は鶴見で泊まって、明日の舞台には穴を明けねえよう、ふだんどおり戻っておいでって、そいいな。ただし、六円さんには明かさねえほうがいいな。子供の話は正式には何も伝えてはいねえんだから。時期を見て、私から話すことにしよう」

という指示をもらい、それに従ったのだという。

二つの小さな棺は、父不在のまま、正気を失った母と近所のひとびとに見送られ、霊柩車(きゅうしゃ)で焼き場へ運ばれたが、それを見届けてのち、光乃は先に築地へ帰った。

松川家ではうすうす知っていると思えるが、誰ひとりおくびにも出さず、いつもの通り全く静かなのはさすがだと光乃は思った。しかし話題にできないだけ雪雄の心中いかばかりと思われ、自分にできることならどんなことでも、と考えるのだけれど、いまは

それに触れないのがいちばんの慰めであるような気がする。

聞けば雪雄は、その日も長科白を少しもつまずかず、その後も平静に勤め通し、外部では誰ひとり気づいた者はいないという。

光乃が引き揚げたあとも太郎はずっと鶴見に居残り、というよりは病気の圭子から手が離せず、やっと一切の始末がついて東京へ戻って来たのは、千秋楽の日であった。楽の前日あたりから楽屋は弟子たちによって荷作りをすませてすっかり片づいているが、雪雄は襲名の礼廻りもしなければならず、それに間に合うよう大急ぎで帰ってきた、という太郎に、光乃は楽屋で会った。

短い立ち話ではあるが、

「会津からは兄さんに出て来てもらい、委細をぶちまけてお圭を引き取ってもらった。むろん素手じゃあ承知してもらえねえ。店を売った金に林さんからせびったものを上積みして渡したから、当分はお圭を病院に入れられるはずだ。

そのうち快くなりゃ、また働きにも出られよう。まだ若いさ。三十そっちこっちだろうから」

と圭子を見届け、二人の子供の遺骨については、

「お圭の私生児として籍は入れてあったが、兄さんは骨までは引き取れねえ、といわっしゃる。困ったときは渋谷の旦那のお慈悲にすがるよりないが、旦那はやっぱり大きい

お方だねえ。とりあえずうちへ連れておいで、子供をむごい目に会わせるんじゃあねえって、助け舟をして下すって、今朝おいらは渋谷の仏壇の前に二つの骨壺を並べて拝んできたところだよ」

と、太郎も疲労の色濃い面持ちであった。

実は光乃も、鶴見へ駈けつけて行った日から考えること多く、いまだに人心地のつかない思いでいる。

このせつ、どこの家でも、生まれた子の一人や二人欠けない例はないに等しいが、圭子の場合は同時に二人、それも正式結婚でなければ唯一無二の雪雄との絆であっただけに、衝撃も一入大きかったものと判る。

ばあやは、前の晩おそく二人が食べたアイスケーキが当たったのでしょうか、と疑っていたが、雪雄の圭子に対する「ばかやろう」の大喝は、注意を怠った母親への、やるかたない憤懣であったに違いなく、光乃はつくづくと巡り合わせのふしぎさを思う。

かつて光乃の前に、雪雄の妻として菊間家に迎えられることを予想して誇った身が、いますべての望みを断たれ、心を病んでひとり故郷に帰るというあわれさ、あまりにも変転激しい圭子の生きかたは、わきからずっと眺めて来た光乃にとって息を呑む思いであって、自分にはとうてい真似のできない業だと考えるより他ない。

雪雄は、前回桃蔵襲名のあと、結核に倒れた轍を踏まぬよう、翌六月、七月は休養、というはからいを取ってもらったが、そのかげには宗四郎の親心が働いていたかも知れなかった。

舞台のあるあいだは気を張っていても、千秋楽のあと、挨拶まわりを終えると、さすがに雪雄はがっくりと憔悴し、居間に閉じこもっている日が多かった。

ただでさえ襲名のあとは消耗するのに、その上に二人の子を一度に失う出来事が重なれば雪雄の心身の痛みははかり知れず、光乃が二階へ掃除に上がると、大てい腕を組んでねころび、天井板をぼんやりと眺めている姿ばかりあった。

しかもこの件については内密だけにめったと口に出来ず、光乃にもたった一度だけ、

「おれはあの日のことが悪い夢だったような気がするよ」

とぽつり呟いただけであった。

しかし夢でないことを確かめに、雪雄はとき折、渋谷の仏壇に詣でており、宗四郎のはからいで四十九日にはほんの内輪で簡単な法要も行なうことができた。そのときの宗四郎の言葉を、太郎は光乃に聞かせ、

「おいらは泣いたぜ」

といいながらなぞって、

「なあ雪雄、この二人は日蔭の子だとはいえ、お前が七五三に連れて来て、おれは丈一には対面している。先のことは判らねえが、ひょっとしたら丈一にも陽が射して、お前

の跡を継ぐ運命かも知れなかった。

　運が無くて落ちてゆく子はむごいもんだ。この二人の小さな魂がさまよわねえよう、骨はうちの菊間の墓に納めることにしよう。

　お前はいずれ松川家の墓所に眠るだろうが、晴れて親子が披露の叶わぬ事情なら、二人を松川家に埋めることはできねえ相談だ。

　うちなら、おっつけおれも行くだろうから、二人の孫とともに眠りゃあ、いっそ賑やかだ。

　丈一と笑子はおれが預かるぜ」

　としめった声で告げたという。

　こらえ切れず雪雄は手をつき、

「お父さん、申しわけありません」

　と詫びたが、太郎はその様子を、

「二人とも決して芝居もどきじゃなかったぜ。科白でなくて真実の声は、はたの者のはらわたに沁み通ったねえ」

　と語り、光乃も聞いて目頭が熱くなり、子供たちもこれで救われるだろうと安堵した。

　こういうこともあって、雪雄の疲労はなかなかもとに戻らず、結局、「ういろう」のあと二カ月間、自宅で静養した。

やはり結核体質というのは身心の過重な労働には耐え得ないと見え、しばらく朝夕の微熱がとれなかった。鶴蔵襲名は、松川玄十郎の名跡に向かって大きく一歩を踏み出したかたちではあったが、その土台には雪雄の、人にはいえぬ汗と涙がちりばめられている、と光乃は思うのであった。

女であるのに松川家の者が坊や、とか坊やちゃんとか呼ぶ麗扇こと、本名寿子は、同じ邸内に住んでいるため、一日にいく度でも母屋（おもや）にやってくる。

寿子が生まれたときは九代目の没後十年目だったが、未亡人冴子（さえこ）は未（ま）だ六十六歳で存命しており、この唯一の孫の成長を楽しみに溺愛（できあい）したらしい。夕方になると、寿子は毎日必ず未亡人の晩酌の相手を勤め、亡き祖父ののろけを聞かされ、挙げ句にはいつも、

「おじいちゃんの名に恥じぬよう、立派な女優になるんだよ」

と叱咤されて育っただけに、雪雄が養子入りしたころにはもう歌舞伎や新派などの舞台を踏み、役者として名を連ねてはいた。

名門の一粒種、一族の期待を担（にな）った子、というのであれば、祖母だけでなく身内や弟子たちからどんな扱われかたをしたか、容易に想像はつくが、それだけに麗扇に関する挿話は数えるにいとまないほどにある。

のびのびと育てられたのはいいけれど、舞台でも家でも早とちりでしくじり多く、何

事も大ざっぱだが、くよくよこせこせしない気質はいっそ憎めなくて、まわりからの評判は悪くない。

芸の上では、先輩たちが揃って、

「あの子はじれったい子だねえ」

といい、教えてもすぐには呑み込めないのを歯がゆがっているが、これも伯父伯母たちは、なあに大器晩成型さ、とのどかに見守っている。

ときどき母屋で食事を共にすることもあり、ときには雪雄に向かって、

「お兄ちゃん、いまギャバンの『望郷』がかかっているの。一緒に観に行かない？」

と誘ったりする。

その声の大きさ、辺り憚らない態度に雪雄は苦笑しながら、

「坊やはいつも元気だねえ」

とちょっぴり皮肉をこめて応酬し、

「坊やとならたくさんだよ。行くなら他のひとと行くよ」

といえば麗扇はふくれて、

「あら、それは誰？　新橋？　赤坂？　判った、この前、ここへ花束届けに来た浅草の酒屋のお嬢さんとでしょ」

「あれは後援会長の娘さん。関係ないね」

「嘘(うそ)、いい仲なんでしょ」

という二人のやりとりを、六円夫妻は楽しそうに眺めている。

それはいずれ、夫婦となる二人とみているに違いなく、むしろいまから親密になるのを望んでいるような気配があった。

雪雄が二階でひとりいるときも、麗扇は階段下から、

「お兄ちゃん、ちょっといい？」

といいながらずかずかと上がって行く。

松川家の血を絶やさないためには、麗扇が結婚し、子供を産むことだが、六円は養子の身として、きちんとその役目を果たしたい気持ちが一入(ひとしお)に強かったらしい。

何しろ、岳父九代目を神の如(ごと)くに敬い、その霊に朝夕の礼拝怠らず、のちには「九世松川玄十郎を語る」という著作まで刊行したほどの六円だから、家を背負う責任感は他人にははかり知れぬほどに重いものがあったに違いない。

麗扇はこのことをわきまえていたかどうか、別にこだわりもなくさばさばと遊びにやって来、雪雄も暇なときには相手になってやるのであった。

夏のある日、麗扇は籠(かご)を提げて二階にあらわれ、

「お兄ちゃんこれ、鳥取の二十世紀。一緒に食べましょうよ。いまご贔屓(ひいき)が届けてくれたの」

と、目よりも高く差し上げて見せた。

「梨か、いいね、ご馳走しておくれかい。おーいお光、ナイフを持っといで」

と雪雄も応じ、光乃の差し出したナイフを麗扇に渡そうとすると、首を振って固く拒み、

「お兄ちゃん知らないの。この家に刃物はご法度なの」

という。

ナイフ包丁のたぐいを禁じれば、大げさにいって一日も生きていられないほどだが、雪雄はすぐ気付いて、

「八代目さんの件で、いまもまだ忌みものになっているんだね」

と判ったが、それについて麗扇は、

「江戸追放の七代目さんはずい分と子福者で、男七人女五人のうち、長男が八代目さん、五男がこちらのお祖父ちゃんの九代目です。

八代目さんは三十二歳のとき、大坂の宿で首を刺して自殺なさったんですけれど、このことについては、世間はいろいろ取り沙汰して、八代目は七代目の妾たちに呪い殺されたんだとか、わずか十六で座頭になったために気が狂ったんだとか、そういう噂を聞いてうちのおばあちゃんは、麗扇にだけは本当のこと、話しておくからねって打ち明けてくれたんです。

それは日本橋の質屋の旦那で、八代目の熱狂的なご贔屓の方がありまして、その方の折り入ってのお願いというのは、息子がただいま刀剣に凝って、村正を一振り、寝た間も離さず持っている、村正は妖刀というし、八代目さんのいうことなら何でも聞くから、そいつを取り上げておくんなさいやし、とこういうことでした。

八代目は気易く請け合って息子さんにそういって勧めると、意外にあっさりと刀を手放し、これは道中の守り刀にしておくんなさい、と大坂行きの餞別としてくれたっていいます。

八代目さんはね、その刀でのどを切って亡くなられたんです。嘉永七年八月のことね。蚊帳のなかで、鼠紋付き帷子、白襦袢、博多帯、丹後嶋の袴という身ごしらえで俯せになってこと切れてらしたんですって。

人気絶頂のころではあり、これといってさし迫った理由も考えられないところから、おばあちゃんは絶対にこれは村正の祟りに間違いないって。

しかもその刀は、その後七代目が江戸へ持って帰り、床の間に飾ってあったところ、ある晩、近所から火が出て松川家が全焼したとき、雇いのばあやが抱きかかえて屋根伝いに逃げようとして物干し場へ出た際、隣の家との廂間へおっことしてしまい、二度とみつけ出すことはできなかったっていいますからね。

だからおばあちゃんは、刀の行方を見届けてはいないんだから、いつどこで巡り合うかしれやしない、気をおつけ、とそれはそれはきびしくいって、私は小さいときから鉛筆削りさえ持ったことはなかったの」

　というのを雪雄は聞いて、

「じゃ坊やは、人とのお付き合いにはどうするんだい？　洋食にはナイフもついてるし」

「それはね、まわりが気を利かせてくれるの。私がお姉ちゃんと呼んでる新派の水谷三重子さんなんか、ご一緒のときはいつも『麗扇ちゃんは刃物ダメよね』ってすぐに果物剝いて下さったり、お肉切ったりして下さるの。お兄ちゃんもいまにそうなると思うわ」

「ふうん」

　と雪雄は感じ入ってうなずき、後ろに控えていた光乃は、家訓というのはずい分不便なものだと思った。

　そういえばこの家に入る前に読んだ松川家歴代記のなかで、八代目の記述の個所に来て急に不安感をおぼえたのを光乃は思い出した。松川家初代は舞台で刺され、八代は自殺ともなれば、その後に続く者は刃物を忌むのも当然だが、男はそれで事足りても、女は大へんだな、と光乃が考えていると、果たして雪雄が、

「それじゃ坊やは台所へは入れないね」

といい、麗扇は涼しい顔で受けて、

「ええそう。おかげで助かってるわ。役者がぬか味噌いじったりすると、芸が世帯染みてダメなんですって。あたし炊事洗濯大きらいだし、したことないんですもの」

といい、

「それもそうだなあ」

と雪雄は軽く笑っている。

光乃は、女中部屋でのこのひとの噂がかまびすしく、

「押し入れ開けたら洗濯ものの山なんですって。ご自分で洗うのがおっくうなら、こちらへ出して下さればいいのに。脱いでは突っ込み、脱いでは突っ込みらしいのね」

というのを思い浮かべた。

麗扇の天衣無縫さは、身内の者には愛されても、被害を受ける側にすれば迷惑な話で、

「坊やちゃんがお金貸してっていってきたとき、絶対貸してはいけないよ。すぐ忘れてしまって返してくれたためしがないんだから」

とは女中部屋のひそかな申し合わせだが、光乃はそれを聞いて、こんな大家のお嬢さんが女中に金を借りることがあるのか、とそれを不思議に思った。

「有りよ、有りよ、大有りよ。いつも行き当たりばったりで、それで誰かが助け舟を出して困りもせず過ごしてきたひとだから、何かを用意して事を始めるということがない。

お供して円タクへ乗ったあとで、あらお財布にお金が入ってないわ、あんた貸して、とこうなるし、楽屋入りしても、あらハンカチ忘れた、足袋忘れた、あんたそこらでちょいと買って来てよ、でこちらがお立て替え、それで終わり、てな具合だもの。気前のいいときはめっぽうはずんで下さるけれど、万事につけ忘れっぽいお方だから、お世話のしがいのないひとよ」

と、永年勤続のしのはしっかりと麗扇の気質を捉えている。

それに、芸のほうも、九代目の孫という金看板で先輩に目をかけてもらいこそすれ、こまやかな味には乏しく、かげでは、大根役者のいまひとつの呼称、棒鱈の麗扇というひともあるという。

しかし育ちのよさをそのままに、このひとの明朗闊達な性格のせいで家中いつもずい分明るく、とりわけ六円はそういう姪を心から愛しているようであった。

こんな麗扇に対して、光乃が強い嫉妬を感じなかったといえばそれは嘘だが、では以前の、亮子のときのように身を切られるほどの切なさがあるかといえば、それもはっきり否定できる。

確たる理由はないものの、麗扇のようなタイプの女を雪雄が好むはずはないと判ることや、そして万一、家と家との義理合いからやむなく結婚の運びに至っても、それが光乃の心を深く傷つけるほど甘い結合でなければやむを得ないと、いまは何故か落ち着いていられるのであった。

世間には雪雄と麗扇の仲を、松川家のために遠からず夫婦になるものと見ているひと

と、太郎のように、

「一度懲りている坊ちゃんだから、いくら義理のしがらみつったって、そう軽々しくあの坊やと夫婦になるはずはない」

と否定的に考えているひととがあり、光乃の思惑をよそにそのままの形を保って、ほぼ一年余りの月日が過ぎた。

昭和十六年は戦時色いよいよ濃くなり、諸物資窮屈になりはじめて、すでに昨年来、米みそ醬油塩マッチをはじめ、酒木炭たばこ衣料まで切符制になり、市内至るところに「贅沢は敵だ」の看板が見られるようになっている。

麗扇が一時凝っていたダンスホールも、昨十五年の十月三十一日限りで東京中の店が閉鎖を命じられ、その夜、雪雄は麗扇に無理矢理誘われて「フロリダ」へ踊りに行ったが、宵のうちにほうほうのていで逃げ帰って来、

「凄い。芋扱ぎだ。体も振れやしない。坊やはそれでも、最後だから朝までがんばるって残っているがね」

と光乃に話した。

奉公人は自分から先に主に話しかけてはいけないが、雪雄の上機嫌の日を見計らい光乃は思い切ってたずねたことがある。

「坊ちゃまは麗扇さんをお嫁さまになさるのでございますか」

そのとき鏡に向かってネクタイを締めていた雪雄はふり返り、笑いながら、

「きのねは、それが気になるの？」

といい、赧くなってうつむいた光乃のそばに寄って来て、軽く頭に手をのせ、

「坊やのお目当ては優なのさ」

といい捨てると、上衣を着、しゃんと姿勢を正して出かける身構えとなった。

優さん？　なら蝶子さんというおかみさんもいるのに、と光乃は首をかしげ、次に太郎が現れたときそれを糺すと、

「あの坊やちゃんはずい分変わっている。有名な話だが、まだ小学生のころ、いまの桔梗屋、十五代喜左衛門にぞっこん惚れちまってさ。相手は父親ほどの年なのに寝てもさめても桔梗屋のおじさん、おじさんで、毎日芝居を見にゆき、科白まですっかり覚えた上に、持ち物一切、風呂敷草履袋、座蒲団下駄の鼻緒、リボンまで、根上がり桔梗の紋をつけさせていい気になってたってんだから、逆上せようもかなりのもんだろう。

優さんへのお熱もそのくちで、相手におかみさんがいようといまいと、そんなことはお構いなしだろうさ。もっとも、いまにすぐ冷めるかも知れないがね」

という推量であった。

その年の夏ごろから、光乃が気をつけてみていると雪雄は何となく養父母を避けるような気配になり、八月には優に二度目の召集が来て、兄弟揃って渋谷で別れの宴を張ったのを機に、そのまま二、三日戻らなかったこともある。

雪雄の動静は誰よりも太郎がよく知っているが、聞こうにもここのところしばらく顔を見せず、楽屋へ行ってもすれ違って会えないことが多かった。そのうち、邸内に普請が始まり、棟梁が通ってくるようになると、女中頭のしのから、

「近く若旦那は裏の二階家に移って、別世帯になさるんですってさ。お光さん聞いてるでしょ」

といわれ、いいえ、何にも、とどぎまぎした。

そして、これまでも光乃に対してあまり親しみを見せなかった女中部屋の連中はさらに冷たい態度を取るようになり、それから推すと、どうやら六円夫妻と雪雄とのあいだに何かあったものと考えざるを得なかった。

普請の出来た二階家というのは、母屋とはほんの二間と離れていない場所にもとから建っていた別棟で、そこへ新しく小さな玄関をつけ、手を入れて独立家屋としたのであった。

引っ越しは雪雄に舞台のない八月、弟子たちの手によって内輪に行なわれ、ちょうど

庭にいた植木職の一人から、

「お、師匠、家移りですかい？」

と声をかけられたとき、雪雄は、

「いや、大掃除だよ」

と答えたくらいで、母屋からは誰も手伝いに来ず、ひっそりと終えられた。

光乃は、新しく階下に取り付けられた台所の前に立ち、赤坂新町から渋谷を経てここに辿りついた小さな鍋釜を眺めた。松川家に入れば世帯道具は一切要らないだろうから、置いておゆき、と渋谷のおかみさんにいわれたけれど、ひょっとして雪雄が病気で臥せったときなど、お粥でも炊いてさしあげる日もあるかも知れない、と思い、荷物のなかに入れておいたものであった。

どれも光乃が磨き砂で磨いてあるものだけに、裏までピカピカに光っており、それらを前にして光乃は新しい白いエプロンをかけた。

渋谷の家では全員、襷に前垂れというのが作業着だったが、こちらでは女中は皆、前をすっぽりとかくす白いエプロンをかけており、先頃しのから、

「も少しすると、着るものはみんな切符でなければ買えなくなるんだそうよ。何でも一年に一人百点とか二百点とかの切符をお上が下すって、それでもって足袋が三点、着物なら四十八点とか、呉服屋さんに渡さなければ買えないんだって、出入りのひとが話し

てましたよ」

という耳よりな噂がもたらされ、いまのうちに我々はエプロンを買っておきましょう、もう純綿は無理だけれど、スフ入りでもこれを着てればボロ隠しにもなるからね、といわれ、光乃もなるほどと思って、エプロンを二枚奮発した。

これを着れば、下の着物はほとんど見えず、袖口もゴムが入っていて襷と同じ効用があり、その新しいエプロンを着け、新しい台所に立ったとき、光乃は何かに向かって祈りたい気持ちでいっぱいであった。

渋谷の家に奉公したとき、べつに雪雄付きと定められたわけでもないのに、巡り合わせであれからずっと、赤坂山王下、新町とそばに侍り、この築地に来て大ぜい一緒の暮らしかと思ったら、ふたたび二人っきりの生活が始まることになった。

何といっても雪雄のくせやものの好き嫌いは、自分がいちばん呑み込んでいるという自負があり、できればいまから始まる二人だけの暮らしが少しでも長く続けられるようにと切に思うのであった。

光乃がそう念じるのも、別棟にしたのは、ここで麗扇との新婚生活を始めるのではないかという憶測もできなくはないからで、しかしそれにしては家中に婚礼が近づいているような華やぎがなく、むしろ冷たい空気が漲っている。

太郎は引っ越しの日も姿を見せず、雪雄に伺いを立てると、

「ちょいと会津へ行ってもらっている」

とのこと、もう一歩踏み込んで、

「圭子さんのご様子は如何(いかが)ですか」

といおうものなら、風向きによっては平手が飛んでくるかも知れず、また、

「いつごろお帰りでしょうか」

と聞いても、このぶんならば、

「なにお前、太郎しゅうに用でもあるの？　何の用だかいってごらん。いえないのかい」

とからまれかねず、会津と聞いただけで光乃は下に下りた。

考えてみると、太郎は光乃をおいらの愚痴の穴、とばかりに吐き出してはせいせいしたのに、いまでは光乃のほうから逆に太郎に催促するようになっている。それだけ雪雄の身の上が気になるわけだが、太郎も十分その辺りを心得、機会をとらえては事のなりゆきを打ち明けてくれるのであった。

会津は、太郎の定期的な見舞いだったが、

「ひょっとして一生、お圭は病院暮らしかも知れないね。面会室で会ってもおいらの顔は判(わか)らないし、医者も快方に向かっているとはいえぬという。実家のほうも、出て来られても困るって兄(あに)さんはっきりいうんだもの。

おいらの会津行きもこれっきりになるだろうよ。坊ちゃんも仕方ないってあきらめた様子だから」

といい、圭子の問題はこれでけりをつけたらしかった。

光乃はひととき、圭子の運命を思い、あの大輪の花のようだった目鼻立ちを目に泛べたが、しょせんこれがこのひとの辿る道だと思うより他はなかった。

それよりも、雪雄の別居というのはかなり深刻で、原因は麗扇との結婚が成立しない見込みだからだという。

「おいらは最初っから、あんな男みてえな坊やちゃんと一緒になるはずもねえ、と見てたし、松川家以外のひともおいらと同じく、鼻で笑ってたんだが、やっぱり六円さんご夫婦にすりゃ、せっかく養子にしたわ、麗扇とは結婚せぬわ、ときたら、それはもう夜の目も眠れぬほどに困り入った事態だからね。

いまさら坊ちゃんを菊間へ返して、坊やちゃんの気に入った役者と入れかえようたって、松川宗家を継ぐ芸を持ったお方ってのは、そうざらにあるもんじゃねえ。

しかも、坊やちゃんのほうに気がありゃ、何とかうちの坊ちゃんに泣きつくって手もないわけじゃないが、坊ちゃんも嫌なら、坊やちゃんもやけにさばさばしてて、あらそう、私も結婚なんかまだまだしたくないの、お互いよかったわね、てな調子らしいんだ」

太郎の推測によれば、麗扇は六円から、

「坊や、あんたも今年は三十です。雪雄さんも三十三だし、ちょうど頃合いだから、そろそろどうです？」

というような催促をされたと思われ、さっそく雪雄を喫茶店に誘って、六円の意向を伝えたらしい。

雪雄は最初から麗扇との結婚が条件とはつゆ考えておらず、あくまでも芸の継承者として松川家に迎えられたと受け取っていたから、

「いまごろおまけがついて来たのかい？　おまけはたくさんだよ」

とその場で笑い流した。

もとより麗扇も、結婚などという窮屈なものは望んでおらず、ましてや子供を産んで松川家を立てるという使命感は頭になかったから、雪雄に共鳴して一緒に笑い、

「そうよね。伯父さんたち勝手よね。そういっときましょうね」

と簡単に結論を出し、後くされはなかった。

雪雄は太郎に、

「いや参ったよ。弁天小僧の生まれかわりのような坊やをおれに押し付けるなんて」

とぼやいており、麗扇もまた、

「お兄ちゃんて堅苦しくていや。すぐあたいに説教するし、長く一緒にいると息が詰ま

りそう」

と不服を唱えていたというから、どう間違ってもこれは成立する縁談とはいえそうもないものであった。

しかし、事の次第を麗扇から告げられた六円の胸のうちはいかばかりであったろうか。嘆きもさることながら、松川家血筋の存亡にかかわる大事な話を、喫茶店如き場所で、しかも笑い話としてあっさり片付けられてしまったのは、当主として憤懣この上もないものだったに違いない。

声荒らげて人を叱るようなたちではないだけに、怒りは内に深く刺さり、妻のまり子が、

「一度雪雄さんとお話し合いになってみては如何ですか。坊やはあの通り大ざっぱな子ですから、話が正しく伝わっていないかも知れませんよ」

と進言したが、六円は、

「いいや、私からは頼みません。親が子に頭を下げなきゃならないって法はありません。麗扇が嫌なら嫌と、雪雄のほうから手をついて謝ってくるのが順当というものです」

と固くそう思い込んでおり、顔を合わせるのも癪だとみえ、わざと食事の席を外すようになった。

こじれるというのはこういうことなのか、六円夫妻、麗扇の両親ともに、我が娘の非

はいわず、雪雄の約束不履行をなじり、雪雄は雪雄で誓紙にもない事を迫る理不尽に腹を据えかねる思いがある。

しかしこじれた話は表沙汰にはできず、というのは、折角もらった養子が姪を嫁にもらってくれぬ、と拗ねるのは宗家としてあまりに体裁悪く、ここは肚の太さを見せて、

「ま、結婚は縁のものでございますから。いやなに、当家は雪雄という血筋正しい養子が継いでくれますので、磐石でございます」

と六円は表面取り繕わねばならなかった。

そして渋谷の菊間家へも、違約だなどとの抗議もできないまま、宗四郎のほうから挨拶の言葉もみつからず、両家のあいだは以前どおり一見親密を保っているのであった。

が、六円も内心は頑なな気質ではあり、雪雄も潔癖ならいつとはなしに気まずくなり、

一所懸命二人の仲を取り持っていたたまり子から、

「役者同士、いつも一緒にお膳を囲まなきゃならないというのもいっそ厄介なものでしょう。雪雄さんも、おなかの空いたときはいつでもお光さんに好きな品を作ってもらえるよう、お釜を別にしても構いませんよ」

と水を向けられ、雪雄も渡りに舟とばかりに、

「まことに勝手申します。へい」

と受けて、別居の段取りになったのであった。

もとより世間には伏せ、松川家円満を装ってはいるが、ときどき二人の仲を見通す目もあり、

「どだい気質からして合うはずもねえ」

と、太郎にずばりと聞くひともあるという。

六円は先代を尊敬するあまり、その芸はもとより、生活態度、趣味、ものの好悪、すべてにわたって学び、ただいまは九代目のしていたように花を作り、俳諧をたしなみ、俳画を描いて、いわば文人趣味に生きているが、これに較べて雪雄はどちらかといえばハイカラの部類に入る。

六円は麗扇に声をかけ、

「坊や、今朝は庭の撫子がきれいだよ。露のあるうち、写生をしましょう」

と誘ったときなど、雪雄もただちに、

「私もお供いたします。どうぞお父さん教えて下さい」

という殊勝な言葉を後につけてくれるもの、という期待を持っていたらしいが、雪雄はそれをしなかった。

伝統は守らねばならないけれど、現代に生きていれば新しいものを身につけてゆく必要もあると思っており、これは父宗四郎の考え方と、暁星という学校に学んだ影響もあったのだろうか。

別居のかたちが落ち着いたあとで、宗四郎は、

「雪雄、お前もますますもって巧者な世渡りのできねえ奴だな。これじゃあ、当分は嫁はもらえぬと覚悟してろ。少なくとも麗扇さんの婿が決まるまではな」

と引導を渡したという。

蘇生

昭和十六年の十二月には太平洋戦争がはじまって戦域は拡大し、芝居にもさまざまな影響が出るようになったが、まだ十七年、十八年は演目を選んで小屋は何とか休まず開けることが出来た。

そして生活は日を追って窮屈になり、物資はすべて配給制度で、ガスさえ一日のうち時間を決めて放出され、そのときを逃せば煮炊きもできない有り様であった。

魚、肉、野菜は週に一度、十日に一度、長い行列を作って少量のものをもらい、次の配給日まで食べのばさねばならず、そのうち米も次第に少なくなって、代替品として芋や南瓜ばかりになってゆく。

木炭マッチも非常に乏しく、とりわけ苦しいのは石けんで、獣油で作ったという、洗滌力の低い臭い品をわずかばかりあてがわれても、きれい好きの雪雄に気持ちのいい下着を着せられるのはよほど難しかった。

光乃はある日、一時間以上も行列に加わってやっと塩の配給をもらい、家に帰ってつくづくとその量を眺めた。

子供のころ住んだ行徳の家では、焚き上がった塩をかますに詰めて積み上げた光景があり、そのうち塩湿りしてかますの色が変わってくる様子や、庭に雪のようにこぼれた塩の粒がいまも瞼の裏に浮かび上がってくる。

塩とはふんだんにあるもの、と思っていたのに、いまは雪雄と二人ぶんでてのひらに小さくこんもり載せられるだけ、となるとどうにもなさけなく、これでは漬け物さえ容易ではない、と考えているうち、天からの啓示のように突然ひらめき、光乃は思わず膝を叩いた。

そうだ、姉ちゃんに頼み、行徳の知り合いに食糧を分けてもらえばよい、と思うとすっかりうれしくなり、さっそくたき子宛てに葉書をしたためるのであった。

このころどの家でもヤミ物資を買わないところはないが、大体東京者の多い芝居の関係者は在かたに知り合いも少なく、唯一の望みはご贔屓からの贈り物ではあるものの、これも常時あてにはできぬ。

十八年も後半あたりから光乃の活躍は目ざましくなり、ひんぱんに行なわれる隣組の防空演習へも出れば庭に野菜も作り、あいまには行徳まで出向いてリュックにヤミ米や芋などを詰めて背負ってくる。どれもこれも、坊ちゃま大事と懸命に勤める姿であって、このころ楽屋で皆が「銀しゃり」とも「純綿」ともいう、白米だけの弁当をひらくのは、鶴蔵さんひとり、という専らの噂であった。

食糧が不足すれば使用人は抱えづらくまた居づらくなるもので、かたがた若い者は勤労動員で軍需工場へ駆り出されるためもあって、渋谷でも築地でも大幅に女中は減ってゆくが、光乃のような働きをしてくれれば、逆に主からは頼りにされるのであった。


昭和十八年十二月二十九日の午後、歌舞伎座の十一月興行の「勧進帳」が十二月も続演になり、その千秋楽の翌日のことであった。


亀井六郎で出ていた雪雄が、休むまもなく新春興行の「茨木」のため、豆助や与之助らと抜き稽古に入っていたとき、そばの人に促され、ふり返ると入り口に六円が立って手招きしている。近づいて頭を下げると、六円は、

「雪雄くんお目出度う。私のぶんも込めてしっかりとお国のために働いて下さい」

と手の赤紙を差し出した。

一瞬雪雄は呆然とし、咄嗟に返す言葉もなくて突っ立っていると、六円は稽古場のまん中に進んで手をつき、

「鶴蔵にただいま召集令状が参りました。皆さん喜んでやって下さい。どうぞお後のことはよろしくお願い申し上げます」

と挨拶した。

雪雄も倣って自分からも披露したが、何しろ召集といえば有無をいわさぬお国からの命令、征く者も残る者も不便、混乱は口には出されず、さっそく稽古場は後任の人選に入り、ようやく築地の家に戻ったのはもう暮れてのちであった。

先ず母屋に入ると、六円夫妻は雪雄を仏間に伴って松川家代々の霊に報告し、指定の一月七日入隊の際には父親として付き添ってゆく旨を申し渡した。

実は歌舞伎座からの帰りみち、雪雄はぞくぞくと寒気がし、風邪かな、と思いつつ帰って来たのだったが、この辺りから我慢できなくなり、すぐ自室に引き取らせてもらって、光乃に床をのべさせた。

渋谷へは使いが走っていてすでに太郎も詰めていたが、指折って、

「こりゃ大へんだ。たちの悪い風邪をもらったんじゃねえですかい。入隊まで中八日しかねえんですから」

とすぐ医者を呼ぼうとするのを雪雄はとどめて、

「なに一晩寝りゃよくなるさ」

とアスピリンを飲み、蒲団に体を横たえた。

その枕許に坐って、太郎はぼやくことしきりで、

「大きい声じゃあいえねえんですがね。よわい三十五歳、しかも胸を患った坊ちゃんに何でいまごろ鉄砲持たせようとするんですかねえ。三十過ぎりゃあもう老兵ですぜ、お

国もヤキが廻ったとしかいいようがねえなあ」

と、思いがけない召集を悔やみ、雪雄も内心はそう考えていても、この際、愚痴はこぼされず、

「太郎しゅう、黙れ。控えろ」

とおさえていたが、そのうちその声も消え、やがてとろとろと眠ってしまった。

朝になればなおる、とは本人もまわりも信じていたのに、翌朝の体温計は九度まで上がり、雪雄は起き上がれなかった。

六円かかりつけの老医者に往診を乞うと、

「風邪だろうとは思うんですがね。ま、もう少し様子を見ましょう」

と頼りなく、注射を一本打ち、ひょっとして肺炎になるかもしれないから、部屋に湯気を立てておいて下さい、とだけで帰って行った。

乏しい炭を埋めた火鉢に洗面器をかけ、その湯気を絶やさないよう気を配りながら、氷嚢、氷枕の用意、足には湯たんぽを、と光乃は甲斐甲斐しく看病し、太郎は太郎で魚河岸へ一っ走り、魚を詰めてある氷をバケツにもらってくる。

「若いもんの見当たらねえ河岸って、火の消えたようだね。働いてるのは召集令状のほうでそっぽ向くようなじいさんばっかりだった」

といい、物資不足のこのせつ、氷一かけらでもしぶるのを、太郎独特の啖呵で、

「てやんでえ。銃後の我々を守るために明日は死ぬかもしれねえ兵隊さんの命の瀬戸際だぜ。放っておけばどうせ溶けてただの水になっちまうもんじゃあねえか。喜んでさし出したらどうなんだよ」

とまくし立てたという。

命の瀬戸際と聞いて光乃は、太郎しゅうさんおおげさね、と笑ったが、このときはまだその言葉が真実になろうとは、二人とも思ってもみないことであった。

雪雄の熱は朝は九度、夕方は四十度にも上がり、しかも翌日も翌々日も下がらなかった。

元日も枕から頭が上がらず、太郎が医者にくってかかっても、医者は首をかしげるばかり、雪雄はときどき意識がぼやけるらしく、眠っているか目を覚ましているか判らない状態が続いている。

六円夫妻は毎日様子を見にやって来、渋谷からも林が宗四郎の意を受けてひんぱんに現れ、枕許に坐ってはその言葉を伝えてゆく。

それは、宗四郎の焦燥をそのままに、日を追うて激しくなり、

「熱燗の卵酒をぐっとやってみろ。卵がなけりゃ、何とか捜し出して来てやる」

から、

「風邪ぐらい組み敷くことが出来ねえのか。不甲斐ないやつだな」

と激励へ移り、

「優を見ろ。二度のお勤めもきちんと果たしてるじゃねえか。兄として恥ずかしくないのか」

からついには、

「一月七日には死んでも行け。死骸になっていたらおれが担いで行ってやる」

ということになる。

戦争中、丈夫な男の子を持っている親は肩身が広く、宗四郎はこれまでにも、

「うちは三人、がんくび揃えてお国へ差し出せますから」

としばしば胸を張っていた手前、折角令状をもらいながら、病に倒れるとは女々しき限り、と歯ぎしりしているらしかった。

当日は、高熱のいまだ下がらぬ雪雄のために、ハイヤーを仕立てて林が午前六時にはもうあらわれ、病人を引き起こして支度をはじめた。

林と太郎の二人では持ち物も判らぬことが多く、呼ばれて光乃も手を貸しながら、まるででくの坊のような雪雄の寝巻きを脱がせ、とっておきの下着を着せ、国民服の釦をはめてやり、ゲートルを巻いて戦闘帽をかぶせ、手に奉公袋を握らせるとやっと出来上りだが、三人ともに手を離すと雪雄はへたへたと崩折れてしまう。

「これじゃあ、とうていダメですぜ」

と太郎がいうと、林はあきらめず、

「いや、ともかくも連れつけよう」

と抱きかかえるようにして雪雄をハイヤーに乗せた。

会場は高輪台（たかなわだい）小学校、行ってしまえばどんな首尾になるやらも知れず、これが最後となるとも思われたが、光乃はいま別れを惜しむ余裕はなかった。

発病以来九日間、ずっと昼夜つきっ切りの看病で夜も寝ておらず、武運長久の祈願やら護符も頂きにゆく暇もないまま、渋谷から送られてきた千人針を腹に巻いただけの、光乃にはひどく心残りの出立であった。

林と六円に挟まれて出ていった雪雄の、熱にうるんだ目が瞼に灼（や）きついており、太郎とふたり、力も脱けてぺたんと坐ったきりお互いにものをいう気力も失（う）せ、顔を見合わせている。

これから先、いったいどうすればいいか、母屋の女中は一人やめ、二人やめしてもうしのひとりになっており、どの家でもこうして口べらしをしているとなると、三たび渋谷も自分を呼び返しはしまいと思われるし、かといっていまさら女中以外の口過ぎもできようとは考えられなかった。

しかし光乃はいま疲れ切っていて、考えごとをするのはひどくもの憂（う）く、そのうち朝から何も食べていないのに気がつき、

「太郎しゅうさん、配給の南瓜で蒸しパン作ってありますけど、召し上がる？」

と聞いて、ようやく立ち上がり、盆の上に、それを揃えようとしたとき、垣の外に車の停まる音を聞いた。

聞き耳を立てていると、どうやら車から下りた人は松川家の門を入ってくるらしく、はっと胸をつかれて走り出た光乃が見たものは、林に肩を借り、まるで負傷兵のように体をひきずりながら歩いてくる雪雄の姿であった。

太郎がおどろきの声を挙げて飛び出してゆき、林に手を貸して雪雄を二階に担ぎあげる前に、光乃はたったいま払ったばかりの病床を再びととのえねばならなかった。

ぐったりと身を横たえた雪雄を、もとのように寝巻きに着かえさせ、額に浮いた汗の粒を拭ってやっている光乃のわきで、太郎は林に、

「いったいどうなすったんで」

とたずねると、

「ごらんの通りです。即日帰郷でした。六円さんと私は、何故こんな病人を連れてくる、軍に厄介かけに来たのか、と係の将校にこってり絞られました」

という次第で、何ともいえぬ複雑な表情をしている。

六円も渋い顔で門からすぐ母屋に引き取ったし、宗四郎もきっと、

「何たるざまだ。ここで死んでもよいからご奉公させて下さい、と何故いわなかったん

だ」
と猛り狂うに決まっており、それというのも、役者仲間や隣近所から激励の言葉や餞別をもらった手前、こんな恥さらしな結末は報告できぬ、といきまくに違いないからであった。

太郎のほうは、安堵のために浮かんでくる笑みを隠そうとしててのひらで口のまわりを撫でまわしながら、

「しかし林さん、ものは考えようじゃあござんせんか。少々世間体は悪くとも一旦は退いて病気を癒し、次回こそ功名手柄をたてて名を挙げりゃあ、かえって大旦那も喜びますぜ。このまま軍隊にくっついて行ったら、途中で犬死にしかねませんからね」

と弁明これ努めようとする。

思いもかけぬこういう事態に、まわりはすっかり気抜けしてしまったなかで、ひそかに胸を撫でおろしたのは太郎と光乃ばかり、ただ安心できないのは、雪雄の高熱はなお続いており、そばへ寄るとこちらが火傷しそうだと太郎もいう。

雪雄は緊張が解けたのか、目を半眼に閉じてただうとうとするだけで、何をたずねても返事もせず、意識もときどき混濁するらしかった。

その夜、光乃は、雪雄を太郎にたのみ、もんぺの上にショールをまとって家の外に出た。見上げると満天の星で、そのなかを流星のように赤い灯がひとつ、北へ向かって飛

んでゆくのが見えた。

まもなくこの東京も、敵機の来襲があるという専らの噂で、そのための偵察機かしら、と思いつつ、ショールをかき合わせて一月の夜の寒さに耐えながら、足は邸内の隅の神殿に向かう。

灯火管制で灯りもない真っ暗な鳥居をくぐり、手さぐりで鰐口の綱をとらえ、大きく振って手を合わせた。

この神殿は、神仏を敬すること厚い亡き九代目が、心願の筋あるとき、或いは芸の工夫に行き悩んだとき、精進潔斎して参籠したことを聞いており、いまその暗い格子戸の奥に向かって、光乃は心を込めて雪雄の本復を祈るのであった。

「なにとぞ私、塚谷光乃の一命に代えても、坊ちゃまをもとの体にお戻し下さいませ。折角、即日帰郷をいたされました身が、病に倒れるのはあまりにむごうございます。坊ちゃまには、役者としての大願もございます故に、たとえ私の命を召しましても坊ちゃまはどうぞお助け下さいませ」

くり返しくり返し一心不乱に唱え、寒さがぞっと身に沁みてくるまで、光乃は神殿の前に立ち尽くした。

神仏に偽りの祈願は許されず、もし願いどおり聞き届けられたとすれば、自分はまもなく神に召されるかもしれないが、光乃はいま、死がこわいとは少しも思わなかった。

むしろ雪雄のために一命を捧げるのを喜びとする一途な気持ちがあり、その前には何物をも恐れるものはないのであった。

雪雄の容体はその後も好転せず、食もほとんど捨てて次第に痩せ細ってゆくのを看病していると心細さ限りなく、もはや頼みは神仏のみ、夜更けには霜を踏んで神殿へと通う。

毎日往診に来てくれる医者は、ときどき頭をひねって考えていたが、即日帰郷後十日ほど経ったころ、

「頼んであった尿の検査が判明しました。チフス菌がありますので、避病院へ入って下さい」

と告げた。

腸チフスには褐色の舌苔があらわれたり、唇のまわりに赤い小さな水疱が生じたりするのが特徴だそうで、医者からはかねて光乃に、

「生水、生ものは食べないようにしていて下さい」

とだけの指示はあった。

幸い、近くの聖路加病院には伝染病棟があり、即日そちらに移されることになったが、担架に載せられ、病院の木炭車で運ばれる雪雄に、光乃と太郎が付き添って行けたのも病棟の入り口まで、年配の看護婦が出て来て、

「お家の方はここからお帰り下さい」

という。

光乃は思いもかけぬ拒否におどろいて、

「付き添いは許されないのですか」

と聞くと、

「伝染の危険がありますから、皆お帰り願っております」

とのこと。しかしその態度は断固として寄せつけぬ、という堅さでなくて、考慮の余地ありという隙があるとみて、光乃は根気よく頼んでみようと思った。

同じ伝染病でも、名を聞いただけで飛び退くという横綱格がペスト、それに迫る大関がコレラだが、チフスはそれに比べると小結、いや、前頭の筆頭くらいかな、と、看護婦が医師に相談に行ったあいだ、太郎が慰めるように光乃にいう。

太郎にそんな知識があるのも、チフス患者は驚くほどに珍しくはないためだが、しかし、「チフスで死んだ」話はときどき聞いているだけに、この診断を下された雪雄のまわりは、皆いちように眉をひそめ、恢復を念じつつ見守っているのであった。

光乃は看護婦に、

「このご病人はとても気むずかしくて、私でなければ看病はできません。消毒には十分に気をつけますので、どうぞそばに付き添わせて下さい」

と必死で頼み、そうまでいわれるといまは病院側も医師看護婦はどんどん戦場にとられ、手薄を嘆いているだけに、特別措置をみとめてくれるかもしれなかった。

それに、かかりつけの医者は、雪雄の容体が決して軽症でなく、腹部膨満の症状がみられるところから、最も危険な腸出血か腸穿孔(せんこう)を起こしている疑いもあると報告しており、そういうことを考えれば、雪雄をひとりここに置いて光乃は家へ帰って安閑としてはいられなかった。

まもなくあらわれた看護婦は、

「本来は、伝染病の患者さんは当病院でそっくりお預かりするのが鉄則ですが、チフスは経口感染でもあり、看護人が病気に対する知識を十分身につけた上でなら、付き添いとして認めようと、担当の先生がおっしゃっておいでです」

という朗報をもたらしてくれた。

光乃は感激して看護婦にいく度もいく度も頭を下げ、伴われて雪雄の病室へ入ってみると、病人はこういういきさつも一切知らず、ただ昏々(こんこん)と眠っている。

物資不足で、渡されたマスク、白衣、ゴム手袋など古びて繕ったものばかり、そして消毒はアルコール、クレゾール、昇汞水(しょうこうすい)などの使いかたを教わり、また病院からの給食をもらうために米穀通帳を外食券に替えて、二人分差し出さねばならなかった。

ここは聖路加病院の七番目の病棟で七舎と呼び、いちばん隅田川に近くて、夜など乗り物の騒音が静まると、岸にくだける波の音がすぐ枕に響いてくる。

最初の夜、黒い切れをかけた室内の灯りが九時に消えたあと、光乃は補助ベッドに横たわり、胸の上に手を組んでじっと天井を眺めた。白い壁、白いベッド、四角な部屋、まるで墓窟のなかに埋められているような感じだけれど、光乃は何やらとても落ち着いた気持ちであった。

ひょっとして、雪雄の病気が自分に伝染り、このままこの病室で死んでしまうかも知れない、と思ったが、その想像は少しも恐怖を誘わず、むしろひどく安らかな気持ちを呼び起こすのであった。

ここは外界から完全に遮断された伝染病棟、誰もこず、看病以外の用をいいつけられることもないいわば別天地で、しばらくは雪雄とたった二人で過ごせると思うと、その後に死が待っていたとしても、それは心おきなく甘受できると思うのであった。

チフスには特効薬はなく、一日一回回診の医者は高熱からくる心臓の衰えを用心しているふうだったが、入院三日目に便を検め、

「やっぱり腸内出血がありますね」

と首をかしげた。

チフス患者は、このときに生死を分かつそうで、雪雄の場合は無理をしているために衰弱も甚だしく、この危険期を無事越せるかどうかは保証できないという。

光乃は医師にすがりつく思いで、どうすればこの場を乗り切れるかを問うと、医師は、

「考えられる最もよい方法は輸血ですが、そういう例はチフスではいままでに聞かないし、第一血をくれるようなひとはまずいないでしょう」

と半ばさじを投げているふうであった。

輸血、と聞いて光乃は、

「先生、それは誰かの血を坊ちゃまの体のなかに入れるということですか」

と説明を求めると、

「そうです。まだ一般にはあまり行なわれていない療法ですが、出血などの場合、補給すれば著しく効果は上がりますね。もっとも血液型というものがあって、それが合わなければ血はもらえないのですから、やはりちょっとむずかしいでしょうね」

「先生」

と、光乃は医師の言葉の終わらないうちに叫んだ。

「私の血を坊ちゃまにさしあげます。お願いします。お願いします」

と頭を下げる光乃を医師はまじまじと見て、

「ほんとうにいいのですか」

といく度も念を押し、光乃の意志が変わらないのを確かめると、しばらく考えていたが、やがて、

「ようし、それではやってみますか。先ず血液型から調べましょう」

と、決断を下した。

そういえば防空頭巾やもんぺの上衣にぬいつけておくべき名札には、住所氏名年齢の他に血液型、というのがあり、隣組の回覧板にも、

「自分の血液型を調べておきましょう。万一のとき、役に立ちます。病院に行けば調べてくれます」

と書いてあったのを思い出した。

しかし血液型は実生活にほとんど必要ではないため、これを記入しているひとは稀だし、なかには適当にB型、などと根拠もなく書く人もあった。

むろん光乃は病院へ調べてもらいに行ったこともないまま、ここは空欄で名札を胸に縫いつけており、従って予備知識は何もなく、医師からの指示を待っていると、まもなく、

「幸運でしたね。輸血は可能です」

と看護婦が朗報をもたらしてくれ、即日、二人並んでの枕元輸血を行なうことになった。

この頃はみんなお芋ばかりの食事ですから、血も薄いかも知れませんね、採血後はしばらく静養して下さい、などと看護婦はいいながら、先ず光乃の左腕に針を刺し、ゆっ

くりと血を吸いあげはじめた。

我が血のいろを見た瞬間、すーっと手足の先から力の脱けてゆくような感じがあり、

「はい、終わりましたよ」

という看護婦の言葉を聞いたとたん、光乃は体ごとベッドに沈み込んでゆくに似た疲労感に襲われた。

そのまましばらく目を閉じ、やがて開いた視線を隣のベッドに移してみると、看護婦の腕のあいだから見えたのは、たったいま採った自分の血が、ゆっくりと、極めてゆっくりと、雪雄の血管に注入されているところであった。

このときの光乃の感動は、言葉になどとうてい表せないほど大きなものがあり、喘ぐように胸が高まって来て、瞼が熱く熱くふくらんでくる。

あたしのこの血が、いま坊ちゃまの体内に入っている、どくどくと脈打って弱った心臓を助け、体中を駆けめぐって病気を撃退している、と思うと、得もいえぬ歓喜にふるえ、同時に、二つの血が混ざり合うという合体感はさすがに恥ずかしく、その羞恥で頬に赤味がさしてくるのが自分でもはっきりと判る。

何とうれしいこと、坊ちゃまのお役に立てるこんな日を、自分は以前からずっと待っていたのだった、と胸のうちで呟きながら、そのうち光乃はいつのまにかとろとろと眠りに落ちていたらしい。

短い眠りから目ざめると、もうすっかり暮れていたが、電灯の明かりで隣をうかがうと、気のせいか雪雄の寝顔にもはっきりと生色がよみがえって来たように見える。

鼻のわきや目のまわりの黒い隈もうすらぎ、大きく上下していた胸の波も静かになって、呼吸がおだやかになって来ている。自分の血のせいで容体が好転したこの喜びは、おそらく誰にも判ってはもらえまい、と思いつつ、起き上がろうとして光乃はくらくらとした。

小さい頃弟たちに白豚、とからかわれたほど肥り気味の健康体も、一度に四百ccの採血はやはりどっとこたえると見え、そのあと二時間ほど光乃は起きることが出来なかった。

しかし雪雄の貧血と衰弱はかなり進んでいたと見えて、四百ccの輸血によってただちに恢復の緒が見えてきたというわけではなく、なお医師が憂色を拭わないのを見て、光乃はふたたび血の提供を申し出た。

親子兄弟ならともかく、単に主従の間柄でこれほどまでの犠牲的な行為はこのせつ珍しく、医師は目を見張りながら、

「大丈夫ですか、あなた。あともまた四百ccは頂かねばならないのですよ」

と念を押したのち、中一日置いてまたもや光乃の血を雪雄の体内に注入することになった。

さきの際の疲労感からして、今度はさらに体力の消耗を予想していたが、果たして光乃は輸血のあと今度はすぐさま深い眠りの底に落ちていった。光乃の体に補給するべき栄養剤はビタミン剤以外にはなく、看護婦がその注射を腕に打つとき、わずかに顔をしかめただけでずっと眠り続けた。

十二時間のちの朝六時、鼻をつく消毒薬の匂いでようやく目覚め、ああここは避病院のなかだった、と気付いて起き上がろうとすると、まだ支える腕に力がなく、へたへたとのびてしまう。

まもなく朝の検温にあらわれた看護婦が、雪雄の体温計を見て、

「あら、今朝ははじめて七度台に下がったわ。昨日の輸血のせいかしら」

と呟いたのを聞き、光乃はあまりのうれしさに飛び起き、ふらふらしながらその体温計をのぞかせてもらった。

のちほど回診の医師も、

「まだ危機を脱したとは断言できないが」

といいつつも、輸血効果の予想外に大きかったことを告げた。

チフス患者の恢復期は、まさに薄紙を剝ぐように、との形容どおり、一日一日、目に見えて快くなるといわれるが、症状が重かっただけに雪雄のその速度は並みよりも遅いながら、もう心配はいりません、あとは体力恢復だけです、というお墨付きを医師から

もらったのは、入院後一カ月近く経ってからであった。

光乃はある午後、窓際に立ち、はじめてみる景色のように外を眺めた。

指折ってみれば、十二月二十九日の夜半から発熱し、一月七日が入隊で即日帰宅、チフスと判って入院したのが一月十八日、今日が二月十五日とすれば、およそ五十日ほど、わき目もふらずただ無我夢中で過ごしてきたわけで、そのあいだに外界では節分も過ぎ、季節は冬から春へ移ろうとしている。

まだ冬の名残はみられるものの、陽ざしはうらうらと和み、さっきから窓枠のまわりにひらひらしているもんしろは、どうやら今年の初蝶らしい。

まるで穴ぐらのなかにもぐっているような五十日間だった、と光乃は思った。

それも希望と絶望の、いや絶望八分希望二分の、気分も萎え果ててしまうような日々だった、と思うと、いまこうして、生きて瞳をひらき、ものもいえるようになった雪雄とともに在ることが、まだ夢のなかにいるような気がする。

蘇生とはまさにこのこと、と思いつつ、光乃がぼんやりと窓外に目をやっていると、ベッドから雪雄が、

「お光」

とはっきりした声で呼んだ。

「はい」

とそばへ寄ると、何かを求めるように蒲団の上に右手を伸ばしている。光乃はその右手を自分の両てのひらでしっかりと挟んでやると、雪雄は、

「今日は何日？」

と聞いた。

私とおなじことを考えていらっしゃる、と思いながら、

「二月十五日でございます。入院してから二十九日目でございます」

と答えると、雪雄はうなずいて、

「よくも生き返ったね」

と呟いた。

「はい」

と光乃も答えて、

「また舞台にお立ちになることができます」

というと、雪雄はしばらく黙っていたが、やがて沈黙はうっうっという嗚咽に変わり、目尻から糸となって垂れた涙は両耳のなかに入ろうとしている。

急いで拭いてやろうとしたが雪雄は手を離さず、仕方なしエプロンの裾でそっと拭いつつ光乃もぐっとこみあげるものがあり、こらえ切れず蒲団の上に突っ伏してしゃくり上げた。

雪雄は仰臥（ぎょうが）したまま、

「お前が血をくれなかったら、おれはいまごろ骨になって埋められていたろうね」

といい、光乃はそれを聞いて、何とおやさしいことを、といっそう涙がとまらなくなるのであった。

このひとのそばに仕えて今日まで十一年近く、いつも主（あるじ）と女中のそっけない関係ばかり、用事以外の言葉をかけられるのは稀だっただけに、この述懐を聞いただけで光乃は、血をさし上げた甲斐（かい）があった、と思った。

雪雄はさらに、

「おれの入院以来、お光はほとんど寝てないのじゃないか。夜なかにいつ目を明けても、おれを見つめているお光の顔があった。

その顔はときどき、おぼろげに覚えている死んだおふくろの顔と重なり合ってね」

坊ちゃまはまるで人がお変わりになった、とその饒舌（じょうぜつ）をおどろいている光乃に、雪雄は一語一語嚙（か）みしめるように、

「あれはいつだったかなあ、昼か夜か、時間のおぼえは全然無いんだ。

何だか体がすうーっと軽くなったと思ったら、風船みたいにふわふわと浮いて、それが上昇して行くんだな。ふと前を見ると、おふくろがときどき振り返りながらおれを案内している。いつもの廂髪（ひさしがみ）で黒紋付き着てね。

まわりには五色の雲が流れていて、それはもういい気分だった。

そのうち高い門が見えて来て、わきに大ぜい立っていて、そのまん中に『暫』の武衡か、『妹背山』の入鹿みたいな、公家荒れの隈を取ったおそろしい形相のひとがどっかと腰をおろしていたが、おれを見るなり笏で追い返すんだ。

おふくろも悲しい顔をして首を振っている。門のうちは撩乱たる花畑で、おれは入りたくてたまらなかったが、とうとう入ることが出来なかった」

と語り、息を吐いて、

「あのまま門のなかに入って行ったら、おれはきっと死んでいたね」

といい、光乃は思い合わせて、

「それは輸血の前あたりのことだと思います。ずっとうわごとをおっしゃり、先生もこの二、三日が山だといわれましたから」

と告げたが、それはいまになって明かせる事実であった。

恢復期に入れば人間らしい感情も戻って来、そうなれば、外界の人の反応を雪雄は気にし、誰と誰が見舞いに来てくれたか、しきりに聞きたがったが、光乃は、

「面会謝絶でしたので、みなさま病院の受付からお帰りになったようでございます」

とだけしか話さなかった。

実際そうに違いないが、心から親しく見舞いをしたいと思うならば白衣を着て七舎に

入ることも出来なくはなく、また太郎にはいまもそうしてもらっている。が、宗四郎がぼやくという、

「雪雄はよくよく前世のわるい奴だな。人に伝染るような病気に二度も取りつかれるなんて」

のとおり、以前の肺結核療養のときも見舞い客は誰も訪れなかったように、このたびも受付に金品を託しては逃げるように帰ってゆくひとが多かった。

もっとも、いまは朋輩知己は戦に取られ、見舞い品としては卵の一つないありさまではあり、また毎日のように戦死者の名が新聞を賑わしているのでは、伝染病とはいえ、女中まで連れて療養できる雪雄の身分を、かえって非難のまなざしで見るひともあるかも知れなかった。

一度チフスに罹患したひとの予後は、見違えるほど丈夫になるという説があるが、それをなるほど、と光乃が思うのは、体質がそっくり変わるためと考えられるからであった。

というのは、雪雄に見るとおり、二カ月近くチフスにいためつけられた体は、目は凹み、頬はこけ、痩せるだけ痩せて全く別人のようになってしまう。

さて、この骸骨のような体をもとどおりにさせるためには、出来る限り滋養を与えねばならないが、光乃にとって、これは看病よりももっと難しいことであった。

太郎に頼み、面会室の金網ごしに、

「病院の給食は、お米粒は数えるほどしか入ってないお芋のお粥なんです。何とかして卵とかお肉とか、バターやらチーズやら、手に入らないものでしょうか」

といってみるのだけれど、台所のやりくり算段は光乃の領分だけに、太郎には皆目手の出しようもない。

とりあえずはたき子に連絡を頼み、米だけでも運んでもらうよう手はずをととのえたものの、行徳までの電車にはヤミ物資摘発の警官が乗り込んでいることが多く、見つかればそっくり取り上げられるばかりか、鶴蔵の名が新聞に載りかねず、なかなか巧く運ばなかった。

太郎は一メートルもある細長い木綿袋を縫い、それに一升の米を詰めて腹に巻く方法を考えたが、これは誰でもやっていることと判り、

「こうなりゃあ捕方とおいらの智恵くらべだ」

などと元気を装っているものの、芝居の用ならこそ、馴れぬ仕事はいたくこたえるらしかった。

廊下の隅にはメーター制のガス台があり、光乃は十銭玉を入れて小さな行平をかけ、日ことことと粥を炊いては病室に運び、一さじずつ雪雄の口に入れてやるのだけれど、卵があれを追うに従って食欲も出てくるようであった。手のかかる料理は何もできず、卵があれ

ば卵を、バターがあればバターを粥の中に落とすだけだが、雪雄は一口一口嚙みしめるように味わい、

「おれはいま生きているね。粥がとびきり美味いんだから」

などといい、二人で顔を見合わせて笑うときもあった。

入院二カ月目の終わり頃になると、雪雄は体中から表皮がぽろぽろ剝けはじめ、また髪が急激に抜けていった。

皮は軽くて室内をふわふわと飛ぶこともあり、光乃が糺すと医師は、

「大丈夫ですよ。完全治癒した証拠なのですから」

と笑って太鼓判を押してくれた。

光乃ともども病人はいく度も検便をくり返し、潔白が確実に証明されてのち、やっと退院の許可が出たのは、三月二十日であった。

雪雄の喜びようは一とおりでなく、満面の笑顔で医師や看護婦に礼を述べ、

「私の芝居にきっとご招待いたします。一度死んだ身が生き返ったらどんな芝居をするのか、ぜひごらんになって下さい」

といっていたが、それはこの病気によって彼自身の身体のみならず、精神にもいかに大きな変化と決意がもたらされたかの証しの言葉にちがいなかった。

迎えに来た太郎は、大仰に驚いてみせ、

「お、坊ちゃんは見違えるほど肥りなすって、ちょいとした会社の重役さん、てなおもむきですぜ。しかしきのねのほうはやつれたねえ。坊ちゃんに精を吸い取られちまったんだね」

といえば、雪雄も素直に同意して、

「お光がいなかったら、おれはとうにお陀仏だったぜ」

と、光乃の労をねぎらう言葉を口にするのであった。

光乃も採血されたあと髪が抜け、しばらくは体のだるさが続いたし、それに、何に触ってもすぐクレゾールの消毒液に手を浸すため、両手の荒れがひどく、いまだに手の甲にはいちめんひびが切れ、ときどき血が滲んでくる。

しかしそんなことはものの数ではなく、雪雄とふたり生きて病院の門を出られたしあわせをしみじみと感じているのであった。

三人は春風に吹かれながら川端をゆっくり歩き、二カ月ぶりに松川家の門をくぐった。六円に伴われて先ず仏間に入って灯明を上げ、そのあと養父母の前に雪雄は手をついて、

「私の不注意のため、悪い病気にかかり、ご心配をおかけして申しわけありませんでした」

と頭を下げて詫びた。

翌日は太郎、光乃を連れて渋谷へ礼に行ったが、おととし四月、病に倒れてからめっきり老けたとはいえ、まだまだ「口跡は達者」と人のいう宗四郎は、

「雪雄、お前は案外後生のいい男だな。死病を二度とも撃退したからな」

と、つい先ごろ「前世の因縁」と嘆いたのも忘れて、全快を喜んでくれるのであった。

わずか二カ月余の病臥とはいえ、人との往来の閉ざされた避病院の暮らしから出てみればまさに今浦島、とくに芝居の世界の変わりように雪雄はまず驚かされた。

それは三月から決戦非常措置要綱が実施されて、歌舞伎座、東劇、東京宝塚劇場などの大劇場が閉鎖となり、役者は小規模の劇場か、あるいは慰問興行に加わって、戦時体制への協力をしなければならなくなっているのであった。

物資のすべてにわたってないものづくしとなっては、正直いって世間は芝居どころではなくなり、大劇場閉鎖ののち、残った明治座、新橋演舞場、松竹座なども客の入りは極めて悪かった。

雪雄は三月いっぱい自宅で休養することになったが、そろそろ東京空襲も近いという噂が流れるなかでは、男手を必要とするいろいろな準備もあった。

邸内の広い松川家では、食糧にもならぬ花卉類はすべて芋畑になり、またご加護を願って神殿のそばに大きな防空壕を掘って、いざというときには六円夫妻にしの、雪雄に光乃の五人が飛び込めるよう、毎日スコップも握らねばならぬ。

病後の雪雄は、定説どおりかつて見なかったほど元気になり、また生まれ変わったように角がとれてやさしくなったものの、家に戻ればやはり光乃にとっては主、病院のときのような親密さはうすれ、距離もまたもとのようにへだたってしまった感じがある。

三月末のある夜、光乃はしのと相談して久しぶりに風呂を立てることにし、邸内に散らばった小枝などを拾い集めた。母屋には、先代が好んだという古い風呂釜があり、槙の桶もきれいに洗い、陽の高いうちから焚きつけた。

このせつ楽屋の風呂もほとんど無くなっているだけに内風呂は何よりのごちそうで、まずまっさきに六円にすすめると、

「年寄りに新湯は毒」

と、「太十」さつきの科白で六円が遠慮し、雪雄が、

「それではあんまり」

と固辞すると、ようやく六円が、

「湯の斟酌は水になる故、しからば」

とばかりに立って、一番風呂を使った。

男二人の次はまり子で、

「ああいいお湯だこと」

と長湯したあと、しのが使い、光乃は最後にゆっくりと入った。

久しぶりに、湯船に首までどっぷりつかり、思うさま長湯をして風呂から上がり、着馴れたもんぺをはこうとして体のほてっているまま、しばらくぶりに浴衣を着て帯を結んだ。何だか生あたたかい夜だこと、もうすっかり春のよう、と呟きながら、雪雄の床をのべるために二階に上がると、主はそこにねころんでいる。

雪雄は四月、明治座の「大楠公最期」という芝居に出ることになっており、片肘ついてねころび、畳に置いて読んでいるのはどうやらその台本であるらしい。

見れば窓を開け放ってあり、光乃は、

「今夜はあったかですけど、閉めておきましょうか」

と障子に手をかけると、雪雄はちらと視線を投げたものの何もいわず、少し間をおいて、

「お光、ここに坐って」

と枕もとを指した。

「はい」

といわれるまま、浴衣の裾を払って坐ると、雪雄は手をのばして光乃の膝をひきよせ、その上に頭をのせた。

そのときの光乃のおどろき、飛び上がって逃げようとしたが、雪雄の手はひざがしらから離れず、体中、石のようにコチコチになっているのへ、雪雄は笑みを含んだ声で、

「しばらくこうしていて」

と抑え、ややあって、

「子供のころ、おふくろにいつも膝枕してもらっていたんだ」

といった。

母上さまの亡くなられたのは、たしかこのお方がまだ小学生のはず、そんなに早くから膝枕を、と光乃は思ったが、言葉を発すると咽喉もとまで上ってきている心臓の鼓動を聞かれそうで口がひらけず、雪雄にそれが伝わったのか、ハ、ハ、と笑って、

「おふくろの死んだのはおれが八つのときさ。だからおやじが嫉いてね。こいつおれと張り合ってやがるって」

と、台本から目を離さずにいう。

そのあとは何もいわず、台本の頁を繰る音のみの静けさが部屋中に充ちているなかで、光乃は雪雄の頭の載っている自分の太腿の部分が次第に熱くなってくるのを覚えた。そこだけどくどくと大きく脈打っているのが判り、この波が坊ちゃまのお頭にひびきはしないかしら、と考えるといっそう体は固くなり、空いた両手のやり場がなくて、胸の上で何かに祈るように力を込めて組み合わせている。

気持ちを鎮めるために窓外の気配をうかがうと、この離室と母屋とのあいだにある桜の老木が、心なしかもう開花間近の華やぎを孕んで、あるかなしかの風に揺れているの

が感じられる。

　膝を貸したまま、光乃には長い長い時間が経ったように思えたが、実際にはほんの十分かそこらであったかも知れない。そのうち雪雄はうとうとしはじめ、手の台本をはらりと落としたのを機に、光乃はそばの座蒲団を取って二つに折り、雪雄の頭にあてがって立ち上がると、眠っているとばかり思った雪雄から言葉があった。

「お光、今夜はおれのそばに寝てよ」

　その夜、光乃の夢には妙なる楽の音とともに五彩の瑞雲があらわれ、光乃の体はその雲に包まれたまま、はるかな高みへ高みへと上昇してゆく感覚があった。

　歓喜とはこういうものか、万福とはこれかと思いつつ、その極み光乃は体をふるわせ、声を忍んで泣いていたらしい。

　しかし涙は蜜のように甘くてせつなく、その涙を拭ってくれるひとの指先をしっかり握った記憶のさきは混沌とおぼろにかすんでいる。

　朝、目覚めていつものように小さな手鏡をのぞき、そこにうつる我が顔に何の変化も起きていないのを見て、光乃はがっかりした。やはり夢だったのかしら、と思い、雪雄が病院で、生死の境をさまよっていたとき、亡き母とともに五色の雲に包まれて天空を駈けたという話を記憶していたから、それが夢となってあらわれたのかもしれない、とも考える。

継母のさだがよく口ぐせに、

「身の丈に合わないことはおやめ」

といっていたのを思い出し、どんな嬉しい夢を見たとてあのお方はしょせん高嶺に咲いた花、なまじ手の届かぬものは望まないのがよい、と自分にいい聞かせながら、朝の膳をととのえた。

雪雄が起きて来て、

「お早う」

と今朝は機嫌よく、新聞に目を通してから箸を取りあげ、

「お光はゆうべ、泣いていたね」

といった。

そのとたん光乃は全身、火を噴くかと思うばかり熱くなり、盆を持ったまま台所へ走り出た。

やっぱり夢じゃなかった、あのお方の風呂上がりの、ジョイのチベルーズが一晩中たしかに香っていたっけ、と思うと得もいえぬ激情に襲われ、光乃はその場にしゃがみ込んでしまった。

予期せぬ涙はぽたぽたと滴り落ち、膝頭を濡らすのに任せながら、光乃は、これは生まれてはじめての嬉し涙だと思った。

嬉し涙とはこれほどに嬉しいものか、そういえば昨夜、「お前のおかげで、これから先のいのちが拾えたんだから、おれの体は預けるよ」と耳もとでたしかに聞いた言葉がよみがえってくる。

しかしそれをなぞっていれば、いても立ってもいられないほど恥ずかしくなり、もうあのお方の顔も見られぬ、と台所にうずくまっている光乃の気持ちを察してか、雪雄は一人で身支度し、稽古のために明治座へと出かけて行った。

そのあと、居間の卓袱台のわきににじり寄り、光乃は長いあいだ、放心したままで坐っていた。脳裏に灼きつけられた亮子の嫁入り道具がひとつひとつよみがえり、花嫁御寮が初めて迎える夜の夜具の華やかさが目に浮かんだが、光乃の現実は、結婚とはあまりにほど遠いものであった。

悔やんでもせんないこと、亮子のように上等の緋縮緬の長襦袢もなければ、藍の匂い立つような仕立ておろしの浴衣もなく、寝巻き代わりに着ている、いつもの洗いざらしの浴衣のまま、二階への階段を上がって行った自分の姿が、次第に確かになって手繰られてくる。

嬉しさの絶頂を味わった代わり、いまとなってはとんでもないことを仕出かしてしまったのではないか、と少しずつ恐さも押し寄せ、そしてこのことを太郎が知ったらどうしよう、と光乃は思った。

何よりも雪雄のためを思うひとだから、

「そりゃあよかった。最初(はな)っから坊ちゃんはきのねのこと、憎からず思っていたんだ。おいらにはちゃんと察しがついてたぜ」

と鼻をうごめかすかもしれないし、或(ある)いは、

「冗談じゃねえよ。きのねまでまたお圭の二の舞いやる気かい。おいらにそこまで造作をかけねえでくんなよ」

と渋い顔をするかも知れない。

いずれにしろ、知れないでいるに越したことはなく、それにはもう決して二階へは上がるまい、と自分にしっかりといい聞かせる。

しかし放心状態のときが過ぎると、やはり昨夜の夢はたとえようもなく嬉しいもので、できるならまた見たいという矛盾が心のうちで激しくせめぎあう。

光乃のいまの気持ちをたとえていえば、夜空に一きわ美しく輝く大きな星に憧(あこが)れ、いつも窓際(まどぎわ)にもたれてそれを眺めていた貧しい少女に向かって、ある晩突然、その星が流れて落ちて来、大きな衝撃とともに瞬間、少女はその流れ星をてのひらに握りしめてしまった、という感じがある。

得もいえぬ幸福感のなかで、そっとてのひらを開いて星を眺めてはみたし、しかし開けばとたんに星はまた空へ飛び立つかも知れぬ畏(おそ)れもあり、と幻想と現実のゆきもどり

のなかで胸をわくわくさせながら一日が暮れ、このせつ寄り道する遊び場もないまま、雪雄はまっすぐに戻って来た。

いつものとおり何の変わりもなく、ゲートルを外すと母屋へ行き、また庭を一わたり見て歩き、という日課を踏んで夕食も終え、昨夜のように二階に床をのべに上がったとき、光乃は激しい動悸で目がくらみそうであった。

また、ここで寝てよ、といわれたらどうしよう、そういわれたら体がわななくほど嬉しいくせに、一方では恐さが胸いっぱいにふくれ上がっている。

何故恐い、と聞かれれば、やはり光乃は己れの足もとをみつめる気持ちが先に立ち、使用人の身で主と関わる行為を大それた罪とみる思いがある。とくに、同じ身分の太郎に知れたとき、どちらに転んでもまず淫ら者、という印象は拭えぬと思われ、光乃は蒲団を敷き終えると、黙って雪雄のうしろ姿におじぎをし、そっと下におりた。

山王下のあの家の夜、亮子が輿入れしてきてからの一カ月間は、まるで地獄のようだった自分の胸のうちを光乃はいま、まざまざと思い出す。

嫉妬の苦しさ、しあわせなひとを羨む心、望んでも得られぬものを欲する矛盾にもだえた業苦は、心にしっかり灼きつけられているが、しかしいま、この松川家離室の二階家に二人だけで住まい、階下に寝ていてふたたび始まった苦しみは、あのとき以上ではないかと思うときさえある。

それは、

「今夜はそばで寝てよ」

と心をひらいた雪雄が、あの夜以来、ふっつりと忘れた顔をし、何事もなかったように振る舞っていることであった。

あの晩のことは坊ちゃまの一時のきまぐれ、やはり春の夜の夢だった、と思うと、或る晩は自分がひどくみじめに見えて涙で枕を濡らしており、また或る晩はたとえひとときでもよい、星をてのひらで摑んだのだから、と本望達成で慰められるときもある。

また昼間は昼間で、長い時間鏡の前に坐って我が顔を眺めていると、当然のように圭子の華やかな目鼻立ちが思い起こされ、急に自分というものに激しい憎悪を感じて、鏡を掩いたくなる。

坊ちゃまは、病気以来私のことを亡き母上と取り違えておいでになるのではないか、と思うと、やはり圭子のように、女として愛されたい気持ちがふつふつと湧いてくるのであった。

雪雄は四月の明治座に引き続いて五月は新橋演舞場、六月はまた明治座と出演しており、七、八月の休みのあとは、二カ月以上にわたる国内の慰問旅行に出る予定であった。

一方、次弟新二郎は先年、幸右衛門娘明子と結婚式を挙げたあと、長男、次男と続けて恵まれ、また末弟優もようやく九月には長女を挙げ、一族の枝葉をひろげつつあった。

こう見ると、雪雄ひとり子の運に恵まれず、また結婚もいまのところ、宗四郎の言葉でいう、

「閂がかかっている。まだ開く時期じゃあねえ」

という按配だが、日々激しくなる戦局ではそれどころではないというのが実状であった。


八月末に東京を出発する慰問興行というのは、全国の軍需工場をまわって、道具や衣裳の少ない芝居のほんの一場面や、素踊りなどを見せるためのわずか七、八人の集団で、一人で役者も勤めれば照明、大道具小道具から人足まで手伝わなくてはならず、光乃は、はじめての長い別れとなるための、雪雄の防空頭巾、手套、下着るいを心をこめて縫った。


明日は出発、という前夜、雪雄は光乃を呼び、

「お前に頼んでおきたいことがある」

養父母六円、まり子ともに本年六十三歳、支えるしのはそれよりもたしか三つ四つ年上のはず、と来ては、年寄りばかりの母屋がどうにも気がかり故、おれが留守のあいだ、お光、お前がひとつしっかり踏んばって、見てやってはくれないか、とくにまり子には心臓の持病があり、できるなら母屋で寝泊まりしてやって欲しい、と雪雄にいわれ、そしてさらに太郎の身の上に及び、あいつも渋谷の親父と同じく、口だけは達者だが、も

うかれこれ還暦のはず、いざというとき何でも頼める体ではなくなっている、まだ面倒を見る年ではないにしても、始終気にかけてやってくれ、と打ち明けられ、光乃は体がしん、とするような感動をおぼえた。

一家の主が長い旅に上るとき、後事を託すのは長年苦楽をともにしてきた女房のはず、と思うと、いまさらのようにあの夢の夜のことがよみがえってくる。

雪雄は団扇で蚊帳の裾をあおいで、

「お前もなかにお入り。今夜は朝までここにおいで」

とやさしい声で呼び、

「さ、横になって」

と手をさしのべてくれた。

戦局は日々にきびしく、マリアナ沖海戦に大敗し、サイパン、グアムが玉砕したいまでは、ここを基地として、日本全土にわたって空襲を受けるのは時間の問題とされており、二カ月以上にわたる旅は、万一の場合の予測なしでは出られないことであった。

この夜の雪雄はひどく真面目で、団扇をゆっくりと使いながら、

「いくつになった？　お光は」

と聞き、

「はい、二十九でございます。さきごろ国民登録制の調査が参りまして、男子は十二か

ら六十、女子は十二から四十までを届けなくてはならないそうでございます。それは、無職と未婚女性を動員する目的だと聞きました。

女中も年によっては遊休労力とやらに見なされるそうで、私などいちばん危ない年恰好ではないでしょうか」

と、ぽつりぽつりと話すと、雪雄はしばらくの沈黙ののち、

「いまお光が動員されたら、うちはたちまち困ってしまう」

といい、

「まだ大丈夫でございます。いつまでもおそばに居ります」

と光乃が答えたあと、また二人の言葉は途切れた。

灯りのない蚊帳のなかで、向き合って横になっていれば言葉はいらず、光乃は一言だけ、

「ご無事で、どうぞ、お帰り下さいませ」

というと、そのあと何故かほろほろと涙がこぼれた。

雪雄のいいつけどおり、光乃は日中ほとんど母屋を手伝い、配給物ももらいに行ってやれば代わって防空訓練にも出てやり、またあいまには収穫期を迎えた芋畑の芋を掘って干し芋を作り、そのつるも茹でて干したり、休む間もないほど働いた。

六円の六十三歳はまだ元気で、開いている小屋の芝居をのぞきに行ったり、ときには畑も手伝ってくれるが、まり子の六十三歳はめっきりと老け、日常敏捷な動作はほとんどできなくなっている。

それというのも、小さいときから文字どおりのお乳母日傘で育ち、身の廻りのことはすべて女中任せなら、当然自ら動くことはなく、毎日座敷に座蒲団を敷いて坐っているばかり、もんぺが大嫌いで、いまでも裾長の着物をぞろりと着ている。

女子はすべてもんぺ、となったとき、皆自分の持つ着物をほどいて縫ったものだったが、まり子の場合は、箪笥のどの曳き出しをあけてももんぺに仕立てるような堅い地のものはなく、従って長着で外出すれば町角の憲兵などに咎められるので、門から外へはめったと出たことはない。

家中ではいちばんの雪雄びいきで、旅先から寄越した葉書をいつも手許におき、

「この次の便りはどこからだろうね。田舎廻りはさぞ骨の折れることだろうね」

といいいしていたが、その旅も半分以上を過ぎた十月十三日の夜、厠に立とうとして突然倒れ、そのまま帰らぬひととなってしまった。

光乃は助けを求めて町なかをどう走ったやら、しかし医者が駈けつけてくれたときはすでにもう後の祭りというより他なく、申しわけのようにカンフル一本打ってくれただけであった。

九世玄十郎の長女であり、若いころは舞台にも立ったことのあるまり子の死なら粗略には扱えず、翌十四日、郵便局の開くのを待って電報を打ったが、雪雄がそれを受け取ったのは姫路に近い広畑の、宿舎にしている寺であった。

雪雄はその場からすぐさま発ったものの、何しろ汽車に乗るには目的、日程など詳細を記した証明書が要り、それの入手やら、また乗り物はすべて満員でやりすごすやらのさまざまの障害にぶつかりながら、ようやく養母の亡骸と対面したのは二日後の十六日であった。

葬式には酒などの特配があるものの、九代目の全盛を知るひとが見たら、

「ご時勢とはいえ、何とおいたわしい」

というような野辺送りではあったが、それでも貧しい物資のなかではせいいっぱいのものであった。

雪雄は葬儀のあとふたたび一行に追いつくため旅先にとって返し、母屋では一人となった六円がぽつりと取り残されている。

まり子の死のあと、十一月一日にいよいよマリアナ基地から飛び立った敵のB29が東京上空に偵察にあらわれ、次いで同月二十四日、同じB29の八十機が下町方面を初爆撃して去って行った。

これを見て都民の多くは、いままで隣組で訓練して来た防火のための砂袋や、縄で作

った火叩きなどがものの役にも立たぬことを知り、同時に、この戦がもはや敗色濃いのをいやでも自覚せざるを得なかった。が、本土空襲など誰も初めての経験ではあり、さきゆきどういう状況になるか、誰も判らないまま、空腹に耐えて日をすごすより他なく、こうしたなかで芝居の幕を開けるのは演じるも観るも、心落ち着かぬ有り様となるのはいたしかたもなかった。

十二月は、六円を励まして雪雄はともに松竹座の舞台に出たが、客は至って少なく、それというのも、

「いつ真っ暗になるかも知れないところで芝居なんか」

といわれたように、警戒警報、空襲警報のサイレンが鳴りひびけばたちまち灯りは消されるし、もしや頭上に爆弾でも降ってくれば、そこが死に場所となってしまうからであった。

こんな危険を冒してまで芝居を見にくる客は日増しに減り、松竹座一カ月興行の予定は十三日までで打ち切りとなってしまった。

時勢のための不可抗力とはいえ、不入りのために打ち切りというのは、役者たちにとってどれだけ気が滅入るか、おとなしい六円でさえ、しきりに、

「全く、くさっちまいますねえ」

と、ぼやいている。

そして、本土に至近距離の基地を奪った敵の空襲は、十二月末から次第に激しくなり、翌二十年となると妊婦幼児から疎開がはじまって、東京から撤退をはじめるひとたちが相つぎ、芝居などはるかなものとなってゆくのである。

昭和二十年は年明けから惨憺たるありさまで、大晦日の夜半からの大空襲で浅草方面は大きな被害を受けた上に、十三日にはかなり強い地震もあり、二十七日にはとうとう白昼、B29七十四機の編隊が都心を狙い、有楽町、丸の内、銀座に多数の死傷者が出た。

この恐ろしさはたとえようもなく、才覚のあるひとは知人縁故をたよって田舎へ疎開したり、荷物だけでも送ったりしているが、長年東京のどまんなかで過ごして来た人間はただあわてふためくばかり、これという手立てもみつからぬ。

主の雪雄は、演芸報国の名目で近辺の軍需工場などの慰問興行に駆り出され、一月二月は昼間ほとんど家に居らず、留守を守る光乃はどれほど心細いことだったろうか。

朝、元気で出ていったひとが夕方にはもう死体となって路上にころがっているやもしれず、また残る方も、いつ家を焼かれ、宿無しとなって爆弾の雨の下をさまよわねばならないかも知れなかった。

しかし我が身の運命をじっと考え込んでいる余裕など誰もなく、空襲のあいまを縫って食糧の確保や荷物の整理や、疎開先の段取りなどに走りまわるという毎日で、そしてまもなく三月十日を迎えるのである。

九日の夜から始まったＢ29の爆撃は、これまで軍事施設だけを目標にしていたものが、今回は民家の一戸も残さぬとばかり、江東地区全域にわたる攻撃を始めた。

敵機来襲を告げるサイレンを聞き、取るものも取りあえず六円、雪雄、しの、光乃の四人が防空壕に飛び込んだ直後、至近距離からもう爆裂音が聞こえ、そのたびに壕の天井から激しく土が降ってくる。

この夜の波状攻撃はいっかな止みそうもなく、轟音をあげながら、執拗に激烈に、天地のすべてを破壊し尽くす勢いで迫ってくる。六円は、非常持ち出しの先祖代々の位牌に向かってさきほどからずっと小声で般若心経を唱えており、雪雄は壕の入り口にしゃがんで、様子をうかがっているが、その横顔が、近くで降下弾が炸裂するたび、一瞬の光芒のなかに浮かび上がる。

光乃は、雪雄の横顔をみつめながら、今夜、この場所が自分の最期となるかもしれぬと考えたが、ふしぎに肉親の者たちに会いたいという気持ちは起こらなかった。

一つの壕のなかで、雪雄と折り重なって死ぬのなら、それこそ本望、と思うと気分が落ち着き、体をくっつけているしのが、

「お光さんこわくないの。あたしはほら、こんなにふるえが止まらないの」

と、手をのばして来た。

暁がた近く、雪雄が壕から首を出し、

「火の手がここまでのびて来そうだ。皆、逃げよう、渋谷へ行ってみよう」

と皆をうながし、ようやく外に出てみて、広域にわたる猛火というものが、しけのときの潮騒よりもはるかにすさまじい音をたてるものだと、光乃ははじめて知った。

そのおそろしい音を背に聞きながら四人とも身ひとつで、手をつなぎ、励ましあい、ようやく渋谷の宗四郎宅に辿りついたのはたぶん夜明けの時刻ではなかったろうか。

さいわい山の手の界隈までは火はのびてはいなかったが、ここも家中、非常体制で、弟子たちは屋根瓦や庭木に水をかけている最中であった。

無類のきれい好きで、廊下など顔の映るほど磨き込まなければおさまらなかった宗四郎だが、いまはこの家も、雪雄一家だけでなく、下町の方から逃げてくる知人やご贔屓で床は真っ白に埃をかぶり、本人の居場所も長火鉢のある居間だけになっている。

ようやく空襲警報は解除になり、夕方近く、築地の家の様子を見に行った弟子の一人が首振りながら戻って来て、

「どこがどこやら、のっぺらぼうの黒焦げでございますよ。第一熱くってそばへ寄れたもんじゃございません」

といい、その報告を、ゲートルも解かずに待っていた六円は身をのり出して、

「ご神殿も焼けたんですか。たしかですか」

と問い糺し、

「へえ、ずっと見通しで。隅田川沿い何も立ってるものはありゃしません。あれば骨だけです。明治座、浅草国際、国民新劇場、みな消えっちまいました」

と確実であるのを聞いて、がっくりと肩を落とした。

先代から渡された家屋敷を、あとかたも無くした六円の落胆ははた目にもいたいたしいが、それを慰める同年輩の宗四郎も、明日は我が身の運命ではある。

「こうなりゃ日本も終わりだな。一億玉砕だ」

との宗四郎の呟き(つぶや)きには家中異口同音の賛意があるものの、しかし生きられるだけ生きてゆくためには、戦火の東京を逃れ出る知恵も寄せあわねばならぬ。

すでに六代目や喜左衛門も、信州などに移っており、「水道の水で産湯(うぶゆ)をつかった」と自慢にしていた江戸っ子も、もはや四散するより他ない運命であった。

三月の大空襲に続いて、四月にも二、三日おきにB29が二、三百機の編隊であらわれ、そのたびに出るおびただしい死者の処理には人手が足りず、囚人が挺身(ていしん)隊を作ってあたっているという。

渋谷の防空壕も、空襲警報のたび入り切れないほど満員なら、知人たちも順に疎開して出てゆき、雪雄たちもようやく行き先が決まったが、それは八王子の町であった。

この日ごろ、わずかな米を粥(かゆ)にのばしたものへさらに芋をたくさん入れて量をふやした食事の支度ができ、光乃がお種とともに、さあ皆さま、朝ごはんでございますよ、と呼び集め、一せいに卓袱台を囲んだとたん、空襲警報が鳴れば何もかもうっちゃらかして我先にと防空壕に飛び込み、息を殺して待つこと三十分、ようやく解除の長いサイレンを聞いて、皆もとの卓袱台へ戻ろうとするとまたもや空襲警報、といったあんばいで、腹ごしらえは壕のなかで焼き米や干し芋をかじったりすることが多かった。

三月以降はひたすら、壕と母屋への往復の毎日で、そのなかで宗四郎は桜上水、六円は八王子と行き先が決まれば、下につくもの、おのおの身の振りかたについて思案を定めなければならなくなる。

雪雄はむろん松川家を背負っている故、六円としの、光乃は引き連れるが、この場合、太郎の進退については、本人から、

「おいらは元来松川家の人間じゃあねえ。どんなに坊ちゃんについて行きたくとも、それは筋じゃあるめえ」

と、しょんぼりと嘆いているとおり、ここはやはり、

「骨は菊間で拾ってもらわにゃなるめえ」

ということになるが、宗四郎老い、ゆくゆくその名跡を継ぐべき新二郎も、二月の召集で海兵団に入団している。

優も三度目の召集で三月には出征しており、極めて心細い有り様の菊間家に太郎を残したまま、雪雄たちは別れを告げねばならなかった。

弟子や付き人や番頭などの使用人については家に付いたもの、或いは家で雇ったもの、という考えかたがあり、たとえ雪雄を襁褓の上から手塩にかけて育てた太郎でも、松川家の人でない限りは勝手は許されないのであった。

八王子は、松川家にとって昔から一入縁の深い土地とされており、お家芸の「助六」の科白のなかにも、

「遠くは八王子の炭焼き売炭の歯っかけ爺」

という個所があり、また六円にいわせると、

「八王子という町は、昔は甲州街道わきの賑やかな宿場町で、織物や石灰などを産して裕福な商人が多かった。お江戸へ出ては仕事のついでに必ず芝居見物をし、なかでも二代目玄十郎のご贔屓が多くて、商人たちはよく玄十郎の家で泊まって行ったらしい。だからお返しに八王子へもぜひ遊びに来てくれるよう乞われ、二代目は七、八人で出かけたところ、有名な役者を一目見ようとして黒山の人だかり、身動きも取れなかったそうな。連日連夜の酒宴ですっかり疲れ果てたといういい伝えが残っていますよ」

こういうご贔屓筋の根はいまだ八王子に一、二軒残っており、築地の邸のご神殿に四季折々のお供物をずっと届けて来たし、また、空襲が激しくなればいつでもこちらへお移り下さい、お引き受けいたします、という懇ろな便りも寄越してくれているという。

六円は、高尾山寄りの地主、奥田家に依頼の手紙を出し、その返事を雪雄に見せて、

「しばらくかくまっておもらいなさい。ここなら絶対安全でしょう」

といい、そして自分はといえば、

「私は兄としてやっぱり麗扇一家も気がかりですから、勘之助の身を寄せているところを先にのぞいてからにします」

と、祐天寺の弟子の家へ移っている三人のもとへ立ち寄ることを明らかにした。

ここは、先代の弟子の生き残り、北山某が住んでいる家で、さして広くはないが、北山夫妻に麗扇一家が弟子と女中を連れての四人、その上に六円がしのを連れて入ればひしめく有り様となる。が、また一方考えれば、賑やか好きの六円なら八王子まで都落ちするよりも、縁故のひとびとともに暮らすほうがいいのかも知れぬとも考えられ、雪雄が祐天寺まで六円を送って行ったのは四月末のことであった。

ここらあたりはまだ草深く、しんと静かで、空襲の危険など感じられないように思えるが、しかしサイレンによっては、いついっときのうちに変貌するかも知れなかった。

雪雄は北山夫妻にくれぐれも頼み、六円には、

「ここも危ないような気配になりましたなら、すぐ八王子へお越し下さい」

といい置いて別れた。

このあと、五月八日の新聞に、十五代喜左衛門が疎開先の信州湯田中温泉のよろず屋で、心臓マヒのため急逝したニュースが載り、役者たちはひとしく衝撃を受けたが、誰

も弔問に駈けつけるどころではなく、またその悲しみに長く浸っている余裕もなかった。喜左衛門は容姿、口跡ともに華麗な二枚目役者で、このひとが出るだけで舞台が明るく華やぎ、多くの女性ファンをうならせたものだったが、齢七十二歳とはいえ、旅先でさびしく息を引き取ったのは、いかにも残念な最期であった。

役者は舞台で死ぬが本望なら、芝居の無くなってしまったいま、喜左衛門の死は、高齢の役者にとっては我が行く末を見るような思いではなかったろうか。

宗四郎は、

「あのひとの助六と与三は、まるきり錦絵だった。誰がどんなふうに真似たって、あのひとを越すひとはもうあるめえ」

と嘆じたが、それを聞いている雪雄がこのあと一年の余にして、助六と与三の役に命がけで体当たりすることなど、このとき誰が想像し得ただろうか。

六円は祐天寺、雪雄は八王子、宗四郎は、以前からのご贔屓、富豪の成井家の別荘を貸してもらえることになり、広大な桜上水の邸へと行き先は決まっていたが、六円を除いてなかなか今日、という日がなく、ぐずぐずと渋谷に屯しているうち、五月二十四、五日の大空襲に遭遇した。

築地の邸が焼けた三月十日も被害は大きかったが、このたびはまた来襲敵機も倍の五百機があらわれ、皇居の一部も狙われたし、区部の大部分が焼失してしまうほどの打撃を受けた。

菊間一家は猛火の中をかいくぐり、ようやく桜上水の邸に到着、このたびはあとを見届ける余裕もなく、翌日の朝刊で歌舞伎座、新橋演舞場他、映画館のほとんどが灰になったのを知り、誰もしばらくは言葉もなかった。

「芝居したくったって、小屋も無くなっちまったんじゃ、どうしようもねえ。役者は皆、ただのひとになっちまったんだ」

という宗四郎の嘆きには雪雄にも共通の悲痛な響きがあり、これから先、明日の知れない日々をどう過ごすか、いい知れぬ虚無感に取りつかれてしまう。

雪雄は新聞を見るなりその足ですぐ八王子へ発ち、途中、満員の乗り物に苦労しながらようやっと夜に入って光乃とともに奥田家に到着した。

ここは市街地からずっと離れた閑静な場所にあり、いかにも大地主らしい構えで、広い坪庭の端に二階建ての納屋がある。

初対面の主は朴訥なひとで、

「私の祖父が九代目さんと懇ろにさせて頂いておりました。色紙を一枚戴きまして、いまも家宝にいたしております」

と、その縁につながる鶴蔵が来てくれたのを喜び、

「ご不自由でございましょうが、ここをお使い下さいまし」

と、納屋の二階へ案内した。

ここは畳敷きではあるものの一間きり、見上げれば天井は張ってなく、大きな梁がそのままむき出しになっている。

風呂と便所は庭の隅、井戸はこれも庭の一隅にはね釣瓶をつけたものがあり、そして煮炊き用の竈は、納屋の階下に煉瓦を積んで急ごしらえをしてくれてあった。

雪雄は珍しそうにあちこち見てまわり、

「こりゃあまるで『沼津』の書き割りだね」

と、壁の農具などを手で持ち上げてみたりさわったりしている。

光乃は、大きなリュックを背負って両手に荷を持ち、防空頭巾をかぶり、ズック靴をはいてずっと雪雄のあとについてここまで来たが、一間しかない納屋の二階の部屋を見たとき、胸がとどろいた。

今日からここで二人きりの生活を始めるのだが、控えの間もなければ雪雄とは枕を並べてやすまねばならなくなる。

五月二十六日から始まった八王子の納屋の二階の生活を、光乃がもし人に話すとしたら、どんな言葉だったろうか。

いままでとはがらりと変わった暮らしだったけれど、私にとってはとても楽しい日々でした、といい切ってしまうのは必ずしも真実でなく、では偽りかといえばやはり、光乃の生涯のうちではあたたかな陽ざしを身いっぱいに浴びていたような感じの月日ではあった。

ここでは雪雄とたった二人、芝居もなく身内も遠く、しかも起き臥しともにぴったりとかたわらに添っていれば、雪雄の行動も心の動きも手に取るように判ってくる。

雪雄には初めての田舎暮らしなら様子の判らないことが多く、いきおいお光、おきの、と頼られるのはうれしく、ときどきふと、このまま、ここの暮らしがいつまでも続けばいいな、と考えていたりするのであった。

こちらでは雪雄は何もすることがないまま、まず新聞を隅から隅まで目を通し、在郷軍人会を手伝ったり、町の郵便局へ出かけては長い行列の末、葉書を買ってきて身内の者と安否を確かめ合ったりする。ときには光乃と二人、裏山に登って松根油供出のための松の根を掘りに行き、馴れぬ鍬使いに疲れて木の下に足を投げ出し、持参の水筒に芋混じりのおむすびをひろげるとき、二人はもう遠い以前からの夫婦のように光乃には思えることもあった。一見のんびりと農村生活を楽しんでいるかのように見えるけれども、新聞の報じる戦局を読めば、帝都壊滅も近いのが予想されるだけに、雪雄の心にもそんな余裕は持ち合わさないことが、わきからでも見てとれる。

その点光乃の気持ちは平らで、ここまでついて来たからには、生きるも死ぬも運命は雪雄と一緒、という覚悟のすえかたがあり、死でさえもたじろがぬのは何より強いが、しかしときどきふと気持ちがささくれ立ってくるのは、まわりの視線であった。

母屋にはもう一組、縁者が疎開してきており、そういう女たちが集まって井戸端会議をしているときなど、光乃が水を汲みに行くと、皆いちように口をつぐんでしまったり、ぱっと散って行ったりする。

明らかに光乃の噂をしていると判り、あるとき、悪いことにちらりとそれを洩れ聞いてしまった。

「あのひとおさすりさんね」

「役者さんもそういうひとを連れていなきゃ、不便ですものね。八王子の遊廓ももう店を閉めているというし」

という言葉は、頭から冷水を浴びせられた感じがある。

おさすりとは、下女と妾を兼ねた女のことで、この言葉を光乃が最初に聞いたのは渋谷の家に奉公したとき、お種から、

「お光つぁんや、あんたなら間違いはないだろうが、おさすりになっちゃいけないよ。女中が出世するには、おさすりからずるずると後妻に居なおるのが手だからね」

といわれ、だから身なりは地味に、厚化粧は控えて、さし出口はご法度だと戒められたことはいまも頭に灼きついている。

光乃はこれまで、雪雄と二人だけの家で過ごしてきて、誰からもあからさまにそんな言葉を投げられたおぼえもなかったし、まわりを眺めても、身の廻りの世話をする女中の一人や二人、どの役者も連れていたから、圭子の生きかたは知っていても、おさすりなどという嫌ないいかたを思い出したことはなかった。

奉公のはじめ、役者の世界が特殊だという感じは強く抱いたものの、それは、礼儀正しいことや、稽古にきびしいことや、皆もの知りであることなどであって、それも長い年月のうちには自然に馴れてしまっていたものが、いま見知らぬこの土地に来て、はじめて自分のみならず雪雄までがなお特別な目で見られているのを、思い知らされた感じであった。

以来光乃は、井戸端に誰もいないときを見すまして水を汲み、坪庭に人影のないのを確かめてから降りていって、煮炊きをするというふうに、なるべく母屋との接触を避けるようつとめている。

そして八月二日の未明、工業地域無し、とされる八王子の町で突如空襲警報のサイレンが鳴りひびき、奥田家でもどれほどに驚いたことだったか。坪庭に立って主がメガホンで、

「鶴蔵さん、鶴蔵さん、壕に入って下さい」

と呼びかけるよりも早く、何町と離れていない場所に焼夷弾が落下し、納屋の二階も

激しく揺れた。

東京では夜間ももんぺのまま横になっていたが、こちらでは安心しきっていただけに、手近に防空頭巾もなく、手さぐりで取り出そうとしているのへ、

「お光、早くしろ」

と雪雄がせき立てる。

光乃は一瞬、あの井戸端会議の光景が眼前をよぎり、あのひとたちと同じ壕のなかでは、ととっさに心を決め、

「どうぞ坊ちゃまだけ、いらして下さい。私はここにおります」

と告げると、雪雄は、

「ばかな」

と怒鳴り、有無をいわさず強く光乃の手を引いて、

「さあ」

と、転げるように階段を下り、至近距離で火花が炸裂(さくれつ)する間隙(かんげき)を縫って二人一緒に壕に飛び込んだ。

奥田家では、まさか防空壕が実戦に役立つとは考えていなかったとみえて、内部は狭くて床は湿り、そのなかに肩と膝(ひざ)を寄せ合って、十人ほどのひとたちが敵機が去るのを息をひそめてひたすら待った。

あのおさすり、といったひとも光乃のすぐ後ろにうずくまっていたが、生死の境では人のことどころではないとみえ、歯の根の合わないのが聞こえるくらいふるえている。敵の空襲目標は軍事施設か工業地区だとばかり思っていたものが、それらに全く該当しない八王子を襲ってきたのは、たとえ難いほどの恐怖であった。

しかも波状的につぎつぎと新たな編隊があらわれ、まるで砂を撒くようにざあーっと余すところなく爆弾を落とし、夜があけても攻撃はいっかな止みそうもない。母屋の疎開者の老齢の婦人は壕のなかでほとんど気を失い、ぐったりと娘にもたれかかるのへ、支える娘もガタガタ胴ぶるいをし続けている。

火はすぐ近くまで延びて来ているらしく、夜が明けても空はまだ赤く染まり、黒煙が異臭を伴って流れてくる。ようやく爆音は去り、解除の長いサイレンを聞くと、主と雪雄はまっ先に飛び出し、燃えている火を消しに走って行った。

実は昨日、空からバラ撒かれた宣伝ビラによって、この空襲は予告されていたが、それでも半信半疑でいた市民も警戒警報を聞いて郊外へすっかり逃げ去ったため、市街地では消火活動が全くできなかったといわれているが、奥田家の近辺のひとたちも、まさかこれほどの規模とは予想していなかった。

出撃敵機三百十機、投弾量千六百トン、死者二百二十五人以上、八王子の市街地は一夜で壊滅し、翌日からは辛うじて命を拾ったひとたちが奥田家へも逃げ込んでくる。

町の焼けあとからは三日三晩黒煙が立ちのぼり、納屋の窓からそれを眺めながら雪雄は、

「アメさんはおれたちをどこまでも追いかけて来るんだねえ。狙われるはずもない八王子がこれほどやられたってえのは、まるでおれを目あてにしてるとしか考えられねえじゃあねえか」

と呟き、光乃がくすりと笑うと、雪雄はごろりと横になって、

「あーあ、おれはもう戦争ってあきあきしちゃったよ。アメさんもおれたちを殺すなら殺すで、早いとこ黒白つけてはくれねえもんですかねえ。なあお光」

と話しかけた。

戦火を逃れて身内や朋輩は四散し、この八王子全滅のニュースが流れても、誰ひとり安否をたずねに来る余裕も手だてもないいまとなっては、雪雄のためいきも無理からぬところかも知れなかった。

が、雪雄とともに嘆くには、光乃は戦争がもたらしたこの暮らしに心のどこかで感謝する思いもなきにしもあらずというところがある。平和な世なら、どうしてこんなに、まるで夫婦のように、二人だけで暮らすことができようと思うと、人の目はともかく、このまま、八王子の生活がいつまでも続いて欲しいとひそかに念じるのであった。

きのね（上）

新潮文庫　み-11-9

平成十一年四月一日発行
平成十二年十一月二十日四刷

著者　宮尾登美子

発行者　佐藤隆信

発行所　株式会社新潮社

郵便番号　一六二―八七一一
東京都新宿区矢来町七一
電話　編集部(〇三)三二六六―五四四〇
読者係(〇三)三二六六―五一一一

価格はカバーに表示してあります。

乱丁・落丁本は、ご面倒ですが小社読者係宛ご送付ください。送料小社負担にてお取替えいたします。

印刷・二光印刷株式会社　製本・株式会社植木製本所

ISBN4-10-129310-4 C0193